구미호뎐

구미호뎐

극본 한우리

하권

나도, 너를 기다렸어

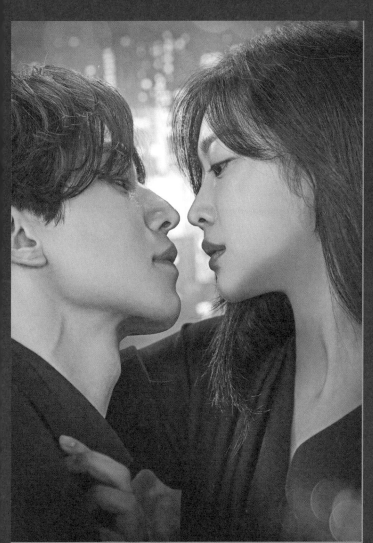

너와숲

작
가의 말

문득 궁금해졌더랬다.
그 많던 우리네 토착신과 토종 귀신들은 어디로 갔을까.
모조리 바다 건너 '이민'을 갔을 리는 만무하고.
'어쩌면 그들, 우리가 모르는 사이 지금 여기,
2020년 대한민국을 더불어 살아가고 있는 건 아닐까?'
〈구미호뎐〉은 거기서 시작됐다.

행방불명된 그들의 안부를 물으면서 숱한 '옛 이야기'를 만났다.
할머니의 할머니의 할머니들로부터 구전되어 오다가
이제는 낡고, 늙어 버린 이야기.
그 속에는 세대를 넘어 사람과 사람을 잇는 공동체의 여정이,
함께 울고 웃던 이웃이, 때로는 한 마을이 살고 있었다.
죽은 자들을 위로하고, 산 자들을 다독이는 이야기.
그들을 '전승'하는 게 어쩐지 의무처럼 느껴지기도 했다.

작업실 앞 포장마차에서는 크고 작은 싸움이 난다.
싸움의 골자는 대체로 '돈 갚아. XX놈아.' 같은 문장으로 요약된다.
간결하다. 복문이 아닌 단문이다.
문장 끝에는 종종 돈과 피가 묻는다. 정직하고 또 잔인하다.
그런 글을 쓰고 싶었는데.
내 말의 가난을 감추기 위해, 대사는 종종 풀 메이크업을 하고는 했다.
가끔은 길을 잃고 헤매었다.

작가의 허물을 빛나는 연기로 채워 준 우리 배우들.
이름 없는 조연들까지 따뜻하게 먹이고, 챙기던 구미호 형제.
'남지아 그 자체'였을 만큼 선량하고, 똑똑한 인간 여자.
저들은 〈구미호뎐〉을 촬영하는 동안, 러시아 여우, 수의사,
이무기 등과 함께 틈만 나면 모여서 어린아이들처럼
'몸으로 말해요' 게임 등을 하고 놀았다.
서로가 서로를 아끼고, 정성껏 모니터를 해 주며.
이따금 편집본 너머로 뚝뚝 애정이 묻어났다.
그것이 드라마의 여백을 채웠으리라.

그리고 누구보다 존경하는 강신효 감독님.
드라마 현장의 마더 테레사로 불리는 어진 성품에,
독한 완벽주의자이기도 한 그분이 없었다면
〈구미호뎐〉은 세상에 나오지 못했을 것이다.
더불어 감각적인 그림을 만들어 준 조남형 감독님.
개미처럼 성실하게 자료 조사를 해 준 차희윤 작가, 이하은 작가 및
제작진들에게 감사를 전한다.
내가 쓴 모든 문장이 그들에게 빚지고 있다.

마지막으로 말과 그림, 정성스런 캘리그라피로
드라마를 응원해 준 시청자 분들.
덕분에 〈구미호뎐〉은 '아직' 끝나지 않았다.

2023   한우리

차례

이 연 _이동욱

남지아 _조보아

이 랑 _김 범

구신주 _황희

탈의파 _김정난

현의옹 _안길강

최 팀장 _주석태

김새롬 _정이서

표재환 _김강민

기유리 _김용지

이 연 _이동욱

'간(肝)'보다 소위 '간지'를 중시하는 남자 구미호.

펜트하우스에 틀어박혀 하루 종일 스마트폰으로 미드를 보면서, 민트초코
아이스크림을 퍼먹는 구미호를 본 적이 있는가.

준 재벌급 자산 소유, 사람을 홀리는 미색, 여우답게 영특한 지능,
완벽한 인간 패치까지, 온갖 능력치 몰빵 해 놓은 듯한 이 남자는, 한때
백두대간을 다스리는 '네임드 산신'이었다.

그런데 그 좋은 리즈 시절 꽃처럼 지고, 현재는 내세 출입국 관리
사무소에 소속된 말단 공무원 되시겠다. 그것도 정규직 아니고 별정직.
본인 피셜, 600년째 대체 복무 중.

현세를 어지럽히는 동화(설화) 속 주인공들 때려잡는 게 주된 업무다.
압도적인 업무 성과를 자랑하지만, 공권력 남용, 개나 줘 버린 양심,
피도 눈물도 없는 과잉 진압 등으로, 이승과 저승을 가리지 않고 민원이
자자하다.

"600년간 병역의 의무가 계속되는데, 안 미치고 배겨?" 사람들의
존경을 한 몸에 받는 산신이었던 그가, 이렇게 막 나가게 된 이유는 과거
'백두대간을 강타한 희대의 스캔들' 때문이라는데….

남지아 _조보아

간(肝)이 배 밖으로 나온 여자.

〈도시 괴담을 찾아서〉라는 화제의 프로그램 담당 PD. 미리 경고하는데
속지 말자.

로맨스 드라마 여주인공 같은 청순한 얼굴은 '가면'이다. "까고 있네. 요새
지고지순한 캐릭터 안 먹혀."라는 대사를 날리며, 사이비 종교 심장부에
홀로 뛰어들지를 않나, 흉가 촬영 때는 물 만난 물고기요, 장르 불문, 뒤가

구린 인간들 겁박하는 게 주특기. 타고난 승부사다.

그런 그녀가 풀지 못한 단 하나의 난제가 있으니, 바로 '가족'이다.

어릴 적, 여우고개에서 일어난 기묘한 교통사고. 그녀의 부모는 바로 그곳에서 증발하듯 사라졌다. 유일한 생존자인 그녀는 '범인은 사람이 아니었다.'라고 주장했지만, 그 말을 믿어 주는 이는 아무도 없었다. 부모를 찾기 위해 홀로 괴담을 추적해 온 세월이 21년. 마침내 놈을 만난다! 사람으로 둔갑한 구미호, 이연이다!

이 랑 _김범

인간과 구미호 사이에서 태어난 이연의 배다른 동생.

예민하고, 자존심 강한 수컷. 형한테 인정받고 싶었다. 형처럼 되고 싶었다. 한때 그에게는 형 '이연'이 세상의 전부였다. 그런데 형이 고작 '인간 여자' 하나 때문에, 산신의 지위를 버리고, 숲을 등지고, 그를 버렸다. 죽어도 용서할 수 없다.

지금 이랑이 바라는 건 딱 하나, 바로 이연의 파멸이다. 본인은 펄펄 뛰겠지만, 브라더 콤플렉스를 가지고 있다.

긴 세월, 이연을 증오하고, 인간을 저주하면서 살아왔다. 때때로 소원을 들어주겠다고 사람들을 꾀어, 무시무시한 대가를 치르게 만드는 장본인. 둔갑에 능하며, 내기에 목숨을 거는 그는, 현존하는 가장 '위험한 구미호'다.

구신주 _황희

수의사.

백두대간 시절부터 '이연'의 충신 노릇을 해 온 토종 여우로 주군인 이연을 상당히 잘 갈군다. 인간 세상에 처음 내려왔을 때만 해도 '여우'로서

존재론적 고민도 했지만, 치킨을 맛보고, 마트를 거닐며 큰 깨달음을 얻고,
삶의 모토도 바뀌었다. 그러나 수의사계 명의로 불리며 오로지
건물주를 목표로 살아온 그의 외길 인생에 뜻밖의 일이 생겼으니….

탈의파 _김정난

내세 출입국 관리 사무소, 삼도천 문지기.
염라대왕의 누이. 삼도천 최장기 우수 공무원. 최근 저승 근대화에
따라 삼도천은 '내세 출입국 관리 사무소'로 간판을 바꿔 달았다. 현대
죄인들 신상 기록용 엑셀을 배우느라 골머리를 앓는 중이다. 저승의 법과
원칙을 수호하기 위해서 목숨을 걸고도 남을 보수 인사. 이연과는 각별한
인연, 혹은 악연이 있어 종종 그의 창구가 되어 준다.

현의옹 _안길강

내세 출입국 관리 사무소, 삼도천 문지기.
탈의파의 남편으로 삼도천보다 동네 노인정이 더 어울릴 듯한 순한
할아버지로 드라마 보는 게 그의 낙이다. 염라대왕보다 무서운 아내를
군말 없이 모시고 살아온 공처가이기도 하다. 그러나 그런 현의옹이 요즘
일탈을 꿈꾸고 있다?! 차마 꺼내지도 못할 '이혼 서류'를 접었다 폈다
하면서….

최 팀장 _주석태

한때는 탐사 보도 프로그램에서 날고 기는 PD였다 카더라.
지금은 주로 사무실에서 낮잠이나 자는 신세지만, 결정적인 순간에
지아를 믿고 백업해 준다.

김새롬 _정이서

방송국 작가.

호기심 천국인 성격에 집요함이 더해졌다. 방송 작가로는 더할 나위 없는 성정이나, 맞춤법에 치명적인 약점을 가지고 있다. 틈만 나면 대본에 손대려는 지아와 싸우면서 미운 정, 고운 정 다 들었다.

표재환 _김강민

조연출.

표씨 집안 5대 독자로 나름 귀하게 자란 덕분에 겁도 많고 포기도 빠르다. 하필 괴담 프로그램에서, 또 하필 지아를 사수로 만나는 바람에 안 그래도 섬세한 유리 멘탈이 연일 갈려 나갈 지경이다.

기유리 _김용지

모즈백화점 이사.

도발적이면서 귀엽다. 그리고 미쳤다. 겉으로는 잘나가는 커리어 우먼의 모습을 하고 있지만, 사람을 고문하고 죽이는 데 거침없다. 러시아에서 밀수되어 시설이 열악한 지방의 한 동물원에서 자란 '동물 학대'의 산 증인으로, 사육사를 죽이고 그녀에게 자유를 준 것이 이랑이었다. 그래서 이랑의 말이라면 죽는 시늉도 할 수 있다. 야생 동물의 본성이 아직 팔팔하게 살아 있는 그녀는 현재 모즈백화점 사장의 죽은 딸, 기유리 행세를 하며 살고 있다.

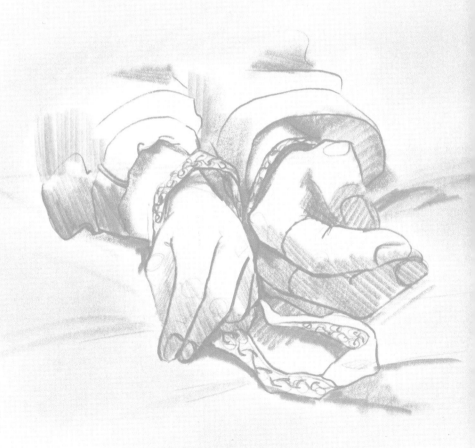

#1   아귀의 숲 (낮밤 무관)

8화 엔딩에 이어, 이랑을 향해 몰려드는 아귀들!

이랑   역시, 그놈은 여자밖에 모른다니까.

하는데, 이랑을 덮치던 아귀들 힘없이 쓰러진다! '어이, 꼬맹이!' 부르는 소리!

이연   방금 내 욕하는 소리 다 들었다.
이랑   이연?!!!

잡고 일어나라고, 팔뚝을 내주는 이연.

이랑   치워.
이연   튕기는 것도, 때와 장소를 좀 봐 가며 하지?

저만치에서 아귀들 다가오고 있다!
게다가 이연이 베어 버린 놈들, 죽지도 않고 몸을 일으킨다!

이랑   (스스로 일어나서 툭툭 털고) 넌 그놈이 아니야. 이연이 날 구하러
             올 리가 없잖아?

이연   뭐 아주 틀린 말은 아닌데.

이랑   증거를 대봐, 네가 이연이면.

이연   증거? 주민등록등본이라도 떼 주랴?

이랑   (차갑게 보면)

이연   (잠시 생각하고, 빠르게) 정월대보름, 쥐불놀이. 신나게 불놀이를
             하고, 넌 그날 바지에 실례를 했어. 향후 3년 간, 난 너를 이렇
             게 불렀다.

이랑   닥쳐!

이연   오줌싸개!!

하는 순간! 아귀들이 둘을 덮친다!
간발의 차로 달려드는 놈들 매섭게 베어 버리는 형제!
이연은 검을, 이랑은 손도끼를 들고, 등을 맞대고 선다!
이랑의 눈빛도 달라졌다!

이랑   (그 와중에 이연에게) 죽여 버린다, 너!

이연   얘네 먼저!

이랑   네가 아래.

이연   (아는 신호다) 싫어, 내가 위.

이랑	젠장!
이연	간다!
이랑	('시간이 없다!' 하나, 둘, 셋 타이밍 재다가) 가라!

하자마자, 이랑이 몸을 낮춰 준다! 이연, 뛰어오른다!

플래시백

뛰어오르는 모습 그대로 '과거의 이연'으로 바뀐다.
어린 이랑에게 검술을 가르치는 중이다.
처음에는 서툴게 비틀거리는 이랑, 형이 잡아 주기도 하고.
이연이 '합을 맞춘다는 건, 우리가 서로를 믿어야 한다는 뜻
이야.' 이랑이 똘똘하게 알아듣고 '믿어!'
시간이 흐르면서 제법 의젓하게 합을 맞추는 모습.

현재. 이랑이 올려 주는 힘으로 아귀들 목을 노리고 날려드는
이연! 이랑은 아귀의 다리 쪽을 파고든다!
과거에 그랬던 대로, 유려하게 합을 맞추는 형제!

#2	여우고개 (밤)

지아는 달리는 자동차 뒷좌석에 앉아 있다. 앞좌석에 그리운
엄마 아빠.
믿기지 않는 얼굴로 '엄마… 아빠?!' 불러 본다.
부모는 지아 목소리 들리지도 않는 듯, 근심 가득한 얼굴로.

엄마	오늘, 지아 최면 치료했어.
아빠	강 박사는 뭐래?
엄마	이런 케이스는 본 적이 없대.
아빠	!!!!
엄마	그럼 안 되는데, 나 자꾸 겁이 난다?
아빠	(말없이 엄마 손 잡아 주면)
엄마	(눈물을 툭) 우리 딸 지켜 줄 수 있을까. 내가 잘할 수 있을까.

'이게 어떻게 된 일일까.' 혼란하기만 한 지아인데.

지아	엄마… (엄마 만지며) 엄마?
엄마	(대꾸조차 없는)
아빠	(한참 만에) 지아 깼니?

그 소리에, 엄마가 얼른 눈물 감추고.

엄마	집에 가서 주려고 했는데 (선물 건네며) 자, 생일 선물.
지아	생일??!

불길한 예감으로, 선물 포장 풀어 본다.
예의 그 '회전목마 오르골' 나온다.

지아	이 오르골!!! 설마… (다급히 창밖 둘러보며) 여우고개?!!

구미호뎐   제9화 어둑시니

평생 악몽 같이 지아를 따라다니던 풍경! '1999년 그날'이다!
지아, 운전하는 아빠를 뜯어 말리기 시작한다!

지아	가면 안 돼!
아빠	선물은 마음에 드니?
지아	이대로 가면 사고 나!! 차 세워!
아빠	지아 아픈 거 다 나으면, 우리 셋이 또 회전목마 타러 가자.
지아	아빠, 내 말 안 들려?! 차 세우라고!!

공허한 지아의 외침 계속되는 가운데, 사고 지점에 들어서는
자동차!

#3   아귀의 숲 (낮밤 무관)

형제가 아귀들 상대로 치열하게 싸우고 있다!
하지만, 아무리 베고 찔러도 다시 살아나는 아귀들!

이랑	젠장! 끝도 없이 되살아나네! 아귀가 이렇게 강했나?
이연	우리가 약해진 거 같은데?
이랑	뭔 소리야?

이연의 눈, '구미호의 그것'으로 변해서 하늘 올려다본다.

이연	천둥 번개는 고사하고, 비바람도 안 움직여.

이랑	능력이 아예 안 먹힌다고?!!
이연	(서늘하게 주위를 보며) 우리가 지금 '어디' 있는 걸까.
이랑	몰라서 물어? 아귀의 숲이잖아!
이연	글쎄?
이랑	안개 속에서 계속 몰려오는데?!
이연	내가 신호하면 저기로 튀어!

이랑이 눈으로 동선을 잰다. 한순간, 이연이 신호한다. '뛰어!!!'
절뚝거리며 몸을 피하는 이랑!
홀로 아귀들과 싸우는 이연의 시선에, 이랑을 따라붙은 아귀
한 놈 보인다!
이랑을 덮치기 직전이다! 이연이 있는 힘껏 검을 던진다!
정확히 놈을 꿰뚫는 이연의 검!
동시에, 맨손이 된 이연에게 아귀들 몰려든다!

#4   여우고개 (밤)
아빠를 멈추기 위해 운전대에 손을 뻗는 지아!
아빠는 사랑스럽게 딸을 돌아본다!
섬뜩한 기시감에 지아 얼어붙는다!
곧바로 시커먼 물체가 앞을 가로지르면서, 운전대 '확' 꺾인다!
차량 두어 바퀴 구르고, '쾅!!' 어딘가 들이받고 멈춰 선다!
사방 괴괴한 가운데, 저 홀로 돌다 마는 오르골!

방송국 / 사무실 (낮)

팀장이 곰곰이 생각에 잠겨 있다.

| 팀장 | 근데 그 녹즙 아줌마가 어떻게 알았을까, 나 비행기 못 타는 거. |

팀장   근데 그 녹즙 아줌마가 어떻게 알았을까, 나 비행기 못 타는 거.

작가   진짜 못 타세요?

재환   타면 어떻게 되는데요?

팀장   해외 촬영 간다고 비행기를 탄 적 있어. 처음엔 숨이 막히고,
          식은땀이 줄줄 나더니 안전벨트 맨 이후로 아예 기억이 없어.

작가, 재환   ??

팀장   입에 거품을 물고 발작해서 이륙 직전에 실려 나왔다 하더라고.

재환   그래서 신혼여행도 배 타고 제주도 가셨구나.

작가   근데 비행기가 왜 무서우세요?

팀장   큰누나가 비행기 사고로 돌아가셨어. 98년도 스위스에어 추
          락 사고.

재환   그 아줌마 뭐예요?!!!

작가   아줌마가 정확히 뭐라 그랬어요?

팀장   내가 세상에서 제일 무서운 게 뭐냐고.

작가   세상에서 젤 무서운 거? (하다가, 재환을 마주 보며) 혹시!!!

재환   오마이갓!!

팀장   왜?

재환   최근에 인터넷에 떠돌던 도시 괴담 중에 비슷한 게 있었거든
          요! (하며, 핸드폰 보여 주면)

          인서트   녹즙 아줌마 괴담 아시나요?

팀장	녹즙 아줌마 괴담?
재환	패턴이 똑같죠? 녹즙 샘플 하나 주면서 '무서운 게 뭐냐'고 묻는다.
작가	저희는 홍콩 할매 귀신같은 도시 전설의 일종이라고 보는데요. 좀 특이한 건, 이 아줌마한테 홀리면 '노랫소리'가 들린다는 거?
팀장	노래?
재환	들으셨어요?
팀장	아니??
작가	이 노래예요.

익숙한 멜로디의 민요 흘러나온다.
'문지기 문지기 문 열어 주소. 열쇠 없어 못 열겠네.'

팀장	강강술래 한 대목이잖아? 대문놀이.
재환	듣다 보면 가사가 좀 섬뜩하더라고요. 한쪽은 문 열어라, 한쪽은 열쇠가 없어서 못 연다. '딱 두 문장만' 끝까지 반복되거든요.
팀장	이 노래를 실제로 들었단 사람이 있나?
작가	그걸 못 찾아서 우리가 취재를 못 했잖아요.
팀장	왜?
작가	사람들 말로는, 일단 노래를 들으면 깨어나질 못 한대요.
팀장	영원히?
작가	영원히.

| 팀장 | (살짝 굳었다가) 말도 안 돼. |

그때, 사무실 문 '벌컥' 열린다.
청경(불가살이)이 다급한 얼굴로 '여기가 도시 괴담 팀 맞죠?!'

#6   방송국 / 휴게실 앞 (낮)
청경 따라가서 보면, 의식 잃고 쓰러져 있는 지아 모습 보인다!!
'얘 왜 이래?!' '지아야!! 피디님!!' 외치는 팀원들!

#7   몽타주 (낮)
의식 없는 지아 얼굴 위로 '대문놀이' 노랫소리 점점 커진다!
모처에 쓰러져 있는 이연을 부축하는 신주!!
죽은 듯 잠든 이랑을 흔들어 깨우는 유리 모습 차례로 교차된다!

#8   여우고개 (밤)
지아네 사고 차량에서 화면 넓어지면.
조금 떨어진 곳에서, 녹즙 아줌마와 함께 이쪽을 보고 있는 것!
다름 아닌 '이무기'다!!

| 아줌마 | 이건 좀 의왼데요? 당연히 계집한테 달려올 줄 알았는데, 동생이라니요. 서로 못 잡아먹어 안달 난 사이라더니. |

이무기	(태연히 걸으며) 산신이란 게, 그렇게 얕잡아 볼 상대가 아냐.
아줌마	예??
이무기	(희미한 미소) 이 와중에도 나랑 머리싸움을 하고 있는 거야.
아줌마	(찌푸리는) 설마… 일부러 저쪽으로?!
이무기	눈치챘겠지. 이건 두 사람을 시험하는 것처럼 보이지만, 실은 '이연의 시험'이기도 하다는 걸.

#9   **아귀의 숲 (낮밤 무관)**
맨손으로 아귀들과 싸우던 이연, 검을 챙겨 들고, 이랑이 사라진 곳으로 뛴다!

#10   **헛간 (낮밤 무관)**
아귀들 들고난 흔적인 듯 바닥에는 '사람의 뼈' 굴러다닌다.
이연이 초조한 얼굴로 생각에 잠긴다.

이연(N)	그녀는 지금쯤 여우고개를 넘어갔겠지.
	겨우 막아 놓은 문 틈새로, 섬뜩하게 손을 넣고 흔드는 등, 집요하게 그 앞을 서성이는 아귀들!
이연(N)	내가 이 지옥에서 '둘 다'를 구해 낼 수 있을까. 제발… 내 선택이 틀리지 않았기를.

하는데! 뒤에서 이연을 덮쳐 오는 이랑!

짧은 몸싸움 끝에 이랑이, 이연을 벽에 몰아붙인다!

이연	살려 줘서 고맙단 말을 이렇게 예쁘게 밖에 못하지?
이랑	뭐 하는 수작이야?
이연	(눈 하나 깜짝 않고) 보면 몰라?
이랑	왜 왔어? 네놈이 나를 진짜 구하러 올 리는 없고!
이연	시간이 남아돌아서? 검사검사 하나뿐인 동생 저승길 배웅도 할 겸.
이랑	웃기지 마. 왜 그 여자가 아니라 나냐고!
이연	(이랑이 듣고 싶은 말은 절대 안 해 주는) 문을 착각했어.
이랑	(반신반의해서) 거짓말.
이연	분명 지아한테 간다고 왔는데, 웬 못난이가 다 죽어 가고 있지 뭐냐.

이랑이 열 받은 얼굴로 도끼를 고쳐 쥐다가, 거친 신음 토해 낸다. 아까 물린 다리의 상처가 생각보다 깊다.

이랑의 상처 확인한 이연, 심각해지는 표정 감추며.

이연	어쩌다 이 모양인데?!
이랑	물렸어. 알고 보니 '맛집'이었던 거지, 내가.
이연	(이마 짚어 보고) 출혈은 둘째 치고, 열도 심하잖아.
이랑	(남 일인 양) 독이 퍼지기 시작했나 보네.

이연이 입구 돌아본다. 밖에서 밀어 대는 통에 입구 위태롭게 흔들린다.

이연(E) 온 몸에 독이 퍼지는 데 길어야 1시간. 그전에 데리고 나가야 돼!

옷가지 등으로, 빠르게 이랑의 상처 동여맨다.
이랑 입에서 신음이 배어 나온다. 하지만 형 앞에서, 아픈 내색은 죽기보다 싫다.

이연 내가 경고했지. 이무기랑 함부로 놀아나지 말라고.
이랑 이제와 새삼 형 노릇 하는 척 하지 마. 재수 없으니까.

이연이 보란 듯이 상처를 '꽉!!' 묶는다.

이랑 악! (죽일 듯이 노려보며) 이 새끼가!!
이연 자, 지금부터 죽어라 뛰어.

하자마자! 간이로 막아 놓은 문틈 벌어진다! 한 놈씩 몸을 밀어 넣는 아귀들!!
'빨리!!!' 다급히 외치면! 이랑이 걸음 서두른다!
사이, 필사적으로 놈들을 베는 이연!
이랑이 절뚝이며 달아난다!
이연도 빠른 걸음으로 이랑을 따라붙는다!

구미호뎐 제9화 어둑시니

#11   한식당 우렁각시 / 내실 (낮)

신주가 잠든 이연을 내실로 옮겨 놓은 상태다.

옆에 걱정스러운 얼굴의 우렁각시.

신주   어떻게 해야 깨어날까요?!

우렁각시   밖에선 깨울 수 없다. 모든 방법을 다 써 봤지만, 나는 서방님을 깨우지 못했어.

신주   (울분으로) '그때 그놈'이 확실합니까?

우렁각시   (끄덕) 옛날엔 방물 장수였어. 반짝이는 물건을 보여 주면서, 네가 무서워하는 게 뭐냐고 사람들을 홀리는 거지. 서방님은 나한테 줄 참빗을 사겠다고, 그놈 손을 스치고 말았는데.

신주   그 다음엔요?!

우렁각시   '노래'가 들리면 시작돼, 끔찍한 악몽이. 서방님은 호랑이였어. 어릴 적 삼을 캐러 간 산에서 마주쳤던 집채만 한 호랑이.

신주   그놈이 보여 수는 게 환상이 아닌 거예요?

우렁각시   환각이고, 환청인 줄 알았지. 헌데 나는 봤어. 그 사람이 호랑이에게 물려 뼈와 살이 죄다 으스러지는 걸.

신주   !!!!

#12   이랑의 집 (낮)

유리가 '이랑님!! 제발 일어나세요!!'

지금껏 본 적 없는 패닉이 된 얼굴이다.

잠든 이랑 다리에 '아귀에게 물린 것과 똑같은 상처' 보인다.

수건으로 미친 듯이 피를 닦아 내는 유리.

#13   **한식당 우렁각시 / 내실 (낮)**

신주가 얼어붙은 얼굴로 묻는다.

신주   그놈 이름, 이름이 뭡니까!!

우렁각시   (입에 담기도 싫은 듯 망설이다가) '어둑시니'.

신주   어둑시니?!

우렁각시   사람들 마음 속 깊은 곳에 감춰진 어둠을 먹고 사는 자다.

신주   !!!!!!

#14   **지아의 집 / 지아 방 (낮밤 무관)**

'지아야, 지아야…' 희미한 의식 너머, 지아를 부르는 따뜻한
목소리.
지아가 두 눈을 '번쩍' 뜬다.
그런데! 거짓말처럼 엄마가 지아를 흔들어 깨우고 있다?!

지아   엄마?

엄마   딸. 일어나, 밥 먹어.

지아   (믿기지 않는 얼굴로) 엄마가… 왜 여기 있어?

엄마   왜긴, 일요일이잖아. (머리 쓸어 주며) 어제도 야근했어? 뭔 회사
가 하루가 멀다 하고 출장에 밤샘이니.

지아 얼굴 고통스럽게 일그러진다.

지아	회사? 내가 무슨 회사를 다니는데?
엄마	얘가 잠이 덜 깼나.
지아	대답해.
엄마	방송국 피디잖아, 너. 맨날 언론중재위원회인가 뭔가 끌려 다니고.
지아	내가 왜 피디가 됐는데.
엄마	그거야…
지아	(말 자르며) 엄마 아빠 찾으려고. 1999년 여우고개에서 내 인생이, 아니, 우리 가족이 아작이 났거든.
엄마	뭔 소리야.
지아	아니잖아, 우리 엄마. (단호하게) 내가 두 번 속을까.

그때처럼 '가짜 엄마'가 정체를 드러낼 타이밍이다. 그런데.

엄마	쓸데없는 소리 작작하고 나와서 밥이나 먹어. 엄마 놀려 먹는데 재미 들렸어, 아주.
지아	(살짝 당황한) 뭐??!
엄마	(다정하되 엄하게) 딴 건 몰라도 그 사고는 빼 주라. 너 몇 년이나 혼수상태로 누워 있을 때, 엄마 아빠 피눈물 흘렸거든?
지아	내가… 혼수상태?

빠르게 제 방을 둘러본다. 현재의 자기 방과 똑같은 풍경이다.

성인이 된 지아와 엄마, 아빠가 함께 찍은 '가족사진'이 놓여
있는 것만 빼면.
'설마…' 지푸라기라도 잡는 심정으로 다급히.

지아   내가 병원에 주사 맞으러 갈 때 말야. 엄마가 나한테 뭐 줬어?!
엄마   (대수롭지 않게) 딸기 사탕.
지아   (미어지는) !!!
엄마   이제 그만하고 나와.

엄마가 일어서서 방을 나선다.

지아   잠깐만!
엄마   또 왜??
지아   (심호흡하고, 마지막으로) 나 '호두과자' 먹고 싶은데.

플래시백   1화 2, 3씬
어린 시절, 똑같은 방식으로 '가짜 엄마' 시험하던 지아(아역)
모습 스쳐 가면.

엄마   호두과자?
지아   응.

엄마가 지아에게 다가온다!
손에 잡히는 대로 슬쩍 커터칼 등을 움켜쥐는 지아! 그런데!

구미호뎐   제9화 어둑시니

엄마	호두과자 같은 소리하고 있다. (코 꼬집고) 견과류 알러지!

그 소리에, 금방이라도 울음이 터질 것 같은 지아 얼굴에서.

#15 지아의 집 / 마당 (낮밤 무관)

집 안을 들여다보고 있던 이무기, 아줌마(이하 '어둑시니'로 표기) 돌아보며.

이무기	가족 상봉이라니. 좋네. (의외라는 듯) 근데 이쪽은 부모 행세를 하던 가짜가 아니구나.
어둑시니	저 아이가 '진짜 두려운 건' 그런 게 아닌가 보죠.
이무기	흠… 저 여인은 예나 지금이나 '가족'이 발목을 잡네.
어둑시니	(교활한 미소)

문득 이무기의 입에서 하얀 입김이 난다. 절로 한기가 든다.

이무기	날이 추워지는 건가?
어둑시니	여기는 저 아이의 무의식이 만든 장소예요. 이방인인 우리를 환영하지 않는 겁니다. 나가시죠.

#16 대저택 (낮)

이무기가 미동도 없는 모습으로, 어둑시니를 마주 보고 있다.

어둑시니의 손목을 잡고, 넋이 나간 것처럼 눈도 깜박이지 않는다.

사장이 그 모습 지켜보고 있다.

이무기가 '퍼뜩' 정신을 차린다.

테이블에 준비해 놓은 차와 케이크를 보고, 반색하는 어둑시니.

어둑시니	어머, 치즈케이크네?
사장	(이무기에게) 보셨어요?
이무기	계획이 어긋났어요. 이연이 안 왔거든.
사장	헌데 왜 벌써?
어둑시니	(게걸스레 먹으며) 지 까짓 게 머리 팽팽 굴려 봤자 살아서 못 나와. 마음이란 게 막상 까 보면 지들 생각보다 훨씬 허약하거든.
이무기	평생 끌어안고 있던 마음의 상처가 만든 세상이니까.
사장	(의심스러운 듯) 근데 저기서 죽으면 진짜 죽는 거요?
어둑시니	(사장 손 더듬거리며) 자기도 해 볼래?
사장	이거 놔!! (하는데, 안 놔준다!)
이무기	어둑시니야.
어둑시니	예??
이무기	내 물건엔 손대지 마라.
어둑시니	장난이었는데… (눈치 슬슬 보며 웃는) 용서하세요.
이무기	용서하세요 뒤에도 말이 많구나.
사장	??
이무기	'제 아무리 이무기라 해도 600년 넘게 잠들었던 놈인데, 그 재주가 여전할까. 어디 한 번?'

어둑시니	!!!!!
이무기	해 봐라, 나도 궁금하구나.
어둑시니	(질겁해서 스스로 뺨을 치며) 제가 감히 무슨 생각을! 노여움 푸세요!

오싹해진 표정으로 둘을 바라보는 사장의 시선에서.

#17   지아의 집 / 지아 방 (낮밤 무관)

눈물 그렁한 채, 지아가 엄마에게 손을 내민다.

| 지아 | 한 번만… 나 좀 안아 줄래? |

엄마가 부드럽게 지아를 안아 준다. 그 품안에서.

지아	엄마… 우리 엄마… 꿈이라도 상관없으니까 가지 마라. 아무데도 가지 마 이제. 제발 나만 놔두고 가지마.
엄마	(토닥토닥) 또 무서운 꿈 꿨구나?
지아	그러게. 다 꿈이면 좋겠다.
엄마	무슨 꿈인데?
지아	(울컥) 엄마 아빠 잃어버리는 꿈.
엄마	꿈인데 왜 울어?
지아	할 말이 너무너무 많은데, 하나도 못 했어.
엄마	왜 못 했어, 우리 딸.
지아	(눈물 꾹 참고) 소리 내서 말하면, 내가 무너져 버릴 거 같아서.

엄마	엄마한테 말해 봐.
지아	(고개 젓는)
엄마	괜찮아.

꿈에도 그리운 엄마의 눈빛, 따뜻한 손길. 지금이 아니면 말 못 할지도 모른다.

지아	미안해. 나만 살아남아서.

평생 사무치듯 가슴에 묻어 두었던 말들 조금씩 흘러나온다.

지아	되게 씩씩하게 버텼는데, 나 실은 너무너무 무섭고 외로웠어. 집에 오기가 싫어서… 어떤 날은, 몇 시간씩 버스 정류장에 앉아 있고 그랬다?
엄마	(다정하게 미소)
지아	엄마 미안. 솔직히 엄마랑 아빠 조금, 미워하기도 했어요. 나 혼자만 남겨 놓고. 아무리 기다려도 안 오잖아. 나 잊어버렸던 거 아니지?
엄마	(얼굴 어루만지며) 이렇게 이쁜 딸을 엄마가 어떻게 잊어버리겠어.
지아	보고 싶었어, 엄마.

어린아이처럼 우는 지아. 그런 지아를 엄마가 가만가만 토닥여 준다.

이연과 이랑, 주위를 경계하며 컴컴한 숲길 지나고 있다.
뒤를 쫓는 아귀들이 내는 괴이한 소리 들린다.
주변 지형 살피던 이연의 안색 굳는다.

이연(E)   아까부터 계속 같은 곳을 맴돌고 있어. 이럴 시간이 없는데. (먼 곳을 보며 초조하게) 지아는 무사할까. 조금만, 조금만 더 버텨 줘.

급한 마음에 이연이 걸음을 재촉한다.
반면 다친 이랑의 걸음, 현저히 절뚝거린다. 안색도 엉망이다.
이를 악물고 걷는 이랑. 이내 가벼운 돌부리에 걸려서 신음하며 주저앉는다. 달려가 이랑을 부축하면.

이랑   (홱 뿌리치고) 놔.
이연   자존심 세울 때 아냐, 너.
이랑   난 자존심 빼면 시첸데?
이연   꼬라지는 지금도 충분히 시체거든?

형을 한 번 노려보고, 혼자 일어서려고 안간힘을 쓰는 이랑.
하지만, 좀처럼 다친 다리에 힘이 들어가지 않는다.

#19   대저택 (낮)

이무기가 여유 있게 차를 한 모금 마시고.

이무기	'환상사지'란 말 들어보셨죠.
사장	전쟁 통에 다리가 날아간 병사가 밤새 다리가 아프다 아프다 하는 증상 말씀이시죠.
이무기	다리가 없는데도 아프다 느끼는 순간 진짜 통증이 시작되죠. 통증이 시작되면… '문은 이미 사라지고 없다.' (어둑시니 가리키며) 이 친구가 보여 주는 세상이 그런 겁니다.
어둑시니	(서늘하게 노랫말을 흥얼) 열쇠 없어 못 열겠네.

#20   숲길 (낮밤 무관)

일어서는 게 여의치 않자, 아예 두 발 뻗고 편히 앉는 이랑인데.

이연	뭔데?
이랑	더는 못 가. 독이 퍼질 대로 퍼져서 눈도 가물가물하고, 이 다리 끌고 걷는 것도 지긋지긋해.
이연	앉아서 아귀 밥이 되겠다고?
이랑	네 여자한테나 가 봐. 난 어차피 틀렸으니까.
이연	(냉정하게) 여전하네.
이랑	??
이연	처음 만났을 때랑 똑같아. 여전히 쉽게 포기하고, 여전히 징징대. 죽고 사는 게 뭐 그렇게 심플하니 넌?
이랑	소중한 게 없으니까. 너같이 목숨 걸고 지켜야 되는 첫사랑도 없고, 그 여자같이 죽어라 기다리는 가족도 (이연 똑바로 보며) 난 없잖아?

| 이연 | (쓰게 웃는) 괜히 왔어. 그때나, 지금이나. |

이연이 미련 없이 털고 일어선다.
이랑 눈에, 과거의 이연 모습 겹쳐 보인다.

인서트 플래시백

'애비 핏줄을 물려받은 놈이 있대서 구경하러 왔더니 별 것
도 아니네. 살고자 하는 의지도 없어 뵈고. 괜히 왔어. 갈래.'

이연	갈래.
이랑	(차마 잡지 못하는) 나 죽으면 백두대간, 옛날 우리 숲에다 묻어 줘.
이연	내가 네 유언장이냐?

뒤도 안 돌아보고 가 버리는 이연.
멀어지는 형을 보다가 작게 혼잣말로.

| 이랑 | 그때로 돌아가고 싶어. 지천이 진달래꽃이었는데. 이상하지?
그때 따 먹던 진달래 맛이… 나는 도저히 기억이 안 나. |

남겨진 이랑의 눈가, 쓸쓸하게 젖어 있다.
이연이 걸음을 멈춘다. 동물의 청각으로 이랑의 혼잣말 다 들
었다. 성난 얼굴로 되돌아가서.

| 이연 | 진달래 맛이 기억 안 나면 살아 나가서 따 먹어, 이 새끼야! |

최소한! 살려고 발버둥은 치라고!!

이랑이 복잡한 얼굴로 그런 형을 올려다보다가.

이랑	솔직히 말해, 여기 왜 왔어.
이연	지아도 살리고, 너도 살리려고.
이랑	그 말을 믿으라고?
이연	믿든가 말든가!
이랑	네 칼에! (옛 상처 들춰 보이며) 죽다 살아난 게 나야!
이연	고을 하나를 몰살시킨 게 너야! 그래도 싸지!
이랑	그러니까!! 네 손으로 죽이려던 놈을 네가 왜 구하냐고?!

이연이 폭발할 것 같은 얼굴로 심호흡을 한 번 하고.

이연	똑똑히 들어. 내 검은, 한 번도 빗나간 적이 없어. 나는, 한 번도 표적을 놓친 적이 없다.
이랑	!!!!!

인서트 플래시백
과거, 이랑을 벌하기 위해 칼을 휘두르는 이연!
이랑은 모르지만, 칼을 찔러 넣는 그 순간!
이연이 손을 살짝 비틀어 이랑의 급소를 피했다!

이연	네가 왜 내 칼을 맞고도 살아 있는지, 그 나쁜 머리로 잘 생각

구미호뎐 제9화 어둑시니

해 봐.

이랑   !!!!!!

이연   다시는, 안 돌아올 거야.

충격 받은 얼굴로 앉아 있던 이랑, 멀어지는 이연의 뒷모습을
망연히 보다가, 비로소 자리에서 일어선다!
절뚝이며 걷다가 있는 힘껏 뛰기 시작한다!
처음 만난 그날처럼 '형'을 향해서!

#24   내세 출입국 관리 사무소 (낮)
삼도천 노파, 전화기에 대고 업무 지시 중이다.

노파   좀 전에 삼도천 출발한 4호 선박 있지? 선장한테 배 빠꾸시키
        라고 해. 응, 아직 중환자실에서 호흡기 안 뗀 노인 하나 넘어
        갔어.

전화 끊으면 그 앞에, 초조하게 노파를 바라보고 있는 신주
보인다.

노파   (무심히) 어디까지 하다 말았지?

신주   어둑시니요!

노파   어둑시니라… (다 알면서) 그런 놈이 아직도 현세를 떠돌고 있
        었나?

신주	그놈을 만나고 이연님이랑 아음 아가씨, 아니, 피디님이 쓰러졌어요! 알려 주세요, 어르신. (간곡히) 어떡해야 두 분을 구할 수 있는지.
노파	네 능력치론 안 돼.
신주	?!!!
노파	여자는 지 가족들이랑 있고, 이연은 아귀의 숲으로 갔거든.
신주	아귀의 숲?!!!
노파	아우를 구하러 간 모양이지.
신주	(!!) 그럼 이랑님까지…
노파	(시니컬하게) 근데, 둘이 그런 사이였냐?

옆에서 모르는 척 업무를 보며 듣고 있던 현의옹이 끼어든다.

현의옹	지금 그게 문제야?
노파	내 보기엔 그게 문제야.
현의옹	(답답한 마음에) 여보.
노파	(냉정하게) 그놈은 스스로 져 버릇하는 짐이 너무 많아. 딱 지 무덤 지가 파는 스타일.
현의옹	(정색하고) 그래서 '산신'이었던 거요. 풀 한 포기 나고 지는데도 사사로운 마음을 가지는 게 산의 주인. 하물며 동생이야.
노파	혈육도 혈육 나름이지. 이랑은 죄를 너무 많이 지었어.
현의옹	당신은 어쩜 그렇게.
신주	살려 주세요. 어르신.

신주가 무릎을 꿇는다. 눈물까지 '뚝뚝' 흘리며.

신주   제 목숨을 거두셔도 되니까 제발….
노파   꼴값이야. 진짜. 연이 놈 선택에 왜 네가 목숨을 거니?
신주   두 분을 살릴 방도만 알려 주시면, 맹세코 시키시는 건 뭐든
         지 다 하겠습니다!
노파   (구미가 당긴 듯) 음… 뭐든지 다?

#22   내세 출입국 관리 사무소 / 앞 (낮)
         사무실 나서는 신주 손에 '붉은색 끈' 들려 있다. 안도하며 끈
         을 쥐는데.
         현의옹이 걱정스런 표정으로.

현의옹   넌 뭐 오늘만 사니? 고작 그런 천 쪼가리랑 네 인생을 바꿔?
신주   이연님이 바라시는 일일 거예요.
현의옹   하여간 연이나 너나… 여우 종특인가.
신주   근데, 이해가 잘 안 돼요. 왜 피디님이 아니라 이랑님한테 가
         셨을까요?
현의옹   피차 '마음의 매듭'이 만들어 낸 세상이다. 양쪽 다 그게 '가
         족'이고. 그 여자애가 죽도록 찾아 헤매던 부모를 만났다면,
         거기 다른 이가 끼어들 자리가 있겠니.
신주   ??
현의옹   가 봤자 그 집 안으로 들어갈 도리가 없단 뜻이다.

신주	그 말씀은… 설마?!
현의옹	짐작하고 간 게야, 연이는. 자신이 '뭘' 상대하고 있는지.

#23 　 숲길 (낮밤 무관)

이연이 이랑을 부축해서 걷고 있다.

이랑	출구가 있긴 있는 거야?
이연	(단호히) 들어오는 문이 있으면 나가는 문도 있어.
이랑	들어올 땐 옷장이었어. 옷장을 여니까 바로 옛날에 살던 초가집.
이연	(?!!) 아귀의 숲이 아니고?
이랑	응.
이연	거기서 본 거 다 얘기해 봐.
이랑	처음엔 마을 사람들이 몰려왔어, 몽둥이를 들고. 내가 죽사발이 되는 걸… 보고 있었어. 우리 엄마. 그러고는…
이연	아귀의 숲이었단 거지?
이랑	응.
이연	(피식) 그랬구나. 그래서 문이 안 보였어.
이랑	무슨 소리야?
이연	누군지 모르겠어? 그 아줌마.
이랑	아는 놈이야?
이연	네가 제일 상처받은 기억만 골라서 파티를 하고 있잖아.
이랑	(갸웃하다가) 혹시…!!!

이연	(끄덕)
이랑	그놈 이름이 뭐더라? 가물가물한데…
이연	어둑시니!
이랑	어둑시니.

아귀들 다시 몰려든다!

#24   지아의 집 / 지아 방 (낮밤 무관)

혼자 남은 지아, 눈물 닦고 방 나서다가 멈칫.
부모 실종 기사 빼곡히 붙어 있던 벽이 텅 비어 있다. 그 벽을
손으로 쓸며.

지아(N)	여기… 내 방처럼 보이지만, 내 방이 아냐. 난 지금 어디 있는 거지?!

어디선가 '똑! 똑!' 희미하게 물방울 떨어지는 소리.

지아(N)	무슨 소리지?

주위 두리번거린다. 희미한 물소리는 주기적으로 계속된다.
마침내! 소리가 들린 곳을 찾은 듯, 지아가 고개 들어 천장 바
라보면!

#25   병원 (낮)

'링거병'에서 '똑똑똑' 떨어지는 약물 보인다!
지아가 듣던 소리의 정체다!
현실의 지아, 링거를 팔에 꽂고 병원 침대에 누워 있다.
재환과 작가가 걱정스런 얼굴로 곁에서 안절부절. 팀장이 다
급하게 묻는다.

팀장   의사는 뭐래?!
재환   웬만한 검사는 다 해 봤는데, 원인을 모르겠대요.
팀장   이게 대체 어쩐 일이야?!!
작가   지아야, 눈 좀 떠 봐! 제발 정신 차려!!

#26   지아의 집 / 지아 방 (낮밤 무관)

지아가 책상에 앉아서 차분히 기억을 더듬는다. 메모하며.

지아   난 방금 전까지 회사에 있었는데… (녹즙 아줌마 모습 스쳐 간다) 녹
         즙 아줌마! 맞다, 그 아줌마를 만나고 갑자기 여우고개로 점프!

         '회사 휴게실, 녹즙, 여우고개, 여기는 어디…' 차례로 휘갈기
         는 손. 냉정히 현실을 되짚고 있는데, 방문 벌컥 열린다.

아빠   야 인마, 엄마 아빠 굶겨 죽일 셈이니?

구미호뎐   제9화 어둑시니

앞치마를 두르고 나타난 그 얼굴, 아빠다.

'아빠?!! 아빠!!!' 다른 생각은 까맣게 잊고, 벅차게 아빠를 끌어안는다.

지아가 방에서 나가면, 쓰다만 메모만 책상에 덩그러니 남아 있다.

#27   끊어진 길 (낮밤 무관)

이연과 이랑, 아귀들과 싸우고 쫓기며, 길이 끊어진 곳에 다다랐다. 밑은 끝이 보이지 않는 어둠이다.

이랑   길이 없어!

이연   넘어가!

이랑   이 다리로는…

이연   네 두려움이 끝나는 곳에 길이 있고, 문이 있어!

이랑   (둘러보고) 문 같은 거 안 보여!

이연   쫄지 마! 쫄지 말고 생각해! 네가 제일 무서운 게 뭐야?!

이랑   난… 내가 제일 무서운 건… (망설이다가 솔직하게) 버림받는 거.
엄마도 나를 버리고 너도… 너도 나를 버렸어.

이연   환장하겠네. (진심으로) 난 한 번도 너를 버린 적이 없어! 그러니까!

이랑, 울컥해서 눈을 '질끈' 감았다 뜬다.

그러자 끊어진 길 너머에, 아까는 보이지 않던 문이 보인다?!

'가!!' 외치는 이연!

이랑이 까마득한 저편을 향해 '훌쩍' 뛴다!!

간발의 차로 반대편에 닿았나 싶더니 미끄러진다!

아슬아슬하게 두 손으로 벽을 잡고 매달렸다!

이랑이 위태롭게 매달린 사이, 아귀 떼 '우르르' 몰려든다!

이연, 온 몸으로 아귀들 막아서며!

이연   꼭 살아남아라!

아귀들, 이연을 사정없이 물고 뜯어 댄다!

이연   올라가!

이랑이 기어오르는데, 아귀 한 놈이 이연을 뚫고 건너편으로
달려든다! 이랑 다리를 붙잡고 매달린다!
그 아귀를 본 이연의 얼굴 굳는다! 죽은 '이랑의 엄마'다!!

이연   쳐다보지 마!!
이랑   (반사적으로 본다! 사색이 돼서) 엄마?!!
이연   네 엄마 아냐!!
이랑   젠장! 젠장!!

이랑, 손에서 힘이 빠지기 시작한다! 이대로라면 끝이다!
더 생각할 틈도 없이, 곧바로 이랑을 향해 뛰는 이연!

이랑에게 붙어 있는 엄마를 안고, 밑으로 추락한다!
그 모습 보며 울부짖던 이랑, 마지막 힘을 짜내서 위로 기어
올라가면!

#28   이랑의 집 (낮)
잠들어 있던 이랑이 '번쩍' 눈을 뜬다!!
'이랑님!!!' 유리가 외친다!
다급히 자리에서 일어나는 이랑!
비틀거리는 이랑을 부축하며 '어디 가세요?'
말리는 유리의 손을 뿌리치고, 다시 옷장 열어젖히며 '가야
돼, 이연한테!!'
'가야 되는데…' 하다가 그대로 쓰러진다!

#29   지아의 집 / 주방 (낮밤 무관)
지아네 세 식구 식탁에 둘러앉았다. 식탁에 김밥 쌓여 있다.

아빠   맛있게들 드세요.
지아   김밥… (먹먹해서) 우리 아빠 김밥이네?
엄마   (한숨) 그러게 '또' 김밥이네.
지아   (차마 먹지 못하고 보고만 있는데)
아빠   딸?
지아   잘 먹겠습니다.

김밥 입에 넣으면, 코끝이 시큰해진다. 기억 속에 있던 그 맛 그대로다.
먹다 말고 김밥 속 재료 이리저리 들여다보며.

지아	시금치, 당근, 오이, 햄, 단무지.
아빠	왜? 마음에 안 들어?
지아	아니, 재료는 별게 없는데… 이상하지? 세상 어떤 김밥도 이 맛이 안 나.
아빠	칭찬이지?

어깨 한껏 치켜 올라간 아빠. 식탁은 기분 좋은 웃음으로 가득하다. 평생 지아가 꿈꿔 온 풍경이다. 이게 현실이라고 믿고 싶을 만큼.

지아(N)   문득 그런 생각이 들었다. 지금까지 살아온 인생이 길고 긴 악몽이고, 이쪽이 '진짜'가 아닐까. (간절히) 꿈이라면 제발… 제발 깨지 말아 줘.

#30   지아의 집 / 지아 방 (낮밤 무관)
그것이 신호라도 된 양, 책상 위, 아까 지아가 메모해 놓은 글자들 '부스스' 사라진다.
그 위로 다급히 울리는 경보음!

#31   병원 (낮)
           지아 몸에 부착된 Patient Monitors에서 '삐삐-' 경보음 울린다!
           심전도, 혈압, 호흡 요동친다!
           팀장이 '애 왜 이래?!!', 작가가 '지아야!! 지아야 정신 차려!!'
           다급히 의료진 호출하는 팀원들!!

#32   지아의 집 / 주방 (낮밤 무관)
           지아는 아무것도 모른 채 식사 중이다.
           찰나, 같은 식탁에 마주 앉아 밥을 먹던 이연 얼굴 아주 짧게
           스쳐 간다.

지아(N)   누구지, 방금 그 얼굴?! (답답한 표정으로) 누구였더라?

           이쪽 삶에 안주하면서, 이연에 대한 기억마저 희미해지기 시
           작했다!!

#33   거리 (낮)
           신주가 병원을 향해 뛰고 있다!! 그 위로 현의옹 목소리!

현의옹(E)   늦어선 안 돼. 때를 놓치면, 영영 그쪽 세상에 먹혀 버릴 거다!

#34   병원 (낮)
의식 없는 지아를 안고 병원 빠져나가는 신주!
'애 어디 갔지?' '깼나?' 뒤늦게 빈 침상을 보고 당황하는 팀
원들이다!

#35   한식당 우렁각시 / 내실 (낮)
잠든 이연과 지아, 나란히 내실에 누워 있다.
둘의 손목에, 신주가 탈의파에게 얻어온 '붉은색 끈' 묶여 있다.

신주   제가 할 수 있는 건 여기까지예요. (두 사람 번갈아 보며) 두 분, 꼭
돌아오세요!

       잠든 두 사람 얼굴에 이어, 둘의 손을 묶은 '붉은색 끈' 클로
즈업된다.

#36   지아의 집 / 거실 (낮밤 무관)
지아는 가족사진 들춰 보며 부모와 기분 좋게 수다 떨고 있다.
가슴에 '어버이날 카네이션' 매단 아빠 사진 보이고.

엄마   지아 네가 유치원에서 처음 카네이션 만들어 온 날.
아빠   옷핀을 잘못 찔러서 이 어버이 가슴에 빵꾸를 냈단다?
지아   내가 그랬어?

구미호뎐   제9화 어둑시니

아빠	효녀 났다 그랬지.
엄마	말은 저렇게 해도 네 아빠 감격해서 울었잖아.
지아	울었구나… 우리 아빠.
엄마	이 카네이션 어디 있지 않아?

아빠가 지갑에 소중히 간직해 둔 카네이션 꺼낸다.
펼쳐 보면, 서툰 솜씨로 만든 종이 카네이션 '엄마 아빠 사랑
해요.' 적혀 있다.

지아	이걸 갖고 있었어?
아빠	당연하지, 우리 집 가보야.
지아	(찡해서) 치….

그때, 어디선가 울리는 오래된 전화벨 소리.
'전화 왔어.' 그런데 엄마, 아빠한테는 벨소리가 아예 들리지
않는 모양.
'벨소리, 안 들려?' 의아한 표정으로 일어서는 지아.

#27   지아의 집 / 지아 방 (낮밤 무관)
소리는 지아 방에서 울린다.
책상 위에 아까는 없던 전화기 놓여 있다. 전화선도 안 꽂혀
있는 유선 전화기.
'어찌된 일일까.' 살짝 굳어서 전화를 받는다.

지아	여보세요?
이연	나야.
지아	누구?
이연	이연.
지아	이연??
이연	데리러 가지 못해서 미안해.

전화는 마치 다른 세상에서 걸려 온 것처럼, 중간중간 잡음 섞여 있다.

지아	누구야 너? (혼란스러운) 내가 아는 사람 같은데 기억이….
이연	알아차려야 돼. 네가 어디에 있는지, 왜 거기에 있는지. 스스로 깨닫고, 스스로 선택해야 현실로 돌아올 수 있어.
지아	무슨 소리야?
이연	돌아와 지아야. 내가 언제나 너를 기다리고 있으니까.

상냥한 그 말을 끝으로 전화는 끊어진다.
'끊지 마!!' 전화기 붙들고 망연히 서 있는 지아.

#38   황량한 들판 (낮밤 무관)

이연이 상처투성이가 된 몸으로 텅 빈 들판에 서 있다.
그 손바닥에 '通' 피로 휘갈겨 쓴 글자 보인다. 더 이상 목소리가 닿지 않는 걸 알면서도, 글자에 대고 '꼭 돌아가야 돼.'

지아의 집 / 지아 방 (낮밤 무관)

전화를 끊고 얼음이 되어 서 있는 지아.

지아(N)   누구였을까… 누군지는 몰라도 되게 중요한 걸 놓고 온 거 같
은 기분이 들어. (방 한편, 마른 '쑥 다발'에 시선이 가는) 만일 내가 뭔
가에 홀린 거라면….

주위를 둘러본다. 책상 위에 아까 쓰던 펜 놓여 있는 것 보인다.
메모라도 할 것처럼 펜을 잡더니, 펜촉으로 곧장 자신의 왼쪽
손등을 내리친다!!!
터져 나오는 신음을 '꾹' 삼킨다!
그리고 고개를 들자, 문득 지아를 어지러이 스쳐 가는 기억들!!

인서트 플래시백

7화 10씬 이 방에서, 이연과 밤을 보낸 어떤 날.
7화 49씬 퇴근하자 이연이 뛰어나오고, 기분 좋게 나던 밥
냄새.
7화 49씬 나란히 아이스크림 먹으며 영화 보던.
4화 25씬 '찾을 거야, 네 부모. 내가 그렇게 해 줄게. 남은 인
생은 제대로 한 번 살아 봐. 보통 사람들 같이 지루하고, 또 따
뜻하게.'

지아   …이연!

마침내! 지아의 눈빛이 형형하게 되살아난다!

이랑의 집 (낮)
신주가 이랑 상태 살피고 있다. 수건에 거듭 피를 토해 내는 이랑.
유리가 울먹이며 그 모습 지켜본다.

신주　　아귀 독이야.

유리　　**어떻게 좀 해 봐!**

신주　　(신주도 초조한데) 이연님이 아직 못 돌아왔어.

유리　　**(앞을 가로막고) 안 돼! 아무데도 못 가! 이랑님 죽으면 나도 죽어!**

신주　　(고민하는데)

유리　　**이 은혜는 내가 어떻게든 갚을 테니까!** (눈물을 툭) **도와줘 제발.**

처음 보는 유리의 눈물이다.
흔들리던 신주, 손 걷어붙이고 빠르게 응급 처치 시작한다.

#44　　　지아의 집 / 거실 (낮밤 무관)
지아가 굳은 결심을 한 얼굴로 거실로 돌아가자.

아빠　　이거 봐 봐. (사진 가리키며) 너 처음 옹알이한 날. 이 사진 찍고
　　　　엄마한테 토했잖아.

엄마　　이날 분유 바꿔서 그래. 애 입맛이 얼마나 까다로운데?

구미호뎐　제9화 어둑시니

지아	(먹먹한 얼굴로) 어떻게 그런 걸 다 기억해?
아빠	사랑하니까? 우리 딸 손짓, 발짓, 옹알이하는 소리, 집 떠나가라 우는 소리까지. 하나도 안 빼고, 다 사랑하니까.
지아	그랬구나… (눈물 핑 도는) 나 되게 많이 사랑받았구나.

잠시 망설이다가 어렵게 입을 뗀다.

지아	있지. 엄마 아빠는 나 잃어버리면 어떨 거 같아?
엄마	널 왜 잃어버려.
지아	그냥, 살다 보면 그런 일이 생길 수도 있잖아.
아빠	걱정도 하지 마. 우리가 지구 끝까지 가서 찾아올 테니까.
엄마	당연하지, 내 새낀데.
지아	(두 사람 눈을 똑바로 보며) 나도 그렇게. 내가 두 사람 꼭 찾을게.
엄마	무슨 소리야?
지아	녹즙 아줌마가 나한테 그랬어. 세상에서 제일 무서운 게 뭐냐고. 내가 젤 무서운 건… (울음 삼키며) 엄마 아빠랑 헤어지는 거.
엄마	너 왜 그래.
지아	엄마 미안. 아빠 미안해. (일어서서) 나는 가야 돼.
엄마	어딜 간다는 건데? 여보 애 좀 말려 봐!!

지아가 차마 떨어지지 않는 발걸음을 옮기면.

아빠	지아야! 그 문 열고 나가면, 너 엄마 아빠 영원히 못 볼 수도 있어!
지아	(꾹 참고 돌아보지 않는데)

엄마	(울면서) 지아야, 왜 우리를 버리려고 하니?
지아	(가슴 찢어진다. 돌아보는) 그런 거 아냐!
엄마	(안아 주는) 여기서 우리 셋이 살자, 응?
지아	이건 현실이 아니잖아.
엄마	그게 무슨 상관이야? 여기선 우리 가족 행복하잖아. 그거면 됐잖아.
아빠	왜 자꾸 혼자가 되려고 그래? 엄마랑 아빠가 여기 있는데.
지아	'혼자'가 아니야. 이연이 내 옆에 있어.
엄마	지아야, 제발!

부모가 '펑펑' 운다. 지아의 마음도 갈가리 찢어진다. 하지만….

| 지아 | (이를 악물고 돌아서서) 난 이연을 믿어. |

마침내 현관문을 열면!!

#42 한식당 우렁각시 / 내실 (낮)
그와 동시에, 눈물 그렁한 채로 두 눈을 '번쩍' 뜨는 지아!!

#43 대저택 (낮)
이무기가 어둑시니를 통해 모든 것을 지켜본 상황이다.
아무 표정 없는 이무기와 달리, 어둑시니는 분에 차서 씩씩거린다.

어둑시니	계집애까지 깨어났잖아!! 이건 반칙 아녜요?!
이무기	내 보기엔 충분히 페어플레이야.
어둑시니	이제 어떻게 할까요?
이무기	이걸로 됐어.
어둑시니	예??
이무기	난 '그 여자의 심연'을 들여다보고 싶었던 거뿐이야. 덕분에 이연도 잡았고.

#44   한식당 우렁각시 / 내실 (낮)
지아가 일어나서 보면 이연은 아직도 의식이 없다.

지아   이연, 네가 나 깨워 줬잖아. 항상 나 기다려 주겠다고 했잖아. 응? (흔들어 깨우며) 어디야… 대체 넌 어디로 가 버린 거야?!

애타게 이연을 끌어안는 지아.

#45   황량한 들판 (낮밤 무관)
이연이 정처 없이 걷고 있다.
얼마나 걸은 걸까, 그 발걸음 천근만근 같다.

이연(N)	이것이 내 지옥이구나. 그녀가 없는 세상에서… 끝없는 고독 속에서… 죽어 가는 것.

떨어지지 않는 걸음을 재촉하며, 길 없는 길을 고통스럽게 나아간다. 마치 그래야만 지아에게 닿을 것처럼.

#46   이랑의 집 (밤)

응급 처치 끝났다. 이랑은 침대로 옮겨 놓았다.
곧바로 나갈 채비를 하는 신주에게, 유리가 다가와서.

유리	이랑님은?
신주	독 기운이 빠지려면 며칠 걸리겠지만, 괜찮아질 거야.
유리	왜 아무것도 안 물어봐?
신주	??
유리	네 눈앞에 있잖아. (이랑 가리키며) 내가 너한테 접근한 이유.
신주	(아프게 미소만)
유리	알고… 있었구나?
신주	우연히 봤어. 둘이 같이 있는 거. (별일 아니란 듯) 덕분에 폐차장 끌려가서 엄청 두들겨 맞았고.
유리	이랑님한테?!!
신주	응.
유리	근데 왜 치료해 준 거야?
신주	(진심으로) 유리 씨가 울지 않았으면 해서.

구미호뎐   제9화 어둑시니

신주를 보는 유리의 눈빛 처음으로 달라진다.
이랑이 힘겹게 몸을 일으킨다.

이랑   신주야. 이연은? 이연 돌아왔니?

신주, 가만히 고개를 내젓는다. 절망하는 이랑이다.

#47   몽타주
아지아가 병원에 나타난다. 동료들, 격하게 지아를 반긴다.
내실에서 여전히 깨어나지 못하는 이연.
우렁각시와 신주, 지아가 번갈아 걱정스레 들여다보면서 시간 경과된다.
핼쑥해져서 우는 신주를 우렁각시가 달래 주기도 하고.
지아가 밤새 이연의 손을 붙잡고 곁을 지키는 등.

#48   황량한 들판 (낮밤 무관)
한 걸음, 한 걸음 내딛는 이연의 모습 위태롭게 보인다.
걷다가 무릎이 꺾여 주저앉기도 한다.
형벌처럼 걷던 이연, 마침내 쓰러진다.

이연(N)   지아는 무사히 집으로 돌아갔을까.

함께한 시간 속 지아의 얼굴이 차례로 스쳐 간다. 듣지도 못할 지아를 향해.

이연 (닭발 먹는 지아) 닭발 먹을 때 되게 이뻤다고 말해 주고 싶었는데. (잠든 지아를 보며) '잘 자라'고, 아주 평범한 인사도 해 보고 싶었는데. (함께 밤거리 걷는) 너와 같은 시대를 좀 더 걷고 싶었는데. (반딧불로 가로등 밝히던) 너의 모든 낮과 밤을 지켜 주고 싶었는데. 나는… 돌아갈 수가 없구나.

힘없이 눈을 감는다.

#49 한식당 우렁각시 / 내실 (밤)
지아가 깨어나지 않는 이연을 향해 '보고 싶어. 이연.' 가만히 되뇌어 본다.

#50 황량한 들판 (낮밤 무관)
이연이 바스러질 것 같은 모습으로 쓰러져 있다. 어둑시니가 그 옆에 서 있다. 신기한 구경거리라도 보듯 하다가.

어둑시니 산신 노릇까지 한 구미호도 별 거 아니구나.

가볍게 발길질을 해 본다. 이연은 미동도 없다.

어둑시니	야, 죽지 마. 죽으면 재미없잖아. (귀 기울여 숨소리 듣고) 죽은 건 아니네? 이 어여쁜 몸뚱이는, 이무기한테 가서 세상을 널리 어지럽히는 데 쓰일 것이다.

하며 일어서는데, 갑자기 그 다리를 붙잡는 이연!!

이연	(다 죽어 가는 목소리로) 어둑시니…
어둑시니	깜짝이야! (짜증스럽게 손 뿌리치고) 깼니?
이연	그녀는… 지아는 무사히 돌아갔나.
어둑시니	다 죽어 가는 마당에 그게 무슨 상관인데?
이연	말해다오. 제발.
어둑시니	싫은데, 싫은데?
이연	(힘겹게 몸 일으켜 앉아서) 내 이리 애원하마.
어둑시니	왜 이래, 꼴사납게! (고약한 미소로) 그래, 나갔다. 근데 안 나가는 게 나을 뻔 했어. 부모도 모자라 너까지 잃고, 아주 죽지 못해 사는 눈치던데?
이연	그래? (미소) 나갔단 말이지?
어둑시니	웃어?
이연	그럼 웃지, 울겠냐? (털고 일어서며) 널 여기로 끌어들이느라 얼마나 고생을 했는데.
어둑시니	뭐?!!!!

#51   대저택 (낮)

어둑시니를 앞에 두고, 여유 있게 이쪽을 들여다보던 이무기!

'아무것도 안 보여…'

'어찌된 일일까.' 초점 없는 어둑시니 눈을 재차 들여다보는데!

#52   황량한 들판 (낮밤 무관)

이연이 입술을 비틀며 웃는다.

이연   그 벼랑에서 말야. 내가 올라갈 힘이 없어서 추락한 줄 아냐?

어둑시니   (!!!) 설마 일부러…

이연   네 시그니처 대사를 돌려주마. 어둑시니야, 네가 제일 두려운
            게 무엇이냐?

어둑시니   (당황한) 내가 곧 어둠이고, 니들의 두려움이다. 그런 게 있을
            리가…

이연   (말 자르며) 너, 죽어 가고 있지?

어둑시니   !!!!!

이연   사람들한테 잊혀지고 버려졌어. 너를 위한 동화 같은 건 없으
            니까. 그래서 녹즙 뿌려 가며 관종 짓 해 대고, 우렁각시 같은
            네임드한테 찌질하게 분풀이 하는 거야.

어둑시니   감히, 감히 이놈이!!

이연   심지어 내 동생도 네 이름은 기억을 못 하더라.

어둑시니   닥쳐!! 넌 영원히 네가 만든 지옥 속에서, 죽지 못해 살아갈
            것이다!

이연   어디 가려고?

구미호뎐   제9화 어둑시니

싸늘하게 돌아서서 가는데, 걸음이 안 움직인다?!

어둑시니	?!!!!!
이연	되게 중요한 걸 까먹은 모양인데, 여기는 아귀의 숲이 아니고 산신의 무의식이잖아? 말하자면 내 구역.
어둑시니	원하는 게 뭐야.
이연	(손을 뻗으며) 너 따위는 아냐.

#53   대저택 (낮) / 들판 (낮밤 무관)

그 순간! 어둑시니의 손이 이무기의 멱살을 '꽉' 쥔다?!!
이무기 소스라쳐서 뒤로 물러난다!
난폭하게 그의 옷깃을 잡아 뜯는 손!!!
이어 이연이 뜯긴 단추를 손에 들고 서늘하게 웃는다!

이연	찾았다.
이무기	!!!!!
이연	조만간 잡으러 갈게, 딱 기다려라. 너.

이무기의 얼굴 무섭게 일그러진다!
그 틈을 타서 어둑시니 달아난다!
이연이 번개처럼 뒤쫓아서 그 몸에 칼을 꽂는다!

| 어둑시니 | (죽어 가는 순간, 저주처럼) 사람을 사랑한 구미호야. 너는 또 네 손 |

으로, 그 여인을 참하게 될 것이다. 그것이 네 운명…

이연   아줌마, 지금은 댁의 운명이나 걱정하세요.

이연이 '픽' 웃는다.
저택에 있는 어둑시니의 몸, 불티로 변해서 사라진다.
생각지도 못한 반격에 얼어붙었던 이무기, 이내 설핏 웃는다.
머잖아 '피할 수 없는 싸움'이 시작될 거라는 예고처럼.

#54   방송국 / 앞 (낮)
          지아가 무거운 걸음으로 퇴근 중이다.
          갑작스럽게 비 내리기 시작한다. 걸음 재촉하며 건널목에 멈
          춰 선다.
          길 건너편 보면, 눈에 익은 '빨간 우산'
          그리고 우산 속에… 이연이다!!
          지아를 보고 환하게 웃는다. 지아의 가슴에서 뜨거운 것이 치
          밀어 오른다.
          그렇게 길 하나를 사이에 두고, 서로를 마주 보는 두 사람.
          파란불 켜진다. 이연이 움직이려 한다. 지아가 고개를 내젓
          는다.

지아(N)   오지 마. 넌 거기 서 있어. (이어, 있는 힘껏 이연을 향해 뛰며) 이제,
          내가 너한테 갈게.

지아가 이연의 우산 속으로 들어선다.
'1화 엔딩'과 같은 대사, 이번엔 다른 진심으로.

지아   나는 너를 기다렸어.

이연이 곧장 입을 맞춰 온다.
빨간 우산 굴러 떨어진다. 둘 사이로, 빗방울 아름답게 부서
지면서.

9화 끝

데
자
뷔

#1 　　　　도로 (낮)

이연과 지아가 재회한 그날 오후. 둘을 태운 자동차, 서울을 벗어나 굽이굽이 아름다운 산길 내달린다.

#2 　　　　숲 (낮)

숲길을 나란히 걸어 올라오는 두 사람.

지아　　근데 우리 어디 가는 거야?

이연　　아음과 내 이야기가 시작되고 끝난 곳.

지아　　?!!

이연　　내가 다스리던 숲이야. (그리운 듯 둘러보며) 내 고향이자, 집이고, 직장이었어.

걷다가 멈춰 서면, 아음과 처음 만났던 아름드리나무 그대로다.

이연	들어 줄래? '전생의 너'와 내 이야기.
지아	(마주 보고 끄덕)

이연이 돌무더기 밑에서 오래된 상자를 꺼낸다. 그 속에 말라 비틀어진 '은행' 열매들.

지아	뭐야?
이연	조선 시대에도 일종의 발렌타인 데이가 있었던 거 알아? 만물이 깨어나는 경칩이 되면, 연인들은 사랑의 징표로 은행 열매를 선물했어.
지아	왜 하필 은행이야?
이연	암나무와 수나무가 짝을 지어 열매를 맺는데다, 오래 살아. 나무 나이 천 년이 넘을 만큼.
지아	말하자면, 전 여친한테 받은 발렌타인데이 선물을 아직도 간직하고 있단 거네?
이연	(고개 내젓는) 작별 선물. 이거 받고 우리 헤어졌거든.

#3   과거의 숲 (낮)

클로즈업된 '은행' 열매에서 화면 넓어지면, 과거로 바뀐다. 이연이 선물 받은 은행을 손에 들고 있다. 그 앞에서 아음이 자신만만하게.

아음	너는 내가 지켜 줄게.

이연	뭐?
아음	산에 사는 만물을 지키는 게 산신이잖아. 산신도, 누군가 지켜 줘야지.
이연	(당황해서) 네가 왜 나를.
아음	(담백하게) 이연이 좋으니까 난.

생각지도 못한 고백에 이연의 눈빛 흔들리는데.

이연	네가 뭔데?
아음	?!!
이연	네가 무슨 재주로? 나랑 마주 보고 말 좀 섞는다고, 네가 뭐라도 된 양 착각하지 마.
아음	갑자기 왜 그래?
이연	꿈도 야무지지. 네가 어떻게 나처럼 강해지고, 네가 어떻게 나를 지켜? 인간 주제에.
아음	(상처받은 표정으로) 진심이야?
이연	진심이야. 그러니까 너, 다시는 여기 오지 마라.

아음이 돌아선다. 은행 열매 손에 쥐고, 그 뒷모습을 아프게 보는 이연.

#4	숲 (낮)
	다시 현재. 아음이 사라진 방향을 물끄러미 응시하는 이연과

지아.

지아	진심이 아니었던 거지?
이연	두려웠어. 무한한 내가, 유한한 삶을 사는 인간을 마음에 품으면 어떡하나.
지아	그 뒤로 안 왔어?
이연	몇 번의 계절이 바뀌었지만 단 한번도.
지아	어떻게 다시 만났어? 이연이 찾아갔어?
이연	나는 산의 주인 된 자이자, 내가 다스리는 산에 묶여 있는 존재였어. 산신은 숲을 벗어날 수 없어.
지아	벗어나면 어떻게 되는데?
이연	약해져. 산신으로서 힘을 못 쓰게 되니까. 딱 한 번, 일대를 어지럽히던 창귀 무리를 쫓다가 경계를 넘어 버렸는데…

#5   민가 (밤)

개 짖는 소리 요란한 밤. 이연이 만신창이가 되어 민가 앞에 쓰러져 있다.
'마을에 천 년 묵은 구미호가 나타났대!! 구미호?!!' 횃불과 낫을 든 사람들이 외친다!
이연이 몸을 피하려고 안간힘을 쓰며 일어난다!
어디로 숨어야 하나 방향을 잃는데, 부드러운 손이 구석으로 그를 '확' 잡아끈다!
'어디로 갔어? 여기 핏자국이다!!' 하는 외침 들리고.

장정 몇이 이연이 숨은 쪽으로 와서 횃불을 들이미는 순간!
곧장 이연에게 입을 맞춰 오는 얼굴, 아음이다!!
이연의 심장 내려앉는다!
목격한 장정들, 어색한 기침 소리를 내며 자리 뜬다. 그제야 아
음이 입술을 뗀다.
일 년 만에, 다시 만난 두 사람 사이로 달빛 쏟아진다.
어지러운 눈빛의 이연과 달리, 아음의 표정 단호하다.
아음이 마을 끝으로 이연을 데리고 왔다.

아음   가라. 이 길로 쭉 가면 너의 숲이다.
이연   아음….
아음   나는 오늘, 너를 보지 못하였다.

          하고 차갑게 돌아서는데, 이연이 그 손목을 붙든다. 아음이 돌
          아보면.

이연   이 은혜는 꼭 갚아 주마.

          찰나, 아음과 이연의 손가락에 차례로 생겨났다 사라지는 '계
          약'의 징표!

#6   대저택 (낮)
          이무기가 우아하게 식사 중이다.

'조만간 잡으러 갈게, 딱 기다려라. 너.'
경고하던 이연 모습 스쳐 가면, 희미하게 웃는다.
널찍한 식탁의 맞은편에서, 게걸스레 밥을 먹던 사장이 갸웃
하며.

사장   뭐가 그렇게 재밌으세요?

이무기   이제 겨우 '무대'가 완성된 거 같아서요.

사장   (??) 무대요?

이무기   어둑시니를 통해서 알았거든요. 이번 생에는 이연, 절대 그녀
          를 죽이지 못할 거란 걸.

사장   근데, 꼭 그 둘이어야 되는 이유라도 있나요?

이무기   원래 '제 자리'에요. 산신 자리도, 그 여인의 옆자리도.

사장   허면?

이무기   산신의 몸을 갖고 신이 되어, 그녀를 신부로 맞을 거예요.

          담담하게 말하는 이무기의 눈빛, 서늘하게 빛난다.

#7   재인 폭포 (낮)
          주상절리 절벽. 웅장하게 쏟아지는 폭포 앞에 선 두 사람.
          에메랄드빛 소(沼) 위로 햇살 눈부시게 부서진다. 잠시 말없이
          그 절경을 바라본다.

지아   홀린다, 여기.

구미호뎐   제10화 데자뷔

이연	(그 옆모습 보다가) 왜 안 물어봐? 왜 은혜를 원수로 갚았냐. 전생에 '너'를 왜 죽였냐고.
지아	오면서 보니까 이 아름다운 폭포에 얽힌 전설도, 하나가 아니더라. 너무너무 사랑했던 부부 얘긴데, 남편이 죽는 버전이랑, 부인이 죽는 버전이 다르더라고.
이연	('무슨 뜻일까.' 보면)
지아	그 옛날, 첫사랑을 죽이고 비극으로 끝나 버린 구미호전에도 내가 모르는 뒷이야기가 있을 거라고, 난 믿어.

폭포처럼 단단한 눈길로 이연을 마주 보는 지아.
그런 지아와 눈을 맞추며, 두 사람의 뒷이야기 계속된다.

#8   숲 / 모처 (낮밤 무관)

이연 몸에 화살 서너 개가 '파바박!!' 와 박힌다!
이연에게 활을 쏜 것, 다름 아닌 아음이다!! 그녀의 발치에 작가와 재환의 시신!!

이연	(믿기 힘든 얼굴로) 아음, 네가 왜 나를…
아음(이무기)	(표정, 말투 싹 바뀌는) 여자의 껍질이 꽤 쓸모가 있구나. 빈틈이라곤 없던 산신의 몸에 화살도 마음껏 박고.
이연	(분노로) 이무기냐.
아음(이무기)	(간교하게 웃으며) 오랜만이야, 이연. 오랫동안 널 기다렸어.
이연	아음은?!

아음(이무기)	(가슴께 가리키며) 여기. 제 아비를 살리겠다고 스스로 몸을 내 줬다.
이연	그 몸에서 나와!!

그런데! 화살 맞은 부위가 타 들어가는 것 같다!

아음(이무기)	깜박하고 말 안 했는데, 그거 묘지의 달맞이꽃이야.
이연	(얼음장 같은 얼굴로, 몸에 박힌 화살을 뽑으며) 나오라고 말했다.
아음(이무기)	여자는 '내 거'야.
이연	나와!!!!

번개같이 달려들어 그 목에 칼을 겨누는 이연! 아음이 '픽' 웃는다.

아음	(태연히 목 들이대는) 나갈까? 여자 죽이고.
이연	!!! (냉정해지려 애쓰며) 이 여자는 내게 아무것도 아니다.
아음	(비웃는) 설마.
이연	여자를 미끼로 나를 꾄 줄 알았겠지? 여자를 미끼로 내가 너 를 꾀었다곤, 생각 안 해?

이연이 매섭게 칼을 휘두른다! 아음이, 곧바로 칼을 뽑아 들 면서!
서슬 퍼렇게 칼을 맞대고 선 연인!!
둘 사이에 슬프고, 치열한 칼싸움 벌어진다!

이연이 거침없이 놈을 몰아붙인다! 수세에 몰린 이무기, 아음인 척 애원한다!

아음(이무기)	살려 줘… 실은 나 죽고 싶지 않아.
이연	!!!
아음(이무기)	나랑 약속했잖아. 죽을 때까지 변치 않겠다고. (애원하는) 이연…

이연이 망설이는 사이, 아까 활 맞은 상처 부위를 잇달아 가격하는 아음!
이연, 신음한다! 그 틈에, 놈이 이연의 심장에 칼을 겨눈다!
막 칼을 찔러 넣으려는 순간! 아음의 눈빛 어지럽게 흔들린다!

아음	(칼 거두려고 안간힘을 쓰며) 안 돼… 안 돼!
이연	아음! 너야?!!
아음	(이연에게서 확 떨어지는) 가까이 오지 마!
이연	정신이 돌아왔구나?!
아음	(손에 묻은 피 보며) 내가… 마을 사람들을 죽였어. 전부 다 죽였어!
이연	네가 한 짓이 아냐!
아음	도와줘. 이연… 내가 더 많은 사람을 해치지 않게… 내가 너를, 해치지 못하게. (눈물을 툭) 죽여 줘.
이연	(다가가서 다독이는) 괜찮아. 내가 있잖아. 다 괜찮아질 거야.

이연의 가슴 무너진다. 그런데! 아음이 이연에게 또 다시 칼을 휘두른다!

아음(이무기)	(아음을 털어 내듯 머리 흔들며) 생각보다 독한 계집이네.
이연	(이를 악무는)
아음(이무기)	미치겠지? 벨 수도 없고, 살릴 도리도 없고.

잠시 고민하던 이연이 서슴없이 검을 버린다!

이연	네가 원하는 건 나지? 내 몸을 갖고 그녀를 놔줘라.
아음(이무기)	(솔깃하면서) 눈물 나네.
이연	두 번은 말 안 해. 산신의 몸이야? 그 몸이야?
아음(이무기)	좋다. 여인을 놔주마. 대신 (이연의 칼 쥐어 주며) 심장을 다오. 산신의 정수가 그 심장에 들어 있다지?
이연	(칼을 쥐고 아음의 얼굴 새기듯 본다)
아음(이무기)	(재촉하듯) 도려내라.
이연	(결심했다. 마지막 유언처럼) 아음, 거기서 듣고 있지? 하나만 약속해 줘. 나, 잊어버리겠다고. 잊어버리고, 오래 살아, 넌. 허옇게 머리새고, 허리 꼬부라지도록.
아음(이무기)	(눈빛 흔들리는)
이연	나한테 미안할 것도, 고마울 것도 없다. 내 목숨은 네 것이니까.

하고, 자신의 심장을 찌르려는데!! 그 칼날을 맨손으로 움켜쥐는 아음!! 자기 안의 이무기와 고통스럽게 싸우고 있다!

아음	(다정한 미소로) 죽긴, 누구 마음대로?
이연	아음, 너구나? (칼날 움켜쥔 손 애달피 보며) 놔줘. 난 괜찮으니까.

구미호뎐   제10화 데자뷔

아음	이연. 넌 잊으라고 말했지만, 난 싫어. 나 잊지 마.
이연	(불길한데) 무슨 소리야?
아음	(농담처럼) 다른 여자 만나면 무덤에서 기어 나온다?
이연	(칼 뺏으려고) 이 손 놔!!
아음	(한 순간, 손을 툭 놓고) '은혜'를 갚아라, 이연.
이연	안 돼….
아음	나를, 죽여다오.

그 순간, 자신의 의지와 관계없이 아음의 심장에 손톱을 찔러 넣는 이연!!!
눈처럼 새하얀 아음의 얼굴에 점점이 튄 핏방울!

| 아음 | (이연 얼굴 어루만지며, 다정하게) 약속했지? 내가 지켜 준다고. |

죽어 가는 아음, 미소 짓는다. 아음의 손에서 '계약의 징표' 사라진다. 고통스럽게 절규하는 이연의 모습에서.

#9   재인 폭포 (낮)
연인을 죽음으로 몰고 간 '자신의 손'을 아프게 들여다보고 있는 이연.

이연	그렇게… 나는 내 손으로, 너를 죽였어.
지아	수백 년 동안 마음의 짐을 지고 살았구나.

이연	(울컥하는)
지아	고마워, 이연. 나 잊지 않겠다는 약속 지켜 줘서. 미안해. 너무 오랫동안 기다리게 만들어서.

젖은 눈으로 지아를 보다가 '손에 든 은행 열매' 바람에 날려 보낸다.

지아	(열매 붙잡으려고 허공에 손짓하며) 너한테 소중한 물건이잖아!
이연	(부드럽게 만류하는) 너는 내 과거의 그림자가 아니니까.
지아	!!!
이연	제대로 볼게. 똑바로 볼 거야. 다시 태어난 아음이 아니라 '너'를.

언젠가 지아의 말을 고스란히 돌려주는 이연이다.

이연	보여 주고 싶었어, 전부. 나는 이제 너한테, 처음부터 끝까지 솔직할 생각이거든.
지아	나는… 보고 싶었어. 보고 싶어서 죽을 뻔 했어.

그런 지아를 말없이 안아 준다.
아름다운 폭포를 배경으로 그림처럼 서로에게 기대서 있는 연인.
전생의 연인과 작별하고 '진짜 두 사람의 이야기'는 이제부터 시작이라는 듯.

구미호뎐 제10화 데자뷔

방송국 / 앞 (낮)

이연이 지아를 태워다 주는 길이다. 지아가 차에서 내리려는데.

이연   진짜 괜찮겠어?

지아   적어도 이번 생엔, 내 곁에 있는 사람들, 죽게 만들기 싫어. 같
             이 싸우자 그놈이랑. 이왕 싸우는 거 이겼으면 좋겠는데.

이연   내 평생 누구랑 싸워서 져 본 일이 없어. 혹시 무슨 일 있으면…

지아   이연이 달려올 거야.

이연   1시간 뒤에 봐.

지아가 회사 쪽으로 사라지면, 어디론가 전화를 거는 이연.

#11   이랑의 집 (낮)

이랑이 이연과 통화 중이다. 안색은 여전히 흙빛이다.

이랑   (차갑게) 왔어? 아귀의 숲에서 죽은 줄 알았는데. 뭐래, 좋다 말
             았거든? (사이) 지금? 뭐 오든가 말든가.

전화 끊고 비로소, '형이 살아 돌아왔구나…' 벅찬 표정이다.
그런데, 갑자기 허리가 끊어질 듯 독한 기침 토해 내는 이랑.
유리가 놀라서 달려온다.

유리   괜찮으세요?! 신주, 다시 오라고 할까요?

이랑	호들갑 떨지 마. 별 거 아냐.
유리	독 때문에 그런 거 아니죠?
이랑	!!!
유리	수명이 다해 가고 있는 거잖아… 내 말 맞죠?!
이랑	(대수롭지 않게) 반쪽짜리 여우치곤 오래 살았지.
유리	'꽈리'를 드세요! 사람 수명 훔쳐서 얼마든지 더 살 수 있잖아요!
이랑	이연이 오고 있어. 말해 줄 거야, 이무기가 어떤 놈인지. 그놈 얼굴을 아는 건 나뿐이야.
유리	그럼 이랑님은요?
이랑	(쓸쓸하게) 내가 언제는 뭐 미래 같은 거 꿈꾸며 살았나.
유리	미쳤어!!!
이랑	얘 봐라?
유리	하지 마요!! 제발 그러지 마! 왜 이연 때문에 그렇게까지 해?!
이랑	이연한테는 절대 비밀이다.
유리	이연 말고 이무기 만나서 살려 달라고 해요. 아니면 나한테 어딘지 말해 줘, 내가 가서 꽈리 갖고 올 테니까.

애타게 말하는 유리의 눈이 그렁그렁해져 있다. 이랑 또한 따뜻한 진심으로.

이랑	유리야. 네가 왜 나 때문에 눈물을 흘리니?
유리	(아이처럼 눈 훔치며) 열 받잖아요!
이랑	내가 말했지? 절대 '누군가를 위해서' 울지 말라고. 네 인생

신파로 만들지 마.

유리   뺏기지 말고 뺏는 쪽이 되라고도 말했어! 그 거지 같은 무허가 동물원에서 처음 만난 날, 사육사 피를 뒤집어쓰고 이랑님이 그랬잖아! 나한테 그렇게 살라고 했잖아!!

이랑   내가 원체 변덕이 심한 놈이라.

유리   (코 훌쩍 거리는데)

이랑   (티슈로 코 닦아 주고) 그만 울고 나가서 냉면 좀 사 와라. 평양냉면 먹고 싶어.

유리   이씨…

#12   거리 (낮)

이연이 차를 몰고 이랑에게 오고 있다.
조수석에 시선을 주면, 봄도 아닌데 '분홍 진달래 가지' 놓여 있다.

인서트 플래시백 9화 20씬

'그때로 돌아가고 싶어. 지천이 진달래꽃이었는데… 이상하지? 그때 따 먹던 진달래 맛이… 나는 도저히 기억이 안 나.'

그 숲에서 가져온 진달래다. 시원스럽게 속도를 내는 이연.

#13   방송국 (낮)

작가가 넋을 놓고 생각에 잠긴 재환에게 가서.

작가 무슨 생각을 그렇게 하길래, 하루 종일 분신사바하는 얼굴이야?

재환 아무래도 어디서 본 거 같아서요.

작가 누구?

재환 우리 '피디님 남친'이요.

작가 하긴 재환 씨가 딴 건 몰라도 눈썰미 하난 끝내주지.

재환 우리 최근에 뭐뭐 방송했죠?

작가 알바 괴담, 저주받은 결혼 반지, 흉가 특집…

재환 잠깐만요! 분명 그때쯤인데… 미치겠네! 누구더라?

'빨간 우산' 하는 소리에 동시에 돌아보면 지아다.

재환 피디님?!

작가 무슨 소리야 그게?!

지아 재환이 말이 맞아. 니들이 만난 그 남자. (핸드폰으로 1화의 사진 보여 주며) 우리가 취재하던 그 '빨간 우산'이야.

작가, 재환 !!!!!!!

#14 이랑의 집 (밤)

유리가 심부름 간 사이, 이랑이 혼자 남아 있다.

현관문 두드리는 소리 들린다. 내심 반가운 마음으로 다가가 문을 연다.

그런데! 이랑 얼굴, 일그러진다!

문 앞에 서있는 것, 이연이 아니고 이무기의 수하인 '사장'이다!!

| 사장 | 왜요? (빙그레) 기다리던 손님이 아닌가 보죠? |
| 이랑 | !!!!!! |

시간 경과되면. 이랑은 없고, 유리만 집에 남아서 이랑에게 전화를 건다.

이랑은 전화를 받지 않는다. '어디 가신 거야?' 불안하게 중얼거린다.

그 뒤로 테이블에 깔끔하게 차려 놓은 평양냉면 보이고.

곧바로 현관문 '벌컥' 열리는 소리.

'이랑님?' 하고 보면, 이연이 진달래 가지 들고 나타났다.

유리	이연?!!!
이연	나 알아? (태연히 들어와서) 이랑은?
유리	몰라. 나갔다 와 보니까 없어. 전화도 안 받으시고.
이연	존댓말은 개나 줘 버린 거 보니까 네가 그거구나?
유리	??
이연	목걸이 도둑. 개주인. 너네 사이 99점.
유리	뭔 소리야?!
이연	뭐 그런 게 있어. (하다가, 테이블 보고) 오, 평양냉면.

하면서, 뻔뻔하게 젓가락을 든다.

유리	이랑님 거야! 먹지 마!!
이연	냉면 불면 맛없어.

'후루룩' 냉면을 먹는 이연. 유리가 안절부절못하며 그 모습 지켜본다.

#15   대저택 (밤)
이랑이 굳은 얼굴로 저택에 와 있다. 사장이 걱정하는 척.

사장	세상에, 혈색이 너무 안 좋으세요.
이랑	좀 떨어져서 얘기할래? 시체 썩는 냄새 나요, 너한테.
사장	죽음의 냄새죠. 분에 넘치게 살아왔으니까. 우리 둘 다.
이랑	(또 다시 밭은기침 토해 내면)
사장	(꽈리 화분 앞에서) 드려요?
이랑	사양할게.
사장	그깟 자존심이랑 목숨을 바꿀 생각이세요? 그럴 가치가 있나?
이랑	내가 너같이 목숨을 아까워하는 놈으로 보이나?
사장	아니죠. 아니었는데… 왜 그렇게 미련 많은 얼굴을 하고 있지? 이랑님답지 않게.
이랑	(치미는 화를 꾹 참고) 용건만 합시다.
사장	우리 주인을 거스를 생각이세요?

이랑	우리 아니고 너네 주인.
사장	어둑시니 일 때문에 마음 많이 상하신 거 알아요. 근데 그거 100프로 오해세요.
이랑	아귀의 숲에다 나를 밀어 처넣고 뭐? (피식) 오해?
사장	(너스레) 이연을 잡으려다 약간의 무리수를 둔 거죠. 아무렴 거기다 이랑님을 계속 뒀겠습니까.
이랑	어떡하지? 네놈 거짓말 더는 못 들어 주겠는데.

뒤춤에서 손도끼 꺼내 드는 이랑!
사장이 본능적으로 한 발 뒤로 물러선다!

이랑	(섬뜩하게 다가오는) 알지? 몸이 이 모양이라도, 너 하나 씹어 먹는 건 일도 아니란 거?
사장	(뒷걸음질 치며) 잠깐만요!! 잠깐만!

이랑이 무섭게 도끼 휘두른다! '쾅-' 하는 소리와 함께 벽에 박힌 도끼!
일부러 살짝 비껴서 쳤다! 사장 얼어붙었다!

이랑	근데 이상하다? 이쯤 되면 네 주인이 등장해야 되는데. (벽에 박힌 도끼 떼어 내며) 내가 맞춰 볼까? 이무기는 지금, 이 집에 없어.
사장	!!!!!!

이연이 냉면을 마저 맛있게 먹고, 젓가락 내려놓는다.

이연   아, 잘 먹었다. 뭘 봐?
유리   (냉장고 앞에서 으르렁대는 얼굴로) 나가. 빨리 꺼져 버려!

굳은 얼굴로 유리에게 다가가는 이연. 움찔하는 유리 등 뒤로, 태연히 냉동실 문을 연다. 냉동실에는 얼음뿐.

이연   아이스크림 같은 건 안 키우나 봐?
유리   (속으로 놀랐다. 노려보는)
이연   버르장머리 없는 외제 여우나 갖다 키우고 말이야.
유리   너 싫어.
이연   안 물어봤는데.
유리   이랑님한테 접근하지 마.
이연   접근하면?
유리   죽일 거야!
이연   (피식) 네가 뭔데?
유리   나 기유리다 왜?!
이연   누가 자기소개 하래?
유리   (버럭) 네가 방금 물어봤잖아!
이연   지능이 썩 높진 않은 거 같고, 이랑이랑 커뮤니케이션은 가능한 거지?
유리   (씩씩대는) 너보다 내가 훨씬 잘 알아!

이연	과연?
유리	이랑님은 냉면 먹을 때 식초 안 넣고 겨자만 넣어 먹어! 꽂게 먹으면 입술에 뭐가 막 나고! 김밥에 오이 들어가면 쳐다도 안 봐!
이연	이건 뭐 죄다 먹는 얘기네.
유리	근데 너 때문에! 너 같은 거 때문에 이랑님이…
이연	이랑이 뭐?

하는데, '이연한테는 절대 비밀이다.' 아까 이랑의 얘기 스쳐
간다.

유리	젠장… 넌 알 거 없어!!
이연	??

#17	대저택 (밤)

이랑의 위협에 굳어 있던 사장이 이내 '쿡쿡' 웃는다.

이랑	웃어?!!
사장	이랑님은 나를 죽일 수 없잖아요. 그럼 안 되지.
이랑	뭐?
사장	그 옛날 이연한테 칼을 맞고 다 죽어 가던 당신을 살린 게 접니다. 우리 사이에 아직 빚이 남았잖아.

하고 손바닥 펴면, 그 손가락에 '계약의 징표' 빛을 발한다!

이랑이 칼을 맞고 쓰러져 있다. 이연은 사라진 후다.
형에게 배신당했다는 울분과 배의 상처, 절망적으로 신음하는데.
짚신을 신은 발이 다가와서 그 몸에 '꽈리'를 얹어 놓는다. 사장이다.
이랑의 눈 '번쩍' 뜨인다.

이랑	(털고 일어서며) 누구냐 너.
사장	지나가는 과객인데, 그쪽 목숨이 경각에 달린 듯하여.
이랑	웃기지 마. 너한테 송장 썩는 냄새 나.
사장	어쩌다 보니 오래 산 인간입니다만.
이랑	왜 나를 구한 거냐.
사장	이유가 뭐 중하겠습니까. 언젠가 은혜를 갚으십시오. 그럴 날이 있을 겝니다.

하면, 이랑과 사장의 손가락에 '계약의 징표' 반짝 빛났다가 사라진다.
다시 현재.

사장	룰을 지키셔야죠. 여우는 계약을 벗어날 수 없잖아.
이랑	이무기 되살린 거, 내 덕이었을 텐데.
사장	그건 제 덕이죠. 이랑님은 약간의 퍼포먼스를 하셨고.
이랑	처음부터, 날 이용할 생각으로 찾아왔지? 이연이 내 형이란

거 알고.

사장   그거 외에, 반쪽짜리 여우한테 무슨 가치가 있다고 생각하는
　　　　 겁니까?

이랑   (일그러지는)

사장   (꽈리 꺾어 건네며) 꽈리를 드세요. 살아서 은혜를 갚으셔야죠.

이랑   원하는 게 뭐냐.

사장   이연을 넘겨주세요. 이틀, 드리겠습니다. 그놈 몸이 필요해요.

이랑   !!!!!!

#18   이랑의 집 (밤)

　　　　 이연이 시계를 보더니 자리를 털고 일어선다.

이연   가야겠다.

유리   (훠이훠이) 가 버려!

이연   온갖 비련의 주인공 코스프레는 다하더니 엄청 불행하진 않
　　　　 았겠네, 이랑도.

유리   ('무슨 뜻일까.') ??

이연   이왕 지키는 거 끝까지 지켜 줘라. (진달래 가지 건네며) 이랑한테
　　　　 전해 주고. 냉면 값이라고.

#19   대저택 / 앞 (밤)

　　　　 숨어 있는 '누군가의 시선'으로 이랑이 저택 나서는 모습 보

인다. 발길 닿는 대로 걷기 시작하는 이랑.
기침은 멎었고, 안색도 한결 나아졌지만, 그 얼굴 어느 때보다 고통스럽다.

한식당 우렁각시 / 내실 (밤)
지아와 작가, 재환, 심각하게 머리를 맞대고 모여 앉았다.
재환이 찬물을 들이켜고, 작가가 초조하게 다리를 떨며 담배를 찾는다.

작가   내 담배가 어디 있나?

재환   작가님 여기 금연이에요!

작가   (심호흡 한 번 하고) 그러니까 요약하면, 네가 만나는 그 남자, 우리가 쫓던 강력 사건 용의자다?

지아   용의자 아니고 범인.

작가, 재환   !!!!!

작가   전과 있어?

지아   기소된 적은 없는데, 동종 전과는 꽤 될 걸?

재환   그걸 다 알고 만나셨다고요?

지아   응.

재환   왜요!!

지아   내가 다시 태어날 때까지 나를 기다려 준 사람이야. '전생'의 첫사랑.

작가   아 전생은 우리 방송 아이템이고!

재환	메타포 아닐까요? 그런 기분이 들 만큼 좋아한다.

예상했던 반응이다. 지아가 자세를 고쳐 잡고.

지아	니들, 우리 셋이 만난 게 우연이라고 생각해?
재환	저는 운명이라고 생각해요.
작가	운명 같은 소리하고 있다. 이유나 좀 알자. 지금 이게 다 뭔데?
지아	위험해질 수도 있어, 두 사람.
작가, 재환	??!
지아	니들은 나랑 제일 가까운 사람들이니까. 전생에도 지금도.
작가	왜 자꾸 그놈의 전생 타령이야?!
지아	피차 배운 놈들이라 말로는 안 될 테고.

하며, 테이블에 '호랑이 눈썹(안경)' 꺼내 놓는다!!

지아	직접 봐.
재환	(집어 들고) 웬 안경??
지아	호랑이 눈썹.
재환	애기들 보는 전래동화요?
지아	맞아, 거울 있어?

작가가 마지못해 작은 거울 꺼낸다.
재환이 안경 끼면, 거울을 재환 앞에 놔주는 지아.
황당한 표정으로 거울을 보던 재환의 입에서 '어? 어!!!!' 신음

소리 터져 나온다. 작가의 표정도 심상찮게 변한다.

거울 클로즈업되면, 사극 분장을 한 재환의 모습 보인다.

#21   숲 (밤)

재환이 아음(아역)을 안고, 도망치듯 빠르게 걷는다. 줄곧 쫓기
던 모양새다.

그 곁에 짐 보따리를 든 궁녀는 작가. 어린 아음의 얼굴 비통
하다.

(아음은 아역에서 성인으로, 작가와 재환은 쭉 성인 배우분들이 연기합니다.)

아음(아역)   우리 어디로 가는 거야?
재환   궁에서 아주 먼 곳으로 갑니다.
아음(아역)   너희 둘 뿐이냐?
작가   송구합니다, 마마. 소인들이 끝까지 지켜 드리겠나이다.

작가가 훌쩍거린다. 어린 아음의 시선, 자신이 떠나온 길을
향한다.

#22   민가 / 마당 (낮)

제법 규모 있는 기와집. 작가가 침울한 얼굴로 걸레질을 하고
있다.

안채 문이 열리고 아음이 나온다. 한결 씩씩해진 표정.

구미호뎐   제10화 데자뷔

아음(아역)	이제부터 상은 하나만 차리거라.
작가	예??
아음(아역)	궁도 아니겠다, 보는 눈도 없는데 법도고 뭐고 같이 먹자.
작가	아니 됩니다. 어찌!!!
아음(아역)	아니 되면 나 굶는다.

작가가 발 동동 구르는 사이, 아음이 신발 꿰어 신고 마당을 나선다. 들어오던 재환과 마주친다.

재환	어디 가십니까?
아음(아역)	바람이나 좀 쏘일 참이다. (따라나서려는 재환에게) 따라오지 마.
재환	(난감한데) 행여 북쪽 숲엔 얼씬도 마셔요.
아음(아역)	왜?
재환	거기 천 년 묵은 여우가 산다 합니다.
아음(아역)	여우??

북녘을 향한 아음의 눈빛이 '초롱초롱' 빛난다.

#23   몽타주

어느새 같이 둘러앉아 밥을 먹는 세 사람. 재환이 들꽃을 한 아름 꺾어서 두 사람에게 건네주기도 하고. 싫다는 재환까지 붙잡고, 셋이 도란도란 봉숭아물 들이는 등. 어느새 친구처럼 지내는 그들이다. 몽타주 씬의 마지막, 성인으로 변한 아음

(지아와 똑같은) 얼굴 보이면.

#24   한식당 우렁각시 / 내실 (밤)

충격을 받은 얼굴로 앉아 있는 재환과 작가. 둘 사이에 '안경' 놓여 있다. 재환에 이어 작가도 전생을 본 후다.

작가   이게 우리 전생이라고? (헛웃음) 꿈이야 생시야? 나 뭐에 홀린 거니?

재환   (뺨 탁탁 치다가 안경 들고) VR 고글이나 뭐 그런 거 아니죠?

작가   믿어지지가 않아. 전생이 존재한다면 내가 공주일 줄 알았는데, 왜 너냐?

재환   내시보단 낫죠! (하다가) 아, 저번에 나한테 내시라고 했던 그 꼬마!!

지아   '그 안경'이었어.

재환   말도 안 돼! 괴담 프로 오래하더니 단체로 뭐에 씐 거예요, 우리!

작가   말해 봐. 사이좋게 충격받자는 건 아닐 테고, 우리한테 이걸 보여 준 진짜 의도가 뭐야?

지아   나를 노리는 놈이 생각보다 가까이에 있어. 우리 주변에, 어쩌면 우리가 아는 사람일 수도 있고.

작가, 재환   ?!!!

지아   니들이 전생에 나를 지켜 준 것처럼, 나도 니들을 지키고 싶어.

재환   그…그 남자 친구 분은요? 정체가 뭐예요?

구미호뎐   제10화 데자뷔

지아	(문에다 대고) 들어올래?

곧바로 문 열리고, 이연이 기다렸단 듯이 내실로 들어선다!

이연	안녕? 구미호는 처음이지?
작가, 재환	!!!!!!!

#25	거리 (밤)
	이연과 지아, 차를 몰고 이연의 집으로 향하는 길이다.

이연	생각보다 많이들 놀란 눈치던데.
지아	쉽지 않을 거라고 예상은 했어. 못 받아들이는 것도 이해되고
이연	여차하면 말해. 그 기억만 지워 버리게.
지아	(근심 어린 얼굴로 창밖을 보다가) 동생은? 만났어?
이연	아니. 이무기 쪽에서 먼저 손을 쓴 거 같아.
지아	(실망하는) 그렇구나.
이연	어둑시니 통해서 우릴 보고 있었으니까. 눈치챘겠지. 마음이 흔들리는 순간, 이랑은 시한폭탄이 될 거란 걸.
지아	아우, 겨우 단서를 얻게 되나 했더니….
이연	실망할 거 없어. 이쪽도 딱히 예상 못했던 바는 아니라서.
지아	??
이연	'보험'을 들어 놨거든.

#26   대저택 / 앞 (밤)

신주가 어둠 속에서 이무기의 저택을 올려다보고 있다.
앞 씬에서 '이랑을 지켜보던 시선'도 신주였다.

#27   이랑의 집 (밤)

이랑이 집으로 돌아왔다. 유리가 기다렸단 듯이 이랑을 맞는다.

유리   어디 갔다 오셨어요?!
이랑   (쳐다보지도 않고) 혼자 있고 싶어.
유리   이랑님 몸이 (반색하는) 꽈리 드신 거예요?
이랑   제발!! 나 좀 혼자 있게 해 주라.
유리   (시무룩해서 나가다 말고) 이거요. 이연이 두고 갔어요.

'진달래 가지'다. 이랑 얼굴 아프게 일그러진다.
잠시 후. 혼자 남은 이랑이 외로이 앉아 진달래꽃 따 먹는다.
알싸한 단맛이 혀끝에 머문다. 죽도록 그리운 맛.
'대체 어디서부터 잘못된 걸까.'
엉망으로 꼬여 버린 자신의 처지에, 눈물이 흐른다.

#28   공사장 (밤)

같은 시각, 폴리스라인 쳐져 있는 공사장. '말도 안 돼…' 백
형사가 뭔가를 보고 심상찮은 표정으로 얼어붙었다.

구미호뎐   제10화 데자뷔

그 시선 따라서, 무너진 가벽 속에 미라처럼 말라붙은 여자의
시신! 7화의 '베이비시터'다!!

29

택시 / 대저택 (밤)

팀장이 택시 타고 집에 가는 길. 사장에게 전화 걸려 온다.
'예! 사장님!' 각 잡고 전화 받는 팀장, 저택에서 통화 중인 사
장과 교차된다.

팀장	이 시간에 어쩐 일이십니까.
사장	자네한테 개인적으로 부탁할 일이 하나 있는데.
팀장	개인적으로? (좋아 죽는) 저한테요? 뭐든지 말씀만 하십쇼!!

무음으로 뭔가를 지시하는 사장.
그 뒤로, 비서가 어디론가 꽈리 화분을 옮기고 있다.

이연의 집 / 침실에서 거실 (밤)

밤이 깊었다. 지아가 고단한 얼굴로 침대에 잠들어 있다.
이연이 가만히 이마를 쓸어 주고, 테이블 조명 낮춘다.
조용히 거실로 나오면, 신주가 치킨을 주섬주섬 펼치며.

신주	피디님은요? 치킨 안 드신대요?
이연	피곤했나 봐. 바로 잠들었어.

신주	당분간 여기서 지내시게요?
이연	베이스캠프론 여기가 더 안전해. (하고) 봤니?
신주	이무기는 못 봤고, 이랑님 데려간 중년 남자는 봤어요. 그놈이 이마에 문신 있다는 그놈 아닐까요?
이연	어딘지 알았으니까 됐어. 너도 당분간 몸조심하고.

신주가 제일 큰 닭다리를 이연에게 건네준다. 늘 그랬듯이.

이연	(먹으려다 문득) 왜 맨날 닭다리는 나 주니?
신주	닭다리니까요.

그 마음 알고도 남는다. 거절 못하고 베어 물면.
그제야 신주도 허겁지겁 치킨을 먹는다.

이연	수고했다. 이번 일도 그렇고, 어둑시니 일도.
신주	삼도천 어르신들이 도와주셔서.
이연	그 할망구, 정보든 물건이든 공짜로 내주는 법이 없는데, 뭐 털렸니? 응? 무슨 계약했어?
신주	노예 계약이요.
이연	뭐?!
신주	삼도천에서 배 몰기로 했어요. 지옥 가는 망자들 실어 나르래요. 고령화 시대라 일손 부족하다고.
이연	너 뱃멀미하잖아!!
신주	저 죽고 나서 일 시작하기로 했는데, 죽은 여우도 멀미할까요?

이연	…하더라.

당혹스러운 얼굴로 치킨 무만 '오독오독' 깨무는 신주.

이연	내근직으로 옮기자. 윗선에 뇌물 팍팍 먹이고.
신주	이연님만 믿을게요. 근데 아직 죽으려면 멀었어요, 저.
이연	죽기 전에 목걸이 도둑이랑 잘해 봐.
신주	유리라는 고운 이름이 있다니까요. 만나셨어요?
이연	생각보다 애 진국이더라.

신주가 환하게 웃는다. 그렇게 도란도란 치킨을 먹는 이연과 신주.

#31	대저택 (낮)

다음날 아침. 잠에서 깬 사장이 실내복 차림으로 거실로 나오는데.

이연	늦잠 잤네?

사장 소스라친다! 그 바람에 장식용 도자기 '와장창' 부서진다! 이연이 신발을 신은 채, 마치 제 집처럼 편안히 소파에 누워 있다!

| 이연 | 자기, 나 알지? |

#32 방송국 / 휴게실 (낮)

지아가 출근했다. 생각에 잠긴 얼굴로 커피를 음미하고 있다.
작가와 재환이 골골거리며 나타난다.

지아	커피 줘?
작가	뭐든 빨리 빨리.
지아	어제 과음했구나?

지아가 커피를 건넨다. 핼쑥한 얼굴로 커피를 음미하는 두 사람.

작가	고급 카페 온 거 같아.
지아	스윗하지?
재환	전문가가 만든 커피 같아요.
지아	(커피 거품에 시선) 인생이 딱 이만큼만 우릴 부드럽게 대해 주 면 더 바랄 게 없을 텐데.
작가	(복잡한 얼굴로 잔 내려놓으며) 너, 어제 말이야.

하자마자, 팀장이 바삐 나타나서.

| 팀장 | 다들 여기 있었네? 빨리 빨리 사무실로 좀 와 봐! |

#33   방송국 / 사무실 (낮)

팀장한테 떠밀리듯 사무실로 가면.

팀장   인사해. 우리 팀에 새로 온 인턴.

'잘 부탁드립니다.' 젊은 남자가 지아에게 공손하게 고개를
숙인다.
그런데! 환하게 웃으며 고개를 드는 그 얼굴, 이무기다!!!

#34   대저택 (낮)

사장이 손을 '바르르' 떤다. 이연은 소파에 다리를 꼬고 앉아
있다.

사장   네놈이… 어떻게 여기!!

이연   내 영업 비밀까지는 알 거 없고, 어디 갔어? 다 뒤졌는데 없
       더라?

사장   모른다, 나는.

이연   (피식) 처음엔 다 그러더라.

사장   진짜 모른다니까?

이연   내 소문 못 들었어? 다들 내 앞에만 오면 뭘 술술 불고 싶어
       서 안달이 나는데.

사장   (불안해져) 무슨 소리야.

이연   (창밖을 보며) 아아. 고문하기 딱 좋은 날씨다.

지아가 이무기를 마주하고 있다.

이무기   Terry라고 합니다.

팀장   테리우스 할 때 테리. 외우기 쉽지? 22살이고, 미국 명문대 유학생이야. 우리 팀에 꼭 필요했던 재원이지.

지아   어디서 내려온 낙하산이야?

이무기   네?

지아   방송국 인턴, 죄다 인맥이잖아. 우리 팀장님 매니저 뺨치는 리액션 보니까 꽤나 윗선인 거 같고. 부모님이 정치인? 아니면 법조계?

팀장   야!!! (이무기 달래듯) 이 친구가 원래 좀 이래. 특히 공복엔 더 공격적이고… (하는데)

이무기   (담백한 태도로) 아빠는 아니고 보호자가 거물 맞아요. 동종업계.

작가   언론인이셔?

이무기   네.

지아   호박씨 안 까는 건 마음에 드네. 남지아야.

그제야 손 내미는 지아다.
미소로 그 손을 잡는 이무기. 설레는 얼굴로 지아의 눈을 본다.

팀장   그래, 이러니까 얼마나 보기 좋아?

지아   근데 우리, 어디서 만난 적 있니?

이무기   글쎄요?

지아가 자리로 간다. 그런데 지아를 보는 이무기 얼굴 살짝 굳는다.

이무기(E)   왜 아무것도 안 들리지?

자신을 둘러싼 팀원들 번갈아 보면, 그들 마음의 소리 재잘재잘 들린다.

재환(E)   말이 인턴이지, 완전 상전이잖아.
작가(E)   쩐다! 사람 이목구비가 이렇게 완벽하게 주차될 수 있다니!
팀장(E)   이번에 사장님한테 점수 제대로 따면, 내가 바로 최연소 국장이다!

다들 속 시끌시끌하다. 그리고 다시 지아를 보면, 역시 아무 소리도 안 들린다?!
묘한 눈길로 지아의 뒷모습을 보고 있는 이무기.

#36   내세 출입국 관리 사무소 (낮)
노파가 무섭게 굳은 얼굴로 창밖을 바라보며.

노파(N)   이놈이!! 이놈이 드디어 움직이기 시작했구나! 환란을 막을 길은… 역시 '그 아이의 희생'뿐인가.

같은 시각, 현의옹이 '촌스러운 꽃다발' 들고 사무실 앞에 나타난다.
이발소까지 다녀왔는지, 무스 발라서 쫙 넘긴 헤어스타일. 표정은 결연하다. 혼잣말로 미리 대사 연습해 본다.

현의옹 여보, 오늘 우리 결혼기념일인 거 알지? 또 잊어버렸어? (버럭) 당신, 날 사랑하긴 하는 거야?

하는데, 문 '벌컥' 열린다!! 황급히 꽃다발 뒤로 숨기면!

노파 지금이 몇 시야.
현의옹(E) 역시…
노파 (뒷짐 지고, 무섭게 다가오며) 전화는 왜 안 받고.
현의옹(E) 사람은 고쳐 쓸 수 없다.
노파 (바로 눈앞까지 온) 내 카드는 어디서 막 긁고 다니는데.
현의옹 (애서 밝게) 여…여보. 내가 뭘 사왔게?
노파 (뒷짐 진 채) 그전에 말이야. 내 뒤에 있는 건 뭐 게?
현의옹 글쎄.

하자마자, '퍽!!' 매서운 주먹이 복부를 강타한다! '흡!!' 주저앉는 현의옹!

노파 근무지 무단이탈하지 말랬지. 요새 편의점 알바도 그렇겐 일 안 해. 쯧쯧. (하면서, 남편 얼굴에 손)

| 현의옹 | (또 맞을까 봐 움찔) |
| 노파 | (앞머리 꼬랑지 내려 주는) 대가리 꼬라지 봐라. 저승이 나이트야? 누가 보면 공무원 아니고 삐끼인 줄 알겠다야. |

바닥에 나뒹구는 꽃다발 보며, 현의옹의 얼굴에 낭패감 스친다.

플래시백 8화 37씬에 이어.
이연이 아들의 기일에 맞춰 현의옹을 찾아온 날이다.

이연	어르신께 청을 하나 드리고 싶은데요. 저는 이제부터 무슨 짓이든 하려고 해요. 저도 살고, 그녀도 살리기 위해.
현의옹	내가 뭘 해 주면 좋겠니?
이연	일단 할멈의 마음을 열어 주세요.
현의옹	그 여편네 마음을?
이연	할멈은 알고 있을 거예요, 이무기 없앨 방법.
현의옹	이무기 깨나자마자 걱정이 이만저만 아니었다. 그걸 알면 가만있었겠니?
이연	'금기'를… 어겨야 되는 일일지도 몰라요.

그 기억에, 근심어린 얼굴로 노파를 바라보는 현의옹.

#37   대저택 (낮)
이연이 의미심장한 표정으로 저택을 나선다.

혼자 남은 사장, 놀란 가슴을 부여잡고 있다.

#78   방송국 (낮)

작가와 재환이 지아를 흘긋거리며, 어색한 눈빛 주고받는다.

지아   (쳐다보지도 않고) 내 뒤통수에 뭐 묻었어?

작가, 재환   아냐. 아녜요.

지아   할 말 있으면 해.

작가   네가 사람이냐? 어떻게 그런 걸 보고도 이렇게 태연할 수가
있어?

팀장   (귀 쫑긋해서) 뭐 봤는데?

재환   아닙니다.

팀장   표재환, 개기냐?

재환   진짜 아무것도 아니거든요.

팀장   아니니까 말 하라고.

이무기가 자연스레 끼어든다.

이무기   그 속보 보셨어요?

지아   속보?

이무기   공사장에서 미라 시신이 나왔대요.

작가   미라?? 이집트 아니고 우리나라에서?

팀장   가져와 봐.

이무기가 팀장에게 기사를 보여 주고, 지아와 팀원들도 기사 검색한다.

<(1보) 금란구 공사장에서 미라 상태 시신 발견>

팀장	재밌겠네. 재환이 너, 바로 나가 봐.
재환	저 1시간 뒤에 인터뷰 잡혀 있는데.
지아	카메라 챙겨 줘. 제가 나갈게요.
이무기	저도 같이 가도 될까요?

어느새 카메라 챙겨 들고 지아 앞에 서 있는 이무기.

#39   봉고차 (낮)

지아와 이무기, 함께 국과수로 가는 길이다.

| 지아 | 잘 들어, 인턴. 현장 학습 아니고 실제 사건이야. 너한텐 이력서 한 두 줄이지만, 우린 생업이고. 만에 하나라도 취재하는데 걸리적거리면. |
| 이무기 | 자르세요. 카메라 체크만 좀 할게요. |

하고, 능숙하게 카메라를 만진다.

| 지아 | 카메라는 어디서 배웠어? |
| 이무기 | 독학인데 쓸 만한 실력일지는 모르겠네요. |

지아	찍을 수 있어?
이무기	네.
지아	시체도?
이무기	시체를 찍어야 돼요?
지아	응.
이무기	솔직히 말하면 자신 없는데.
지아	왜?
이무기	돌아가신 분이 환영할 거 같지 않아서요.
지아	무슨 뜻이야?
이무기	이유가 뭐든, 제 죽음이 카메라를 통해서 낯선 사람들한테 전 시된다고 생각하면, 저는 좀 슬플 거 같아요.
지아	카메라 들어도 되겠다.
이무기	네??
지아	가끔 있어. 강력 사건에 설레는 놈들. 사람 죽은 데서, 다 빼고 호기심부터 발동하는 놈들은 카메라 잡으면 안 된다고 생각 해, 난.
이무기	전 합격인가요?
지아	합격.
이무기	(환하게 미소)
지아	왜 웃어?
이무기	좋아서요.
지아	뭐가?
이무기	피디님이요.
지아	?!!!

구미호뎐   제10화 데자뷔

동물병원 (낮)

                  신주가 고양이 수배 전단지 들고 통화 중이다.

신주   고양이 찾고 계시죠? 러시안블루 암컷. 수변공원 화장실 뒤
                  편으로 가 보세요. 네네… 이 동네 도둑고양이들 제보라 확실
                  할 거예요. 농담 아니고요. 사례금 20만 원은 제 계좌로… 여
                  보세요?

                  전화 끊겼다. 아나스타샤가 뭔가를 보고 꼬리를 흔든다.
                  보면, 유리가 머쓱한 얼굴로 와 있다. 그 손에 주전부리와 술
                  든 봉지.

신주   (반색하는) 어쩐 일이야, 유리 씨?
유리   (도도하게) 낮술 한 잔 하려는데, 문 연 데도 없고.
신주   술?
유리   싫음 말구.

                  아나스타샤가 와서 유리에게 치댄다. 당황하는 유리.

유리   뭐야 너?!
개   멍!!
신주   아나스타샤가 기다렸대. 엄청.
유리   (개에게) 친한 척 하지 마.
개   멍멍!

신주	(피식)
유리	왜 웃어?
신주	자기도 같이 먹겠대. 그 봉지에 육포 있다고.
유리	(봉지에서 육포 꺼내 들고) 귀신이네 아주. 내 거야!!
신주	넌 강아지 육포 줄게.

#41　　내세 출입국 관리 사무소 (낮)

이연이 굳은 얼굴로 사무소에 나타난다.

'연이 왔니?' 하는 현의옹을 본 체도 않고 스쳐 지나간다. 의아한 현의옹인데. 곧장 노파의 사무실로 찾아드는 이연. 노파가 싸늘하게 웃으며.

노파	이게 누구야?
이연	묻고 싶은 게 있어 왔다.
노파	그전에 내가 하나 묻자. 너, 나를 뭐라고 생각하는 거냐?
이연	뭐긴.
노파	대답해.
이연	이승과 저승의 경계를 다스리는 삼도천의 주인. 그 천리안으로 앉은 자리에서 삼라만상을 꿰뚫어 보고….
노파	(말 자르며) 틀렸어.
이연	뭐?
노파	언제였더라? 그 자리에서 똑같은 질문을 받고 이연은 이렇게 말했다. '류마티스나 걸려 버려라.'

이연	!!!!
노파	모습을 드러내라.
이연	젠장.

그와 동시에! 이연 얼굴 '이랑의 얼굴'로 바뀐다!!

노파	내 앞에서 그딴 잔재주가 통할 줄 알았니?
이랑	혹시나 했지.
노파	형한테 아주 못된 것만 쳐 배웠구나?
이랑	이연은 둔갑 안 해. 품위 없다고 질색하거든.
노파	비포나 애프터나, 재수 없는 얼굴이긴 마찬가지다만, 궁금하네. 이 죄 많은 여우께서, 어찌 제 발로 사지를 다 찾아들었을까. 지옥 보내 줘?
이랑	오늘은 봐주라. 나 어차피, 꽤 앞자리 예약돼 있잖아.
노파	지옥이 니들 땡길 때 오고 가는 미슐랭 맛집인 줄 아니?
이랑	지옥 그런 거 안 무서워.
노파	안 무섭지. 형제가 손 붙잡고 가면.
이랑	?!!!
노파	오랜 세월 네가 바라던 일이 아니더냐? 네 손으로 형을 도륙하는 것.
이랑	역시, 할멈은 모르는 게 없네. 이왕 이렇게 된 거 단도직입적으로 말할게. '계약'을 깨고 싶다.
노파	(피식) 그 옛날, 신께서 네놈들한테 인간보다 많은 재주를 내리면서, 벗어날 수 없는 제약을 하나 걸었어. 너처럼 사람을

	짓밟고, 죽이는 오만방자한 여우들을 저어해서야.
이랑	뭐라고 욕해도 상관없어. 방법이 있으면… (하는데)
노파	방법이 없진 않지.
이랑	그게 뭐냐.
노파	죽어라. 네가 죽지 않는 한, 여우는 계약을 벗어날 수 없다.
이랑	!!!!!

#42 **내세 출입국 관리 사무소 / 홀 (낮)**

절망해서 노파의 사무실 나서는 이랑.
현의옹이 아내 몰래 이랑을 구석으로 데려간다. 낮고 빠르게
속삭이길.

현의옹	계약을 깨트리려고 하지 말고, 꼬인 것을 풀 생각을 하거라.
이랑	뭐?
현의옹	명심해라. 모든 계약은 '등가'다.

짧은 충고를 남기고 사라지는 현의옹.
'무슨 뜻일까.' 그 뒷모습을 보며 곰곰이 생각에 잠긴 이랑
이다.

#43 **동물병원 (낮)**

신주와 유리, 간단한 안주에 캔 맥주 마시고 있다. 벌써 빈 캔

이 꽤 늘었다.

유리   (주정처럼) 이랑님이 죽어 버릴까 봐 무서워. 난 친구도 없고, 가족도 없고, 아무것도 없는데.

신주   왜 없어? 아나스탸샤도 있고, 나도⋯ (수줍다. 술을 홀짝)

유리   이랑님 아니었으면 무허가 동물원에서 폐사됐을 거야, 난. 낮엔 유리창 두드리는 애들 때문에 잠을 못 자고, 밤엔 야생 진드기 때문에 가려워서 못 잤어. 털은 부숭부숭 빠지지, 사료는 개 같지, 사육사는 쥐어 패지.

신주   거기 어디야!!! 사육사 새끼! 씨를 싹 다 발라먹어 버릴라!! 우리 유리 씨 때릴 데가 어디 있다고!

유리   취했니?

신주   (이성을 찾고) 아, 미안.

유리   미안할 건 뭐야? 난 아까 그쪽이 더 마음에 드는데.

신주   그래? 내가 말이야. 옛날에 별명이 '광호'였어. 미친 여우라고.

유리   진짜? 네가?

신주   사람들 덫에 누이동생 셋을 한꺼번에 잃고 미쳐 날뛰었거든.

유리   구체적으로.

신주   사냥꾼이고, 나무꾼, 소금장수 막 가리지 않고 홀려 댔어. (목소리 작아지는) 혼비백산해서 죽은 사람이 한 둘이 아니었고.

유리   대박! 이거 나보다 훨씬 나쁜 새끼였잖아?!

신주   당장 날 죽인다고 노발대발한 우리 산신을 피해서 도망간 데가 이연님 숲이었어.

유리   그래서?

신주	우리 산신이 나를 내놓으라고 천둥같이 소리를 치는데, 이연님이 딱 한마디 하더라.

플래시백 백두대간 이연의 거처 (낮밤 무관)

과거. 엉망이 된 모습으로 이연의 숲에 찾아든 신주.
이연이 신주를 보면서 오만하게 말한다. '내 숲에 들어온 건, 다 내 거야.'

신주	그 순간 결심했어. 난 이연님 거다. 그래서 의술을 배웠고… (하는데)
유리	너, 나랑 잘래?
신주	뭐?!!!
유리	나랑 자자. 그 너덜너덜한 과거가 특히 맘에 들어.
신주	(당황해서) 그… 마음에 든다는 표현도 여러 단계가 있잖아? 예를 들면 나랑 사귀자든가, 오늘부터 1일이라든가.
유리	(맥주 캔을 탁 내려놓으며) 간주 점프.

긴장해서 자신의 옷깃 여미는 신주 모습에서.

#44	국과수 / 시신안치실 (낮)

지아가 백 형사를 만났다. 이무기는 카메라 들고 한 발 떨어져 있다.

백 형사	내 살다, 살다 이렇게 기괴한 시체는 또 처음이다.
	밤새 꿈자리 뒤숭숭해서 한숨도 못 잤어.
지아	진짜 미라야?
백 형사	직접 봐. (하다가 카메라 드는 이무기를 흘긋) 어이, 찍지 마라.
이무기	(지아를 보면)
지아	찍어. (백 형사에게) 지문 말라붙어서 신원 안 나온다며. 제보라
	도 건지려면 우리도 정확한 디테일은 알아야지.
백 형사	(망설이는데)
지아	내가 경찰 동의 없이 뭐 터뜨리는 거 봤어? 왜 섬 주민들 집
	단 실종 사건만 해도.
백 형사	알았어, 알았어!

긴 머리카락과 옷은 그대로이고, 몸만 바짝 건조된 미라 시신.
이무기가 카메라 들고 자연스럽게 그 곁에 선다.
'자신이 죽인 여자'를 앞에 두고, 이무기의 시선은 줄곧 지아
에게 머문다.

지아	혈액이 다 빠져나간 건가?
백 형사	응. 문자 그대로 수액을 다 빨아 먹힌 고목나무 같은 상태.
지아	(시신 살피며) 눈에 띄는 외상 없고, 부검 해 봐야 알겠지만 독극
	물 흔적도 안 보이고. 공사장이라고 했지?
백 형사	인부들한테 발견됐는데, 매장하려고 애쓴 거 같지도 않아.
지아	숨기려고 한 게 아니라, 보여 주려고 했다?
이무기	(정답이다. 섬뜩하게 웃음을 참는)

백 형사	타살이 아니고 자연사라면? 한동안 공사 중지됐던 곳인데, 거기서 혼자 사망했다가 빼짝 말라 버렸을 가능성도 있잖아.
이무기	2002년, 경기도에서 자연 상태의 미라가 출토된 적이 있어요.
지아	(돌아보는) 기억나. '파평 윤씨' 여인.
백 형사	그러니까 가능하단 얘기지?
이무기	(고개를 절레) 파평 윤씨 여인은 콘크리트에 버금가는 두꺼운 회곽 밑에 묻혀 있었어요. 회곽이 산소를 차단하고, 관 내부를 진공 상태로 만들면서 부패를 피했던 거죠.
지아	공사장에서, 상온에 노출된 상태론 절대 일어날 수 없는 일이야.
백 형사	그럼 누가 일부러 미라를 만들었단 거야?

그런데 미라를 훑던 지아의 시선, 묘하게 변한다!
백 형사 얘기는 들리지도 않는 듯 '시신의 손'을 뚫어지게 보는데!

이무기	(대신 답하는) 상당한 법의학 훈련을 받지 않고는 쉽지 않은 일예요. 이게 방부 처리로 끝나는 일이 아니거든요.
백 형사	전공이 그쪽인가? (하다가 지아에게) 뭘 그렇게 봐?
지아	본 적 있는 거 같아.
백 형사	응?
지아	이 '손톱' 말이야.

시신의 손톱 클로즈업된다. '네일 아트를 한 손톱 4개' 달랑

거린다.

찰나, 사장의 집에서 같은 무늬의 손톱을 줍던 장면 스쳐 간다!!

그 기억에, 눈빛 달라지는 지아!!!

이무기가 그런 지아를 호기심 어린 표정으로 지켜보고 있다!

지아	백 형사, 나 먼저 가 봐야겠다!
백 형사	갑자기?
지아	나중에 설명할게! 남은 자료는 이 친구 통해서 좀 전해 줘!

다급히 뛰어나가는 지아의 뒷모습을 예의주시하는 이무기!

#45	방송국 / 사무실 (낮)	

지아가 자기 책상 서랍을 뒤진다!

작은 비닐에 밀봉된 손톱, 사장의 집에서 주운 그것이다!

분명, 미라의 손톱과 똑같은 모양이다!

#46	방송국 / 사장실 (낮)	

잠시 후, 사장을 마주한 지아.

지아	(손톱 보여 주며) 혹시, 이 손톱 주인 아세요?
사장	(물끄러미 보다가, 속삭이듯) 너도 봤니? 가죽만 흐물흐물 남은 그거. (광기 어린 얼굴로) 경이롭지 않더냐?

지아	(!!!!) 사장님은 뭐죠?
사장	네 눈엔 내가 뭘로 보이니?

사장이 거울을 본다.
거울에 반사된 이마에 부스스 드러나는 낙인!! '西京'이다!!

인서트 플래시백   6화 19씬
'이마에 '묵형'의 흔적이 있었다. 서녘 서에, 서울 경.'
'어디 있을까, 지금?' '아마 (지아를 가리키며) 멀지 않은 곳에.'

지아	서경 역적?!! (충격으로) 당신이 데려갔지? 우리 엄마 아빠!

#47   거리 (낮)

같은 시각, 이무기가 거리를 걷고 있다. 도시의 소음, 분주히
오가는 사람들, 새 시대의 풍경을 새삼스레 둘러보며.
그런 이무기를 높은 곳에서 내려다보는 시선!!!

#48   방송국 / 사장실 (낮)

사장이 '종이 카네이션'을 건넨다!
지아가 엄마, 아빠에게 만들어 준 그것이다!!! 지아의 손 떨리
기 시작한다!!

구미호뎐   제10화 데자뷔

지아	내가 만든 카네이션!!
사장	뒷면을 봐.

뒤집어 보자 급히 휘갈겨 쓴 글씨체로 '지아야, 왜 우리를 구하러 오지 않니?'

지아	살아 있어? 어디야?!!
사장	(차가운 얼굴로) 산신을 바쳐라. 그러면 네 부모를 돌려주마.
지아	!!!!!!

#49	거리 (낮)

거리를 걷던 이무기, 뭔가를 보고 우뚝 멈춰 선다!
저만치, 길 하나를 사이에 두고 그를 빤히 지켜보는 남자!!
이연?! 사이로 버스 한 대 지나간다.
버스 사라지면, 그 모습 사라지고 없다!
어디로 간 걸까, 서늘한 눈길로 그쪽을 둘러보는 순간!
예고도 없이 뒤에서 '푹!!' 하고 들어오는 칼날!!
이연이 어깨를 으쓱해 보이며!

이연	너, 내가 딱 기다리라고 했지?
이무기	!!!!!

당혹스러운 이무기의 표정, 이내 미소로 바뀐다!

마침내 서로를 마주한 이연과 이무기!
부모를 볼모로 한 선택의 기로에서, 미친 듯 흔들리는 지아
눈빛 교차되면서!

구미호뎐   제10화 데자뷔

짜
리

#1 거리 (낮)

이연이 기습적으로 이무기를 찌르고!!

이연 너, 내가 딱 기다리라고 했지?

이무기의 표정, 이내 미소로 바뀐다.

이무기 이렇게 다시 보네. 얼마만이지 우리?
이연 한 대도 안 맞았는데 술술 불더라? 그 역적 말이야.
이무기 내가 부탁했거든. 여기서, 이 시간에 만나고 싶다고.
이연 !!! (피 한 방울 안 나는 것 보고, 갸웃) 검으론 안 죽네?
이무기 (검 뽑아내며) 그땐 인간 여자 껍질을 빌려 쓰고 있었고, 지금은 아냐.

하자마자, 곧장 이연에게 달려드는 이무기!!
이연도 주저 없이 맞부딪친다!!

그 순간, 둘을 둘러싼 배경이 들판으로 바뀐다!

이연   잔재주가 많네?

이무기   한 번쯤 마음 놓고 붙어 보고 싶었거든.

이연   바라던 바다.

이하, 맨손으로 무시무시하게 싸우는 두 사람!
몰아붙였다 밀렸다 하지만, 힘은 호각이다!
정면으로 부딪쳐서 서로 한 방씩 날리고!

이연   (의외다 싶어) 제법이네.

이무기   넌 나에 대해서 아무것도 몰라, 이연. 난 네가 아는 것보다 훨씬 오래 살았어. 네가 태어나기 전부터 이 땅에 존재했다.

이연   과거에 얽매어 살지 말어.

이무기   너보다 오랜 세월을 살아갈 거고.

이연   오지도 않을 미래에 목매지도 말고.

무심히 도발하는 말투, 이무기의 눈썹이 살짝 꿈틀한다.

이연   역병의 굴에서 태어난 자가, 세속의 어둠을 벗고 신이 돼 보겠다고 검은 물밑에서 1000년을 인내했다지?

이무기   네 자리의 주인은 나였어. 용이 되어 승천하는 순간, 인간의 눈에 띄지만 않았다면.

이연	수능 시험장에서 핸드폰 걸린 기분이었겠네. 시험도 못 보고 쫓겨나. 안 됐다. 그게 네 캐릭터고, 운명이다, 이무기야.
이무기	여전하네. 여전히 오만해. 세상 모두가 네 발밑에 있는 거 같지?
이연	적어도 너는 내 발밑에 있는 거 같아. 막 무시하고 싶어.
이무기	'네 동생, 네 여자, 그리고 그 부모의 목숨까지' 전부 내 손에 있어. 너는 뭘 가졌지?
이연	(이번엔 이연의 눈썹이 꿈틀!)
이무기	합리적인 제안을 하지. 이연 네 몸을 주면, 나머지 모두를 살려 주마.
이연	!!!!

#3	방송국 / 사장실 (낮)
	지아가 거울에 비친 사장 이마의 낙인을 보며!
지아	서경 역적?!!! (충격으로) 당신이 데려갔지? 우리 엄마 아빠!
	대답 대신, 낡은 종이 카네이션 건네는 사장! 지아의 손 떨리기 시작한다!!
지아	내가 만든 카네이션?!!
사장	뒷면을 봐.
	뒤집어 보자 급히 휘갈겨 쓴 글씨체로 '지아야, 왜 우리를 구

하러 오지 않니?'

지아	살아 있어? 어디야?!!
사장	(차가운 얼굴로) 산신을 바쳐라. 그러면 네 부모를 돌려주마.
지아	(분노로) 말해, 어디냐고!!!!
사장	봤어. 네가 알아보지 못했을 뿐.
지아	그게… 무슨 소리야?!
사장	머잖아 알게 될 거다.
지아	(이를 악물고) 가만 안 둘 거야, 당신!
사장	경찰이라도 부를래? 아님 남자 친구? 뭐든 괜찮은데, 그러면 사랑하는 부모를 영원히 못 만나요.
지아	왜? 왜 우리 엄마 아빠야?!
사장	이런 날이 올 줄 알았으니까. 우리 지아는 부모를 구하기 위해서 뭐든지 할 수 있는 애니까. 전생에 아비를 살렸듯이 이번에도 네가 현명한 선택을 하길 바라니까.

폭발할 것 같은 얼굴로 놈을 노려보던 지아. 찰나, 가슴에 예리한 통증 느낀다!! 가슴께 붙잡고 거친 숨 몰아쉬면!!

| #4 | 들판 (낮) |

이연, 이무기의 제안을 되묻는다.

| 이연 | 내 몸을 주면 놔주겠다고? 지아도, 그 부모도, 이랑까지? |

구미호뎐 제11화 꽈리

이무기	가능하면 통째로 갖고 싶은데, 여의치 않으면 심장만 꺼내 줘도 돼.
이연	(흔들리는 얼굴로) 진심이냐?
이무기	진심이다.

고뇌하는 이연의 모습, 자못 흥미롭게 바라보다가.

이무기	그래서, 예스야 노야?
이연	나는… 내 대답은… (표정 싹 바뀌어서) 싫은데?
이무기	(!!) 왜지?
이연	관상이 딱 곗돈 들고 튈 스타일이야. 난 너 같은 놈하곤 거래 안 해. (경고하듯) 내 손으로, 하나씩, 전부 찾아올 거다.
이무기	느껴 봐. 소중한 것들을 또 네 손으로 짓밟는 기분.
이연	왜 살아 돌아왔어? 역병과 전쟁, 환란의 아이콘 따위, 이 시대에 누가 환영한다고.
이무기	세계관을 묻는 거라면, 난 그런 거 없어. 내가 원하는 건 딱 하나.
이연	??
이무기	'그 여자'를 갖고 싶어.
이연	(이번엔 이연이 일그러지는)
이무기	태어나자마자 내 제물로 바쳐졌다가, 결국 너를 살리고, 나를 죽음으로 내몬 여자. (담담하게) 나 그 여자가 좋다.
이연	이 새끼가 감히.

서늘한 분노로 놈에게 달려든다! 이무기가 가볍게 막으면!

#5   거리 (낮)
　　　　　둘을 둘러싼 배경, 다시 아까의 거리로 바뀐다!

이무기   이제 됐어. 네 힘을 가늠해 보고 싶었을 뿐이야.
이연   난 이제 시작인데?

　　　　　멀리서 우레와 같은 소리!! 천둥이 몰려오고 있다!
　　　　　이무기가 흘끗 하늘 올려다보더니!

이무기   (텅 빈 눈으로 이연 너머를 보며) 죽고 싶어, 지금.
이연   ('무슨 소릴까.' 불길한) ?!!!

　　　　　순간, '쿵' 하는 둔탁한 굉음!!
　　　　　고층 건물에서 남자 하나 추락했다! 동시에! 오피스룩 차림
　　　　　의 여자, 무서운 기세로 벽에 머리를 들이박고!
　　　　　세제 들고 가던 노인, 그 자리에서 입에 털어 넣기 시작한다!
　　　　　초점 없는 눈을 하고, 찻길로 걸어 들어가는 여중생까지!
　　　　　이연이 달려가 오피스룩 여자와 세제 노인을 가볍게 쳐서 기
　　　　　절시킨다!
　　　　　두 사람 제지하고, 마지막으로 찻길의 여중생을 구해 내면!!
　　　　　이무기는 이미 사라지고 없다!
　　　　　무섭게 냉정해진 얼굴로 이무기가 사라진 곳을 보는 이연!!

#6   방송국 / 사장실 (낮)

지아의 가슴 정신없이 두방망이질 친다.

사장	느끼는 거지? (흥분해서) 역시, 그분과 넌 연결돼 있어!
지아	뭐?!
사장	지아 넌 그분의 그릇이거든!!
지아	왜 이런 짓을 하는 거야? 당신도 사람이잖아!
사장	사람이니까. 죽는 건 싫고, 갖고 싶은 건 많고…
지아	역적질론 부족했나 보지?
사장	벌레같이 천한 신분으로 태어나, 새로운 세상을 꿈꾼 죄밖에 없다. '내 아이들, 아내, 내 어머니' 그저 밥다운 밥 먹는 게 소원이었는데, 역적이래. 내 목을 친대. 그때, 그분을 만난 거야!
지아	공짜는 아니었을 테고… 살아남은 대가가 뭐였을까?
사장	내 아이들, 아내, 내 어머니. 사랑하는 가족을 이무기의 제물로 바치고, 난 살아남았다.
지아	!!! (역겨운 듯이) 이 미친놈.
사장	뭔가를 얻으려면, 뭔가를 잃어야 되는 법이야.
지아	그래서? 나보고 이연을 팔아먹어라? 너 같은 놈이랑 똑같은 인간이 되라고?!
사장	선택은, 지아 네가 하는 거야. 너 때문에 반평생을 잃어버린 부모, 이참에 장례까지 치를지, 아니면…
지아	(꼭 쥔 주먹 떨리는)
사장	(작은 물약 꺼내며) 한 방울이면 누가 업어 가도 모를 만큼 깊은 잠에 빠지는 약이야. 이연을 재워라. 네가 평생 꿈꾸던 인생

을 되찾게 해 주마.

그 물약 손에 쥐고, 고통스럽게 흔들리는 지아의 눈빛에서!!

<table>
<tr><td>#7</td><td>내세 출입국 관리 사무소 (낮)</td></tr>
</table>

#7   내세 출입국 관리 사무소 (낮)
현의옹이 아내의 몸 여기저기 주무르고 있다.

현의옹   시원해요? (대답 없자 입을 삐죽) 그러게 안마 의자 하나 놓자니까.

노파   사 놓고 결국 빨래나 널어놓을 거, 뭐 하러 돈지랄?

현의옹   나도 나이 들어서 삭신이 예사롭지 않아요.

노파   아, 팍팍 좀 주물러 봐!

현의옹   (팍팍 힘주다가) 안마는 우리 복길이가 참 잘했는데. 지 엄마 밤
          낮없이 일한다고 뼈마디에 좋은 두충나무 껍질이며, 가시오
          가피 캐다 달여 놓고… (하는데)

노파   내 앞에서 그 불효자식 이름 꺼내지 마.

현의옹   (정색하는) 내 아들, 불효자식이라고 부르지 마.

노파   (서릿발 같이 노려보다가) 나가.

현의옹   (나가려다 말고) 당신은 왜 자식 잃고 상처받은 게 본인뿐이라
          고 생각하듯이 굴어?

노파   나가라고!!

현의옹   (작정한 듯) 당신 때문이야. 당신이 걔 각시를 죽이지 않았으면,
          걔 지 손으로 목숨 안 끊었어!

노파   (터지는) '역귀'가 들었던 애야! 계집애 하나 땜에 반도에 역병

구미호뎐   제11화 꽈리

이 도는 걸 보고만 있어?!!

| 자막 | 역귀(疫鬼) - 역병을 일으키는 귀신 |

| 현의옹 | (질렸단 얼굴로) 그래, 그게 당신이지. 당신은 복길이 엄마도, 내 아내도 아냐. 삼도천 파수꾼이지. 그런 당신을 조금이라도 이해해 보려고 이날 이때까지 발버둥 친 내가 미친놈이지. |
| 노파 | (상처받은 표정 감추며) 꼴도 보기 싫으니까 나가라고!! |

그때! 부부의 핸드폰, 긴급재난문자 같은 알림음 연거푸 울린다!
메시지 확인하고 안색 바뀌는 부부!!

| 현의옹 | 이무기, 그놈 짓이지?! |

핸드폰 메시지 클로즈업된다.
'<긴급> 금란구에서 132명 자살. 저승사자들 즉시 명부전(冥府殿)으로 집합'

| #8 | **거리 (낮)**
이랑이 생각에 잠겨 거리를 걷고 있다.
'계약을 깨트리려고 하지 말고, 꼬인 것을 풀 생각을 하거라.'
현의옹의 말 스쳐 간다. 막막한 얼굴로 마른세수를 하는데. |

그 옆으로 요란한 사이렌 소리를 내며, 응급차 지나간다.

이랑 (멈춰 서서) 이무기 새끼. 대체 무슨 짓을 벌이는 거야.

#9 방송국 / 사무실 (낮)
팀장과 작가, 재환, 경악한 얼굴로 모여 있다.

팀장 말이 돼? 무슨 공포 영화도 아니고. 어떻게 같은 구에서, 백
서른 두 명이 한꺼번에 자살을 해?

재환 (조심스럽게) 자살 동호회 같은 거 아닐까요?

팀장 유서 한 장이 안 나왔대잖니. 자기 죽는 이유 필사적으로 설
명하려고 하는 게, 자살하는 사람들 보편적 심리야.

작가 사이비 종교는요? 왜 70년대에 존스타운인가 거기서 신도들
집단 자살한 사이비 종교 있었잖아요!

팀장 그건 독극물이고, 이건 사망 원인도 제각각이야. 뭔가 이상
해. 무슨 전염병도 아니고.

'다녀왔습니다.' 하는 소리와 함께 이무기 들어선다.
찢어진 옷은 손에 들고, 다른 옷으로 갈아입었다. 팀장이 반
색한다.

팀장 테리 왔니? 어?! 그러고 보니까 너 취재 나간 데가 금란구잖
아?! 괜찮아? 어디 다친 데 없어?!

이무기	네?
재환	뉴스 못 봤나 봐? 1시간 전에 거기서, 사람이 무더기로 죽었거든.
이무기	정말요?
작가	지아는?! 같이 안 왔어?
이무기	급한 일 있다고 먼저 들어가셨는데, 회사에 안 계세요?
작가	(살짝 안도하는) 언제 왔지?
재환	우리 인터뷰 할 때 오셨나 봐요.
이무기	(재환에게 카메라 건네며) 오늘 촬영분이요.
팀장	어땠니? 지아한테 막 학대당하진 않았고?
이무기	전혀요. 생각보다 훨씬 좋은 분이던데요?

의미심장한 눈길로, 지아의 빈자리에 시선을 주는 이무기.

#10   **이연의 차 (낮)**

이연이 차안에서, 걱정스런 얼굴로 지아에게 전화를 건다.

#11   **지아의 집 (낮)**

낡은 오르골에서 흘러나오는 노랫소리. 오르골에서 화면 넓어지면, 지아가 부모 사진 등을 보며 생각에 잠겨 있다.
한쪽에 사장이 준 '종이 카네이션과 물약' 놓여 있고.
핸드폰 진동음 울린다. 이연이다. 이연의 이름을 보고도 전화를 받지 않는다.

이연의 집 (낮)

현관 비밀번호 누르는 소리 들린다.
신주가 집주인마냥 자연스럽게 집 안으로 들어선다. 손에는
장을 본 봉투.
유리가 따라 들어오며, 의외란 표정으로 집 둘러본다.
둘이 자고 난 직후, 신주는 줄곧 들떠 있다.

유리   집 좋은데?
신주   (의기양양하게) 거실은 넓게 빠졌는데, 방이 몇 개 안 돼. (주방으
          로 안내하며) 이쪽으로 와 봐.
유리   수의사가 꽤 버는 직업이구나.
신주   앉아 봐.

신주가 매너 있게 의자 빼 주면, 유리가 살짝 미심쩍은 얼굴
로 자리에 앉는다. 유리가 지켜보는 가운데, 능숙하게 음식을
만들기 시작하는 신주.
이내 '붉은 수프와 사우어크림, 구운 빵'이 완성된다.

유리   이건??!
신주   러시아 전통 음식, 보르쉬야. 이런 걸 먹고 자라진 않았겠지
          만, 고향 냄새 그리울 거 같아서.

유리	(말없이 수프를 보기만)
신주	('싫은 건가…' 안절부절) 별로야? 난 가끔 내가 나고 자란 숲이 엄청 그리워 가지고. 거기 지금 아파트 단지 됐거든.
유리	(대답 대신, 한 숟갈 떠먹는다)
신주	(긴장해서 침만 꿀꺽)
유리	아는 냄새야. 완전히 잊어버렸었는데, 내가 좋아하는 냄새고. 게다가 맛있어.

유리의 눈빛, 먹먹해져 있다. 그 모습 보며 환하게 웃는 신주.

#13   거리 (낮)

심상찮은 얼굴로 걷는 이랑의 귀에, 멀리서 어린아이 우는 소리 들린다. 귀를 쫑긋한다. '아아악! 잘못했어요!!' 그 목소리, 어딘가 낯이 익다.
소리가 들리는 곳으로 방향을 바꾼다.
인적 드문 골목. 사이로 꼬마 아이 하나 튀어나오며, 이랑에게 부딪친다.
상처투성이 얼굴과 몸, 수오다.

이랑	검둥개?
수오	아저씨!!

곧바로 젊은 남자, 각목을 들고 뛰어나온다.

수오부	너 이 새끼, 이리 안 튀어 와?!
수오	(이랑 뒤로 숨는)
수오부	성질 건드리지 마라! 죽여 버린다!!
이랑	(남자 가리키며, 수오에게) 누구?
수오	(덜덜 떨며) 새아빠.
수오부	비켜! (수오 팔 우악스럽게 붙들고) 나오라고!!
이랑	(가볍게 남자 제지하고, 수오에게 담담한 투로) 네가 선택해. '도와주세요.' 하면 두 번 다시 이 얼굴 안 보게 만들어 주고. 아니면, 난 가던 길 갈 생각이야.
수오부	너 애 알아? 뭔데 남의 가정사에 끼어들고 지랄이야?!
이랑	조용. 애 대답 기다리고 있잖아.
수오부	너 뭐야?! 경찰이야?

이랑이 말없이 수오를 본다. 이랑 다리에 매달려서 잠시 고민하는 수오.

수오	나는… 나는 그러니까…
수오부	(눈 번뜩이며) 김수오, 대답 똑바로 해라!
수오	(새아빠를 보고 두려운 듯) 집에 가야 돼요!
이랑	오케이.

수오의 말에, 이랑이 뒤도 안 돌아보고 자리를 뜬다.
새아빠가 수오를 거칠게 끌고 간다. 이랑 등 뒤로 수오의 울음소리 계속된다.

구미호뎐 제11화 꽈리

이랑, 살짝 찌푸리며 걸음을 멈춘다.

다음 순간, 수오 부의 목덜미를 무섭게 낚아챈다!!!

#14   이연의 집 (낮)

신주가 사랑스러운 눈길로 먹는 유리를 바라보며.

신주   친구도 없고, 가족도 없는 유리 씨.

유리   (인상을 팍) 뭐??

신주   내가 치킨 없이는 못 사는 놈인데, 네가 하루 세 끼 러시아 음식만 먹고 싶다면, 내 입맛을 바꿀까 하는데.

유리   뭔 소리야?

신주   (진지하게) 내가 되고 싶단 얘기야. 친구, 그리고 네 가족.

유리의 표정, 살짝 어두워진다. 신주의 진심이 조금 낯설고 두려운.

유리   가족이라면 나 그 비슷한 거 있어.

신주   이랑님이 만들어 준 가짜 엄마 아빠? 백화점 사장이라는.

유리   응. 난 그냥 죽은 딸 대역이고, 허수아비일 뿐인데, 나 없이 못 산대. 좀 소름끼치더라고. 가족이란 게 대체 뭘까…

신주   사람들이 그러더라. 보는 눈만 없으면, 몰래 갖다 버리고 싶은 게 가족이라고. 서로를 너무 힘들게 하니까. 근데, 그러고 꾸역꾸역 다시 주워 오게 되는 것도 가족이래.

유리	이연이랑, 이랑님같이?
신주	응. 그러니까 이제 백화점 부모님 인생은 그분들 돌려주고, 나랑 '진짜 가족'이 돼서, 지지고 볶고… (하는데)
이연	너 여기서 뭐 하냐?

신주와 유리 돌아보면, 이연이 황당한 표정으로 서 있다.

신주	이연님!!
유리	이연?!! 네가 왜 여기 있어?
이연	(어이없는) 내 집이니까? (마음 급하다. 신주에게) 지아 못 봤니?
신주	안 계시던데, 왜요?
이연	회사에 전화해도 없고. 어디 갔지? 암튼, 목걸이 도둑이랑 하던 거 계속해라. (하고, 곧바로 나가 버린다)
유리	씨이… 이연 집이야?
신주	괜찮아. 이연님 집이 곧 내 집이야.

그러고 있는데, 유리의 핸드폰 울린다.
밝은 목소리로 '이랑님?!' 하다가 '네에?!' 인상을 찌푸리는 유리.

#15   지아의 집 (낮 → 밤)
고통스러운 얼굴로 거실 서성이는 지아.
마침내 뭔가 결심한 듯 사장이 준 '물약' 챙겨 들고 집을 나선다.

지아의 집 / 앞 (밤)

집 앞에서 지아를 기다리고 있는 것, 이연이다. 한참을 그 자리에 못 박혀 있던 모양. 환한 얼굴로 지아를 반긴다.

지아   여기서 뭐 해?!

이연   왠지 여기 있으면 만날 거 같더라고. 전화해도 안 받고, 무슨 일 있었어?

지아   응.

이연   나도.

지아   무슨 일인데?

이연   그 전에… (하며, 뒤춤에 감춰 뒀던 선물 상자 내민다) 열어 봐.

지아가 상자 열어 보면 '새 운동화' 들어 있다.

이연   생각만 해도 네가 기분 좋아지는 거.

지아   기억… 하고 있었네?

이연   밥 냄새, 세계문학전집, 아빠 김밥, 새 운동화, 그리고 '나' 잖아. (신발과 자신 가리키며) 원 플러스 원이야.

지아 앉혀 놓고 신발 신겨 준다. 다정하게 신발 끈 묶어 주는 이연을 보며.

지아   여자 친구한테 신발 선물하면 도망간다던데?

이연   도망을 가더라도, 새 신발 신고, 네가 좋은 길로만 달려가면 좋겠다.

그 따뜻하고 무방비한 얼굴을 보며, 지아가 아프게 미소 짓는다.

이연　　왜 그렇게 슬프게 웃어? 마음에 안 들어?

지아　　아니. 신발이란 두 글자가 이렇게 다정한 낱말이었구나 싶어서.

이연　　(담백한 진심으로) 좋아해. 내 목숨과 바꿔도 하나도 아깝지 않을 만큼.

지아의 가슴 내려앉는다. 복잡한 눈길로 이연을 보다가.

지아　　좀 걸을까? 좋은 길로. (손 내밀며) 같이.

이연　　(벅차게 그 손 맞잡는다)

#17　　대저택 (밤)

이랑이 의식 없는 수오 부를 짐짝처럼 바닥에 팽개쳐 놓는다.

사장　　뭡니까 이게?

이랑　　뭐긴, 싱싱한 인간이잖아?

사장　　누구예요?

이랑　　그건 알 거 없고, 뒤탈 없을 테니까 꽈리로 바꿔서 비상식량이나 하시라고.

사장　　감사히 받죠.

구미호뎐　　제11화 꽈리

하고, 수오 부에게 다가간다. 이랑이 사장의 움직임 주시한다.

사장 (그 속을 다 안다는 듯) 직접 보실래요?

이랑 나한테 그런 거 막 보여 줘도 되나 몰라?

사장 우리 사이에 이제와 뭔들 숨길까요.

그 의뭉스런 말투에 거실 훑으면 '꽈리 화분' 있던 자리 비어
있다.

이랑(E) 꽈리 화분을… 다른 데로 옮겼다?!

사장 (품에서 '검은 씨앗' 꺼내며) 평범한 씨앗 같죠? 몸과 혼을 같이 가
두는 물건이라, 저는 '영육(靈肉)의 빗장'이라고 불러요. 오직
이무기만 만들 수 있는 물건이죠.

의식 없는 수오 부의 입에 씨앗 밀어 넣고, 입을 봉한다!
수오 부의 몸에서 '꽈리'가 피어나는가 싶더니, 순식간에 사
라지는 그의 몸!!
빈자리에 남은 꽈리를 집어 든다.
그 향을 맡으면, 옅은 연기가 사장 몸속으로 사라진다.
주홍빛 꽈리, 까맣게 변한다.
사장이 몸을 '부르르' 떤다. '수오 부의 기억' 쏟아져 들어오는 것.

사장 후우. 지독한 놈이네요? 강간살인 전과에, 교도소를 아주 밥
먹듯이… (하다가, 흥미로운 듯) 어? '꼬마'를 구해 주신 겁니까?

이랑	(아차 싶은데!!) 나도 저승 가서 변명거리 하나쯤 적립해 놔야지.

당혹감을 감추는 이랑과, 호기심 어린 사장의 시선, 팽팽히 뒤얽힌다.

#18   이랑의 집 (밤)
수오가 우유에 만 시리얼을 먹고 있다.
오만상을 찌푸리고 그 모습 보는 유리.
신주 역시, 수오 뒷바라지하러 불려 왔다. 수오가 그릇째 우유 들이키면.

신주	(다정하게) 우유 더 줄까?
수오	네!!
신주	(우유 따라 주며) 많이 먹어라.
유리	작작 먹어! 우유 내 거야!
수오	(신주에게) 저 아줌마는 왜 집에 안 가요?
유리	너나 너네 집 가! 확 간을 빼먹어 버릴까 보다!
수오	(시무룩) 나 이제 집 없는데…
유리	불쌍한 척 하지 마. 서울에 너 말고도 집 없는 사람 수두룩 빽빽이거든?
수오	아줌마도 집 없어요?
유리	나 말고!!
신주	싸우지 말고. 수오라고 했지? 수오 엄마는 어디 계셔?

수오	우리 엄마 맨날 맨날 매 맞다가 모르는 아저씨랑 도망갔어요. 그래서 새아빠가 나한테 화난 거예요.
신주	그럼 당장 갈 곳이 없겠구나?
유리	오 마이 갓!! 이랑님 나한테 왜 이러세요…

#19   **산책로 (밤)**

이연과 지아가 손을 잡고, 인적 없는 산책로 걷고 있다.
가로등 불빛. 밤바람. 새 운동화의 기분 좋은 감촉.
그리고 서로의 손에서 느껴지는 온기. 그렇게 잠시 말없이 걷
다가.

이연	무슨 생각해?
지아	'인어공주' 동화 알지?
이연	안데르센?
지아	응. 난 어려서부터 그 결말이 되게 싫었거든. 왕자를 죽이면 살 수 있는데, 인어공주는 왜 물거품이 돼 버렸을까.
이연	너는? 너라면 어떤 선택을 할 거야?
지아	옛날엔 당연히 왕자 죽이고, 내가 살겠다고 생각했거든. 보란 듯이 살아서, 딴 남자 만나지 뭐.
이연	근데, 바뀌었어?
지아	막상 만나 보니까, 생각보다 훨씬 더 왕자를 좋아하게 돼 버린 거야. 왕자만 사라지면, 동화는 해피엔딩으로 끝날 수도 있는데…

이연	(지아 본인 얘기란 거, 알아들었다) 내가 인어공주라면 말이야. 저주를 건 마녀를 죽여 버릴래. 그런 놈들한테 놀아나기 싫거든. (단단한 눈빛으로) 장기 말이 되기 싫으면, 장기판을 엎어 버리는 거야.

지아가 '우뚝' 멈춰 선다. 결정을 끝냈다.

지아	'저주'에 걸렸어. (약병 꺼내 보이며) 이연을 넘기면 엄마 아빠 돌려준대.
이연	(충분히 예상했다. 다정히) 그놈들 말고, 네가 원하는 걸 말해 봐.
지아	목소리도 찾고, 왕자도 갖고 싶어. 물론, 물거품이 될 생각도 없고. 마녀 좀 잡아 줄래?
이연	넌 진짜, 머리에서 발끝까지 딱 내 스타일이야.

흔들림 없는 신뢰로 서로를 마주 보는 두 사람.

#20   대저택 (밤)

이랑과 사장의 대화 계속된다. 사장이 떠보듯이.

사장	근데 이러고 다니실 시간이 있나? (시계를 보면 저녁 6시) 우리 계약, 앞으로 24시간 남았네요.
이랑	내 생에 마지막 날이 될 지도 모르는데, 내가 하루를 1년 같이 살든, 시간 낭비를 하든, 댁이 무슨 상관?

사장	목숨을 내던질 겁니까? 그렇게 증오하던 형을 위해서?
이랑	(훙)
사장	(도발하듯) 오늘 이무기가 이연을 만났어요. 우리한테 인질이 셋이 있다고 알려 줬지요. 지아와 그 부모, 그리고 이랑님. 헌데 이연은 지금 어디 있을까요? 이랑님을 걱정하는 전화 한 통이라도 걸려 왔나?
이랑	(인상 꿈틀하는) 웃기지 마.
사장	(안쓰러운 얼굴로) '또' 버림받으셨군요.

인서트 플래시백   2화 34씬

이연과 다투던 기억 어지러이 스쳐 간다!
'고작 인간 여자 하나 때문에, 산신의 지위를 버리고! 산을 등지고! 그리고!'
'그래⋯ '너'를 버렸다.'

이랑	(부정하려 애쓰며) 이연은, 한 번도 나를 버린 적이 없다고 했어.
사장	그게 사실이 아닌 건 이랑님이 제일 잘 알죠.

인서트 플래시백   8화 16씬

우렁각시 식당에서 '미안하다.' '뭐? 미안? 이제 와서 뭐가 미안한데?!!'
'그때. 인간 어미에게 버림받은 널 구했던 거. 그럼 적어도, 우리가 형제로 만날 일은 없었을 텐데.'

이랑	아귀의 숲으로 날 구하러 왔어! 날 구하고 벼랑으로 추락해서… (하는데)
사장	지아를 구하기 위한 연극이었죠. 이랑님은 소품일 뿐이고.
이랑	닥쳐!!!
사장	지아를 위해서, 이연은 뭐든 할 겁니다. 설령 그게, 동생을 죽음으로 내모는 일이라도.

인서트 플래시백 7화 30씬

'그 사람 건드리면, 이번엔 맹세코 내 손에 죽어.' 이연의 차가운 얼굴 스쳐 간다!

이랑	(눈빛 흔들리는데!!)
사장	(쐐기를 박는) 진짜 삶을 포기할 겁니까? 오직 여자밖에 모르는 형을 위해서.

#22 이랑의 집 / 이랑의 차 (밤)

신주가 수오 세수를 시키고 있다.
유리가 짜증스런 얼굴로 그 모습 지켜보는데, 이랑에게 전화 걸려 온다.

유리	이랑님! 네, 신주요? (전화기 건네며) 너 바꾸래.
신주	전화 바꿨습니다.

구미호뎐 제11화 꽈리

차안에서, 무섭게 굳은 얼굴로 통화하는 이랑과 교차된다.

이랑   넌 알지? 이연 지금 어디야?
신주   우리 피디님 만난다고 나가셨는데?
이랑   그래서 어디냐고!!
신주   제가 여쭤 보고 알려 드릴게요.

#22   내세 출입국 관리 사무소 (밤)
       노파가 녹초가 된 모습으로 의자에 주저앉는다. 현의옹이 따
       라 들어와서.

현의옹   백 서른둘이야! 명부에도 오르지 않은 인명이 무려…
노파   그보다 더한 숫자가 넘어올 거야.
현의옹   뭐?!!
노파   놈은 환란 그 자체야. 이제 시작일 뿐.
현의옹   잡아들입시다. 당장.
노파   (못 들은 척 파스를 붙이는)
현의옹   방법이라도 일러 줘. 내가 할게.
노파   당신은 못 해. 놈을 잡으려면, 당신이 날 죽어라 경멸하는 그
       짓을 해야 되거든.

       '그 짓이 뭔데?' 하는 목소리! 돌아보면 이연이다!

현의옹	(살짝 당황해서) 연이 왔니? (하다가, 경악해서) 너는?!!

이연 등 뒤에서, 지아가 모습을 드러낸다!

지아	안녕하세요. 어르신들. 남지아라고 합니다.
노파, 현의옹	!!!!!!!

현의옹이 살얼음판 같은 공기를 깨려고.

현의옹	연이한테 얘기 많이 들었어요. 반가워.
노파	이놈이… 여기가 어디라고 산 사람을 데려와?!
이연	산 사람은 맞는데, 두 분이 부부 싸움 중인 그 이슈의 '당사자'이기도 해서 말이야.
노파	('어디까지 들은 걸까.' 살짝 굳었다가, 지아에게 지엄히) 인간의 아이가 벌써 발 들여놓을 곳이 아니다. 돌아가라.
지아	(긴장한 얼굴로) 원리원칙 제일 중히 여기시는 분인 거 압니다. 결례를 무릅쓰고 여기까지 찾아온 건….
노파	(칼같이 자르며) 예가, 네 소원 수리하는 데처럼 보이니?

지아, 얼어붙는다.
이연이 뭐라 말을 보태려는데, 현의옹이 제지한다.

노파	아니면 네 죽는 날이라도 알려 주랴?
지아	아니요. 제 인생 스포 당하기 싫어서 사주도 안 보러 다닙니다.

노파	허면?
지아	아홉 살 때 부모님이랑 생이별을 했어요.
노파	오디션 나왔니? 웬 사연팔이.
지아	(아랑곳 않고) 지금 제 몸엔 이무기의 뭔가가 남아 있다 하구요.
노파	그것도 네 운명이겠지.
지아	저는, 그 운명에 죽어라 개길 생각입니다. 그래서 산 사람의 몸으로, 오면 안 되는 곳이란 걸 알면서 여기까지 왔어요.
노파	(뭐 이런 게 다 있나) 허… (이연을 보며) 이거 완전 둘이 똑같네?
이연	천생연분.
현의옹	(대견한 미소)
노파	내 앞에서 쫄 줄 모르는 그 배짱 하난 인정해 주마. 용건이 뭐야?
지아	'천리안' 좀 빌려주세요. 저희 부모님이 어디 계신지 알고 싶어요.
노파	(어이없는데) 뭐?
지아	물론, 공짜로 쓸 생각은 아닙니다.
노파	네까짓 게, 그 값을 치를 능력은 되고?
지아	바가지를 씌우셔도 기꺼이 쓰고 싶은 심정인데, 솔직히 제가 지금 가진 밑천이 없습니다.
노파	밑천도 없이 장사를 어찌 하려고?
지아	(단호히) 이무기를 잡을게요. 저랑 이연이랑 같이.
노파	!!!

#23   내세 출입국 관리 사무소 / 앞 (밤)

현의옹과 지아, 먼저 밖으로 나왔다. 지아가 비로소 안도의 한숨 내쉰다.

지아	후… 살았다. 저 다리 후들거리는 거 티 안 났어요?
현의옹	(인자하게 웃는) 전혀 안 나더라.
지아	전생이나 사후 세계 같은 거, 만화책에만 나오는 건 줄 알았는데, 다 진짜네요.
현의옹	죄 많은 이들이 더 잘 산다는 거, 죽고 나면 안 통하거든.
지아	여기서 망자들, 삼도천 보내는 거예요?
현의옹	저승 가는 길 프리젠테이션도 하고, 죽어도 못 간다고 버티는 자들 잡아들이기도 하고, 와이프 비위도 맞추고. 그중에 제일 힘든 게 뭔지 아니?
지아	뭔데요??
현의옹	사람 죽는 덴 휴일이 없다는 거야.
지아	와, 워라밸 최악이네요. 그래도 다행이에요. 죽은 사람들이 여기 와서, 제일 먼저 만나는 게 어르신 같이 따뜻한 분이라서.
현의옹	일찍이 부모랑 헤어졌다더니 바르게 잘 컸구나. 부모님이 보면 좋아하시겠다.
지아	…볼 수 있을까요?
현의옹	연이를 믿고, 기다려 보자꾸나.

#24   내세 출입국 관리 사무소 (밤)

이연과 노파가 독대하고 있다.

구미호뎐   제11화 꽈리

이연	할멈답지 않아.
노파	나다운 게 뭔데?
이연	아무기. 할멈 성격이면, 벌써 돌로 만들어 버리고도 남았을 거 같은데.
노파	(딴청)
이연	미쳐 날뛰던 북쪽 산신, 할멈한테 걸려서 돌기둥 된 거 내가 봤거든? 왜 그놈은 예외야?
노파	네가 미쳐 날뛰는 꼴은 보기 싫어서?
이연	무슨 소리야?
노파	저 아이 몸속에도 들어 있잖니, 이무기.
이연	지아 몸에 붙어 있는 거, 빼낼 방법은?
노파	없다. 저 아이가 죽거나, 이무기가 스스로 나오는 것밖엔.
이연	아니, 그딴 게 어떻게 사람 몸에 기생하는지, 할멈은 뭐라도 보고, 들은 게 있을 거 아냐?
노파	(모른단 뜻으로 가만히 고개를 내젓고) 네가 죽어라 발버둥 쳐 봤자, 이무기는 이미 눈을 떴고, 저 아이는 희생될 것이며, 이연, 넌 또 세월을 지옥 같이 지고 살아갈 거다. (안타까운 마음으로) 그게… '네 운명'이야.
이연	(절망적이다. 그럼에도 꼿꼿하게) 그래서 찾지 말라고 한 거지? 처음부터 나랑 지아, 만나선 안 된다고. 내가 상처받을까 봐. 똑같은 운명에 끌려 들어갈까 봐.
노파	(속을 들켰다)
이연	고마워, 할멈. (하고, 진심으로) 그래도, 내 선택은 저 사람이야. 난, 그녀를 만나기 위해서 살아왔으니까.

노파   백 번을 물어도, 넌 똑같은 선택을 하겠구나.

         모든 걸 각오한 이연의 눈빛.
         말릴 수 없다. 이연과 이무기의 싸움은 이미 자신의 손을 떠
         났다 싶어.

노파   꽈리. 그 부모는 거기 들어 있다.

#25   내세 출입국 관리 사무소 / 앞 (밤)
         이연이 원하는 답을 듣고 나오며, '가자!' 지아를 부른다.

현의옹   (지아에게 작은 소리로) 만에 하나 무슨 일이 생기면 이 앞에 와서
         나 현의옹의 이름을 '세 번' 부르거라. 운명에 이기든 지든, 난
         너희 둘에게 걸고 싶구나.

         지아가 씩씩하게 인사하고 자리를 뜬다.
         걱정과 애정이 뒤섞인 표정으로, 멀어지는 둘의 뒷모습 바라
         보는 현의옹.

#26   주차장 (밤)
         지아가 마음 급해져서 묻는다.

지아	알아냈어?
이연	꽈리.
지아	꽈리?!

인서트 플래시백   7화 34씬
저택에서 본 꽈리 스쳐 간다. '그건 만지면 안 돼!!' 하던 사장의 다급한 외침!

지아	우리 엄마 아빠가 거기 있었다고?!! 어떻게…
이연	산 사람의 피와 살을 가둬 놓은 식물이야. 그걸로 추종자들 수명을 늘렸고.
지아	(당장 달려갈 듯) 가자! 그 집 거실에 있었어! 거실 한복판에 분명히!
이연	이미 옮겼을 거야. 내가 갔을 땐 없었어.

그런데! 두 사람을 지켜보는 누군가의 시선!
이연의 차 사라지면, 그쪽을 보고 있는 이랑 모습 보인다!
그 얼굴, 분노와 서글픔으로 가득하다!!

#27   커피 전문점 / 대저택 (밤)
이무기가 커피와 토스트 먹으며, 노트북으로 원서 자료 등을 읽고 있다. 누가 봐도 보통의 대학생처럼 보인다.
맞은편 자리에서, 엄마와 함께 주스 마시던 꼬마 소녀가 활짝 웃어 보인다.

화답하듯 다정하게 미소 지어 보이는 이무기.
이어 사장에게 전화 걸려 오면.

이무기   (듣고) 형제 사이에 독을 뿌리셨군요. 이랑이 넘어올까요?
사장   넘어올 거예요. 형에 대한 이랑의 감정은 뿌리 깊은 집착에
         가까워요. 생각보다 더 삐뚤어졌죠.
이무기   사랑하니까, 죽일 수도 있다?
사장   이 일은 저한테 맡겨 주세요. 이연 심장은 제가 가져올 테니까.
이무기   이연을 얕보지 마세요. 그 옛날 제가 이연의 손에 잠든 건, 그
         를 과소평가했기 때문이에요.
사장   (짜증스러운 얼굴로) 그래서 덫을 세 개나 쳐 놓은 거 아닙니까.
         셋 중에 한 놈만 걸려라. 대신, 이번 일 끝나면 저 정치하려고
         요. 방송국 사장 노릇도 슬슬 지겹고. 저한테도 합당한 보상
         이 필요하고.
이무기   (서늘한 미소로) 원하시는 대로.
사장   (전화 끊고) 괴물 같은 놈.

#28   이랑의 차 / 이연의 집 베란다 (밤)
         이랑이 홀로 차안에 앉아 있다. 복잡한 얼굴로 감정 추스르는
         중인데.
         이연에게 전화 걸려 온다. '혹시?' 하는 기대감으로 전화를 받
         는다.

이랑	이연?
이연	너 이무기네 집에서 꽈리 화분 본 적 있지?
이랑	(듣고 싶은 얘기가 아니다. 굳는)
이연	지아 부모가 거기 들어 있다는데, 아는 거 없냐?
이랑	(폭발할 것 같지만) 나한테 할 말이 그게 다야?
이연	아, 있어 없어?
이랑	(참담한 기분으로) … 있어.
이연	어디로 빼돌렸대?
이랑	그거까진 모르고.
이연	(마음 급해서) 끊어.
이랑	알아볼 순 있어. 사장이 지 목숨 줄처럼 여기니까.
이연	그래??
이랑	내일 만나. 만나서 얘기해.

전화 끊고, 실짝 이상한 느낌에 이연이 갸웃한다.
'나는 뭘 기대한 걸까.' 자조적으로 웃는 이랑. 그 얼굴에 독기
가 서린다.

#29   이연의 집 (밤)

이연이 거실로 돌아온다. 초조한 얼굴로 기다리던 지아를 안
심시킨다.

이연	랑이가 알아보겠대. 내일 만나기로 했어.

지아	어디서? 몇 시에?! 같이 갈까?
이연	나한테 맡기고, 넌 너만 할 수 있는 일을 해 줘.

초인종 소리 들린다. 누굴까. 이연이 경계하는 눈빛으로 문을 열면, 작가와 재환이 서 있다.

이연	뭐야 니들?
작가	(당당하게) 남친이 구미호라는데, 애 걱정에 통 잠이 와야 말이죠. (자연스럽게 밀고 들어가며) 지아야!
이연	우리 집은 어떻게 알고?!
재환	예전에 피디님이 그쪽 지문 조회하셨거든요.

지아가 반갑게 둘을 맞는다.

지아	뭐 하러 여기까지 왔어?
작가	'공주님' 안전을 확인하러 왔다, 왜? 내 눈에 흙이 들어가도 구미호랑은 안 된다… (하다, 휘둥그레) 된다. 거실이 몇 평이야?!
재환	(이연에게 선물 상자 건네며) 그래도 남의 집 오는데, 빈손으로 오긴 좀 뭐해서요.
이연	뭐야?
재환	(수줍게) 그냥 간식이요.
이연	(받아서 보면 안에 벌레 한 가득이다. 인상을 꽉) 밀웜?!!
재환	동물 프로 하는 동기한테 물어봤는데, 여우들이 환장한대서. 밀웜 살까 귀뚜라미 살까 되게 고민했는데, 사양하지 말고 드

세요.

지아   (이연의 난감한 표정에 웃으며) 니들 저녁은 먹었니?

재환   (불쌍한 척) 아니요.

지아   내가 주문할게.

#30   술집 (밤)

이랑이 쓸쓸한 얼굴로 독주를 마시고 있다. 그 한쪽에 이연이 준 진달래 가지. '마지막 꽃 한 송이' 붙어 있다.
거푸 술을 마시다 손목시계를 본다. 자정이다.
그 위로 째깍째깍 시간 흐르는 효과음. 이제 18시간도 채 남지 않았다. 이윽고 잔을 내려놓는 이랑의 얼굴, 뭔가 결심한 듯 날카로워져 있다.

#31   한식당 우렁각시 (밤)

지아네 팀장이 혼자 늦은 저녁을 먹고 있다.

팀장   여기 깍두기 좀 리필해 주실래요?

우렁각시가 깍두기와 함께, 곱게 부친 '화전' 한 접시 갖다준다.

팀장   뭐죠?

우렁각시 화전이죠.

팀장	(후후) '또' 서비스인가요?
우렁각시	저번에 여기서, 저랑 손님이랑 개싸움 난 거 도와주셨잖아요.
팀장	제가 원체 불의를 못 참는 성품이라. 잠깐만 앉아 보실래요? (앉으면, 멋있는 척) 혹시 방송 출연할 생각 없으세요?
우렁각시	네??
팀장	(화전 하나 먹고) 하늘이 내린 맛집이에요. 하루걸러 오는데, 반찬이 도무지 매너리즘에 빠질 겨를이 없고요. 사장님 마스크도 동서남북 모든 앵글이 퍼펙트. 원하시면 '부장'인 제가 연결시켜 드릴게요.
우렁각시	팀장님, 혹시 브로커 일 하세요? 왜 식당에다 방송 출연시켜 준다고 돈 300만 원씩 뜯어내고. 저 그런 전화 되게 많이 받았거든요.
팀장	완벽한 오해세요!!

#72   이연의 집 (밤)

지아의 핸드폰으로 배달을 알리는 문자 수신음 들린다.
문 앞에 보자기로 곱게 싼 음식 놓여 있다. 지아가 들고 오면.

이연	(냉큼 받아 들고) 보따리에 배달을 해 주네.
지아	애들 밥만 좀 먹일게.

풍성하게 한 상 차려졌다.
세 사람 흡족하게 먹는 모습, 집주인인 이연이 빤히 보고 있다.

재환	그러니까 그 미라 사건, 공범이 우리 사장님이라고요?
지아	그 집에서 나온 손톱 들고 따지러 갔더니, 본인 입으로 인정하더라.
재환	경찰에 신고하시죠!!
작가	뭐라고 신고해? 우리 방송국 사장이 실은 고려 시대 사람인데, 전설 속 이무기를 추종하면서 막 사람도 죽이고 다닌다고? 잘도 믿어 주겠다.
재환	그러네. 그럼! 백 형사님한테 그 호랑이 눈썹 안경 씌우는 건 어때요?! 봐라, 전생도 있는데, 고려 시대 남자 하나 없겠냐!
이연	(지아에게 귓속말로) 쟤가 우리나라에서 최고 좋은 대학교 나왔다고?
지아	(부끄럽다) 애는 착해.
작가	왜 안 드세요? 밀웜 안 먹고, 곱창도 안 먹고, 혹시 사람 간 먹어요?
이연	지금 심정으론 (작가를 빤히) 먹을 수만 있으면 먹고 싶네. (서늘하게 내뱉고, 곱창 먹기 시작하는) 오, 생각보다 맛있네.

사람 음식 잘 먹는 모습에 작가가 살짝 안도한다.

재환	실례지만 꼬리 있어요?
이연	실례될 걸 왜 묻지?
재환	아직도 잘 안 믿어져서요. 구미호란 게.
지아	있어, 내가 봤어.
재환	대박!!! 막 이마에 나뭇잎 얹고 둔갑도 하고 그래요?

이연	(성가신 듯) 그건 너구리고, 둔갑은 할 수 있는데 격 떨어져서 안 해.
재환	(신났다. 손뼉까지 치며) 보여 줘! 보여 줘!
이연	(부글부글)

#33   술집 (밤)

이랑이 있던 자리 비어 있고, 그 옆에 진달래 가지만 덩그러니 남아 있다. 이연과는 '딱' 여기까지라는 듯.

#34   대저택 (밤)

이랑이 단호한 태도로 사장을 마주하고 있다.

이랑	할게.
사장	('걸려들었구나!' 미소 감추고) 갑자기 왜 마음을 바꾸셨을까.
이랑	(비통한 얼굴로) 살고 싶어졌어.
사장	(재차 확인하듯) 근데, 형 심장을 꺼낼 자신 있어요?
이랑	심장은… (자신 없다. 시선 피하며) 네가 해. 유인하는 건 내가 할게.
사장	이렇게 마음이 여리셔서. (지아에게도 줬던 물약 주며) 받으세요. 그리고 제가 애기한 곳으로 이연을 불러내세요. 지금부터 저랑 같이 움직이는 겁니다. (하며, 방으로 데려간다)

혹시 딴 마음 품을까, 저택에 이랑의 발을 묶어 버리는 사장이다.

#35   거리 (낮)

다음날. 깔끔하게 차려입은 이연, 꽃집 향해 걷고 있다.

이랑을 만나러 가는 길.

앞으로 닥칠 일은 까맣게 모르는 얼굴이다.

길 한쪽에, 짙게 선팅한 자가용 한 대 세워져 있다. 뒷좌석에
사장이 타고 있다.

#36   방송국 / 사무실 (낮)

지아가 출근했다. 이무기 사이에 두고, 토스트 먹으며 작가와
재환이 수다를 떠는 중.

작가   이런 애들이 딱 방송국 체질이지!

재환   테리 너 말뚝 박아라.

지아   언제 그렇게들 진해셨어?

작가   야! 얘 완전 물건이더라? 역사, 문화, 예술, 종교, 모르는 게 하
나도 없어. 인간 백과사전!

지아   현장에서도 꽤 쓸 만하더라.

재환   심지어 우리 전생 아이템 해외 사례 있잖아요. 밤새 영어, 불
어, 중국어 논문까지 번역해 온 거 있죠?

지아   (의외다. 이무기에게) 비결이 뭐야?

이무기   어렸을 때 건강 문제로 아예 집 밖을 못 나갔거든요. 집에 오
는 베이비시터 말고는 주로 혼자였고, 그래서 책만 읽었어요.

곧바로 팀장 나타난다.

팀장 굿모닝? 웬 토스트? 도시 괴담 친구들! 오늘 회식이야.

지아 (기계적으로) 안 가요.

작가 (마찬가지 톤으로) 저도요.

팀장 노노! 오늘은 (지아, 작가, 재환 가리키며) 너 취재, 너 대본, 너 편집
   핑계 아무것도 안 통해. 우리 테리군 환영회야.

#37 꽃집 (낮)
   카페를 겸한 꽃집이다.
   이연이 안으로 들어서면 손님도, 주인도 안 보인다.
   이하, 중간중간 꽃집을 지켜보는 'CCTV 화면 앵글' 삽입된다.

이랑 왔어?

   이랑은 안쪽에서 드립 커피를 내리고 있다. 목소리 착 가라앉
   아 있다.

이연 (어이없는 듯) 여기서 뭐하냐?

이랑 커피 내리잖아.

이연 너랑 1도 안 어울리는 이 꽃밭은 또 뭐고.

이랑 고향 냄새에 취해 보시라고. 마음에 드는 꽃 있으면 골라 보
   든가. 여자들이 좋아해.

이연	뭘 또 그렇게까지… (하면서, 은근히 꽃 둘러본다)

이연이 꽃에 시선을 준 사이, 은밀히 커피에 물약을 섞는 이랑.
이랑이 커피를 내온다. 그 테이블에 꽃 장식된 '도자기 화병'
놓여 있다.

이연	(이랑 앉자마자) 꽈리는 어디야? 알아봤어?
이랑	뭐 그리 급해?
이연	너랑 노닥거릴 시간 없어, 지금.

하면서 커피를 드는데, 그 손을 제지하는 이랑!

이연	(인상을 팍) 왜??
이랑	시간은 나도 없어. (진지하게) 그래도, 내 얘기 끝까지 들어.
이연	(커피 잔에서 손을 떼고) 뭔데?
이랑	너한테, 난 뭐야?
이연	(톡 쏘는) 또 어디서 뒤틀렸니? 나 할 만큼 한 거 같은데, 응? 또 뭐가 마음에 안 들어?
이랑	대답해. 난, 뭐냐고.
이연	(질렸다는 듯) 가족이지. 같은 아버지 핏줄을 타고 났다는 이유로 나한테 패악질 부리는 게 권리인 양 구는, 징글징글한 가족.
이랑	(그 말, 비수처럼 꽂히는 표정이다)
이연	꽃밭에 앉혀 놨다고, 내 입에서 갑자기 꽃다운 말이 튀어나올 거라고 기대하진 마. 나이 먹고 응석 부리는 거, 진짜 밥맛이야.

이랑	나한테는 참 모질어. 그 여자한테는… 한없이 너그러우면서.
이연	너보다 훨씬 강한 사람이야. 못지않게 비극적인 가족사 안고도, 누구처럼 안 징징거리고.
이랑	(아프게 보다가) 이상하지. 넌 한 번도 착한 형이었던 적이 없는데, 내 눈엔 네가 그렇게 빛나 보였다? 완벽해 보였어. 너처럼 되고 싶었어.
이연	(살짝 누그러지는)
이랑	(커피 밀어 주며) 마셔.
이연	(괜히) 네가 커피에 뭘 탔을지 알고?
이랑	(살짝 긴장하는)
이연	농담이야. (하고, 곧바로 커피를 한 모금 마신다!)

복잡한 눈길로 그 모습 보다가, CCTV에 시선을 주는 이랑!

#38   사장의 차 (낮)
차 뒷좌석에서, 핸드폰으로 모든 광경을 지켜보던 사장이 '씩' 웃는다.

#39   꽃집 (낮)
이연이 본론을 꺼낸다.

| 이연 | 그래서 꽈리는 어디야? |

구미호뎐   제11화 꽈리

이랑	기다려. 곧 찾게 될 거야.
이연	(의심스러운 듯) 너 무슨 수작 부리기만 해.
이랑	(담담하게) 아귀의 숲에서 네가 날 구했잖아. 그때 그런 생각을 했어. 아, 나도 언젠가 너를 위해 죽어야겠다. 너를 살리고 내가… 근데 있지. 막상 죽으려고 하니까 아냐. 살고 싶어. (테이블 위 화병을 만지작) 그래서 말인데…
이연	(본능적으로 눈빛 날카로워지는!!)
이랑	(곧바로 이연의 머리를 쾅 내리치고!!) 죽어 줄래, 형?

이연의 머리에서 피가 흐른다!
이연이 지금까지와 달리 살벌한 얼굴로, 자리에서 일어서며!

이연	붙어 볼래?
이랑	정면승부하면 나 너 못 이겨. (하고, 물약을 꺼내 놓는다!)
이연	(먹다 만 커피에 시선) 커피?!!!

다리에 힘이 풀린다! 풀썩 무릎 꺾이며 쓰러지는 이연!

이연	(믿기지 않는 듯) 이러는… 이유가 뭐야?
이랑	(죄책감과 분노 뒤섞여서) 네가 그 여자 걱정하는 반의반만이라도 내 걱정해 줬으면, 나 이 짓 안 했어. 절대 못 했어!
이연	(속도 모르는 그 말에) 이 멍충이…

가물가물한 이연의 시선 컷으로, 이랑의 얼굴 아득해진다.

(시간 경과)
사장이 잠든 이연을 '툭툭' 친다. 이연은 미동도 없다.
이무기에게 전화를 건다.
이랑은 한쪽에서 넋을 놓은 표정으로 앉아 있다.

사장   (의기양양하게) 이연을 잡았어요.

#40   소고기집 (낮)
이무기가 가게 한쪽에서 목소리 낮춰서 통화하고 있다. 빠르
고 단호한 투로.

이무기   제가 갈 때까지 기다리세요. 더는 이 번호로 전화하지 말고.

자리로 돌아온다. 의미심장하게 이무기를 보는 지아.

#41   꽃집 (낮)
끊어진 전화기 들고, 사장이 인상을 '팍' 찌푸린다.

사장   젠장, 내가 지 따까리야 뭐야?

#42   소고기집 (낮)

구미호뎐   제11화 꽈리

육질 좋은 소고기가 불판에서 익어 간다. 작가와 재환은 신나서 먹고. 지아가 맥주 홀짝이는 척 하며, 이무기에게 시선.
팀장이 아예 이무기 쪽으로 몸을 틀고 앉아 술을 따라 주며.

팀장   아유, 나도 이런 아들 하나 있으면 소원이 없겠다. 인물 좋지,
           머리 좋지… (마시는 거 보며, 손뼉) 옳지, 옳지!!

재환   저는 이제 팀장님이 존경스러우려고 해요. 어쩜 저렇게 캐릭
           터가 한결 같냐… 그죠? (하면서, 작가 돌아보면)

작가   (이무기 보며) 하아… 주머니에 넣어 가고 싶다.

재환   (흘기는) 작가님 취향이 저런 스타일이에요?

작가   난 삼십 평생 한 우물로 남자 '얼굴'만 팠어.

이무기가 자리에서 일어난다. 지아가 곧장 따라 나서며.

지이   나 바람 좀 쐬고 올게.

#43   소고기집 / 마당 (낮)
           자연스럽게 밖으로 나서는 이무기를 지아가 불러 세운다.

지아   테리야, 어디 가니?

이무기   아, 잠깐 누구 좀 만나려고요. 금방 갔다 올 거예요.

지아   (그 앞을 가로막고) 그거 어디서 배워먹은 법도야?

이무기   네??

지아	회식 자리에서 누가 말없이 외출을 해? 것도 주인공이.
이무기	(젠장) 죄송합니다.
지아	나 너한테 궁금한 거 되게 많거든?
이무기	(떠보듯이) 예를 들면?
지아	제일 좋아하는 책이 뭐야?
이무기	사랑의 단상.
지아	(찌푸리며) 롤랑 바르트?
이무기	읽어 보셨어요?
지아	제목에 낚여서. 연애 지침서인 줄 알았는데, 그 인간이 구사하는 사랑의 언어를 이해하려면, 최소 인문학 석사 학위 이상 소지해야겠더라?
이무기	(웃는) 아름다운 문장도 많아요. (책 구절 인용해서) '그는 그녀가 완벽하다는 사실을 찬미하며, 또 그렇게 완벽한 사람을 선택한 자신을 찬미한다.'
지아	(흠칫했다가) 난 폭탄주를 찬미하는 사람이야. (끌고 가는) 가자.

곤란한 듯 지아에게 끌려 들어가는 이무기다.

#44   소고기집 (밤)
다들 불콰하게 취했다.
팀장은 테이블에 잠들어 있고, 작가와 재환은 둘이 얘기 중.
지아가 이무기 옆에 철벽처럼 딱 붙어서 술잔을 부딪친다.
마지못해 마시며, 시계를 흘긋 보는 이무기.

#45   꽃집 (밤)

사장이 날카로운 단도를 들고, 이연을 내려다보고 있다. 시간 계속 흐른다.

이랑   (시계를 보면 5시 55분이다) 5분 남았어. 계약 끝내.

사장   (이연의 가슴 쿡쿡 찌르며) 정확히는 '이연의 심장'까지가 끝이지.

이랑   난 약속대로 이연 데려왔어. (단호히) 말해, 이 계약 여기까지라고.

사장   (성가신 듯) 나 지금 이무기 기다리잖아.

이랑   말이 짧네.

사장   미치겠지? 은혜 입은 자를 맘대로 죽일 수도 없고.

사실이다. 이랑의 얼굴 굳는다. 이내 차가운 말투로 사장을 도발한다.

이랑   태생이 노비라더니, 주인 없이는 할 수 있는 일이 없나 봐?

사장   말조심해. '은혜를 갚아라.' 내 말 한마디면 너 무슨 짓이든 하잖아.

이랑   지 핏줄 잡아먹은 이무기 뒤나 핥고 다니는 주제에.

사장   (흥분을 감추며) 입 닥쳐라.

이랑   기분이 어땠어? 부모와 처자식이 비명에 가던 순간. (피식) 울었어?

사장   입 닥치라고!!

이랑   말해, 우리 계약은 여기까지라고.

사장   오냐, 그놈의 계약 끝장을 내주마.

이랑	(기대감으로 보면)
사장	내 방식으로!!

하며, 단도를 이연의 심장에 내리꽂는다!!
그 순간! 이랑이 번개 같은 몸짓으로 단도를 막고, 사장을 날려
버린다!

사장	(충격으로) 너… 미쳤어?!!!
이랑	생각해 보니까 안 되겠다. 내가 아무리 개새끼지만 '누구처럼' 가족을 제물로 바치는 건 좀 그렇다?
사장	그…그럼 너 죽어!!
이랑	(태연히) 안 죽어.
사장	웃기지마! 계약을 어기면 여우는 분명 죽는다고… (하다 말고, 얼굴 파랗게 질린다!!)

두 손으로 얼굴을 감싸 쥔 이랑의 목소리, 이연의 목소리로
바뀐다!

이연	여우는 말이야.

얼굴을 감쌌던 손 치우면, 둔갑했던 이연의 얼굴 드러난다!

이연	'둔갑'이라는 걸 해. 난 품위 없어서 질색이지만.

사장이 사색이 돼서 돌아보면, 잠든 이연의 얼굴, 어느새 이랑으로 바뀐다!!! 이랑이 눈 '번쩍' 뜬다!

이랑	어휴, 곧 죽어도 그놈의 품위 타령.
이연	커피는 입만 댄다며, 참 태평하게 잘 자더라?
사장	(정신없이 번갈아 보며) 뭐야?! 대체 언제부터!!
이연	어젯밤, 너네 집에서부터.

인서트 플래시백

'저간의 상황' 스피디하게 보인다! 이랑이 진달래 가지 버리고 술집 나서는데, 그 앞에 이연이 서 있다!

이랑	네가 왜 여기!!
이연	미안하다. 인질 중 하나라고만 들었지, 다 죽게 된 줄은 몰랐다.
이랑	(눈물 그렁해지는데)
이연	(이랑의 머리를 가볍게 쓸어 주며) 살자. 나랑 같이.
이랑	아무리 해도 계약을… 벗어날 수가 없어.
이연	벗어날 수 있어.
이랑	어떻게??
이연	바꾸자. 나랑. 그리고 그놈이 원하는 대로 날 그놈한테 데려가.

간밤에 '할게' 이랑의 모습으로 사장 앞에 나타난 것, 이연이었다!! 사장은 모르지만, 사장에게 이끌려 방으로 향하면서 슬쩍 미소!!

사장	(그제야 모든 걸 알고) 이것들!! 이것들이 감히!
이연	(달려들어서 사장의 단도를 그의 옆구리에 푹 찌른다!!)
사장	(신음하다가 정신없이 이랑에게) 너!! 이연을 죽여라! 지금 당장 은혜를 갚…

까지 하는데, 이연이 사장의 목을 '꽉' 쥔다! 목소리가 나오지 않는다!

이연	내 동생 괴롭히지 마라. 모가지 날아간다.
이랑	(테이블에 걸터앉은 채, 사장에게) 뭐라고? 잘 안 들리는데.
이연	자, 선택은 네가 하는 거야. 여기서 이랑 죽이고, 내 손에 죽든지, 아니면 계약을 바꾸든가. (사장의 눈빛 절박하다. 이연이 손에 힘을 살짝 풀면!)
사장	(목소리 쥐어짜서 다급히 이랑에게!!) 나를 살려라. 은혜를 갚아!

이랑의 손에 '계약의 징표' 번쩍 빛난다!
이연에게서 사장 떼어 내면, 순순히 사장 놔주는 이연!
사장이 다친 옆구리 상처 감싸 쥐고, 이랑에게!!

사장	꽈리!!! (꽃집 어딘가를 가리키며) 꽈리 있는 데로 나를! 어서!

#46   **거리 (밤)**

회식 끝났다. 취한 팀장이 먼저 떠나면, 이무기도 곧바로 택시 타려는데.

지아	(붙잡고) 넌 내 차 타고 가. 대리 불렀어.
이무기	괜찮아요.
지아	(옷깃을 꽉 잡고) 내가 안 괜찮아서 그래.
이무기	(지아 얼굴 마주 보며) 피디님. 남자 친구 있으세요?
지아	있어.
이무기	어떤 분이에요? 남자 친구.
지아	동화 같은 남자.
이무기	헤어지세요.
지아	뭐?!
이무기	왜 '어른들을 위한 동화'는 대개 잔혹 동화로 끝나기 마련이 잖아요.

#47   꽃집 / 앞 (밤)

사지 멀쩡해진 사장, 꽃집을 빠져나와서 정신없이 달아난다.
이연과 이랑이 그 뒷모습을 보고 있다.
이랑의 손에서 '계약의 징표' 부스스 사라진다.

| 이랑 | (안도하며) 풀렸다. |
| 이연 | (미소로) 너 연기 괜찮더라. 배우해도 되겠어. |

따뜻한 느낌으로 서로의 어깨를 '툭' 치는 형제.

그들 뒤로 '꽈리 화분' 보인다.

#48   거리 (밤)

지아와 이무기 위태롭게 마주 보고 있는데, 이연에게 메시지 온다. '꽈리 사진'이다.

지아   (확인하고) 테리야. 내 앞에서 남자같이 굴지 마. 나한테 넌…

이무기   (보면)

지아   (표정 싹 바꿔서) '부모님의 원수' 그 이상도 이하도 아니니까.

이무기   알고… 있었구나? (섬뜩하게 웃는) 그래서 나를 붙들고 있었어.

인서트 플래시백

앞 씬에서 이연과 지아의 대화 생략된 부분이다.

이연   넌 너만 할 수 있는 일을 해 줘.

지아   나만 할 수 있는 일?

이연   내가 꽈리를 찾는 동안, 이무기를 붙잡아 줘.

지아   이무기? 어디 있는데?

이연   아마 생각보다 너랑 훨씬 가까운 곳.

지아   나랑 가까운 곳? (잠시 생각하고) 설마!!

다시 현재. 이무기가 새삼 놀란 기색도 없이, 지아에게 다가 선다!

이무기	내 정체를 아는 거 치곤, 너무 무방비하네?
지아	이연이 말했어. 너는 나를 죽일 수 없다고.
이무기	(지아 손을 잡는) 맞는 말이야. (지아가 손 뿌리치려는데 완강히 잡고) 나는 네가 마음에 들거든.

그 손에 가볍게 입을 맞추고, 유유히 사라지는 이무기.
지아가 안도의 한숨을 내쉰다. 급히 이연에게 전화를 건다.

#49   지아의 집 (밤)

지아가 한달음에 집으로 달려왔다.
이연이 기다렸다는 듯 지아에게 손짓한다.
지아의 눈시울 뜨거워진다. 거기… 꿈에도 그리던 엄마 아빠가 있다. 정신없이 달려가서 부모를 끌어안는 지아!!
'드디어 그녀의 소원이 이뤄졌구나.' 그 모습 지켜보는 이연의 다정한 미소에서!

11화 끝

꼬리잡기

놀이

12

#1   지아의 집 (밤)

마침내 꿈에 그리던 부모와 재회한 지아!!

지아   (믿기지 않는 듯) 엄마… 아빠?

엄마, 아빠   (변해 버린 딸의 얼굴, 조금 낯설게 보기만)

지아   (달려가서) 진짜지? 진짜 우리 엄마랑 아빠 맞지?!

엄마, 아빠   (당혹스러운 듯 보면)

지아   엄마, 내 얼굴 못 알아보겠어? 아빠, 나 지아야! 아빠 딸!! 하긴 20년도 더 지났는데.

반응 없는 부모를 앞에 두고, 절망한다. 서러움에 눈물 흐른다.

엄마   우리 딸, 많이 컸네?

아빠   (눈물 닦아 주며) 근데도 여전히 울보고.

지아   내 얼굴!! 알아보겠어?!

엄마   자식 얼굴도 못 알아보는 부모가 어디 있어.

그 상냥한 목소리에, '왈칵' 아이처럼 울음 터진다.

엄마   너무 오래 기다리게 해서 미안해.

지아를 안고, 부모 또한 참아 온 눈물을 흘린다.

#2   지아의 집 / 앞 (밤)
따뜻한 눈길로 그 모습 지켜보던 이연, 자리를 비켜 준다.
집 앞에서 신주가 이연을 기다리고 있다.

신주   형제가 아주 큰일 하셨네요. 피디님 오늘 20여 년 만에 발 뻗
        고 주무시겠어요.
이연   난 뭐 한다면 하는 놈이니까.
신주   이랑님 계약도 풀린 거죠?
이연   완벽하게.
신주   개 멋있어!
이연   (도도하게) 더해도 돼.
신주   세상 드럽게 불공평해! 잘생긴 놈 얼굴값 한다더니 아주 못
        하는 게 없어! 아우~ 눈부셔!

#3   도로 (밤)
이랑, 유리가 운전하는 차를 타고 이동 중이다.

구미호뎐   제12화 꼬리잡기 놀이

유리	그럼 이연이랑 화해하신 거예요?
이랑	화해라기보다는 내가 적당히 봐준 거지.
유리	아… 난 이연 싫은데.
이랑	네가 왜?
유리	그놈이 이랑님 엄청 괴롭혔잖아요.
이랑	(피식)
유리	이연이랑 같이 사는 건 아니죠?
이랑	내가 미쳤니?
유리	둘이 잘 됐다고 나 모르는 척 하기 없기에요.
이랑	모르는 척 하면 어쩔 건데?
유리	확 물어 버릴 거야.
이랑	(웃으며) 아, 내가 널 잘못 키웠다.

하면, 둘이 처음 만난 날 스쳐 간다.

#4   플래시백 이랑의 집 (낮밤 무관)

헝클어진 모습을 하고, 방구석에 몸을 웅크리고 있는 유리.
동물원에서 나온 직후다.
이랑이 쟁반에 족발 담아서 가져온다. 방어적으로 쏘아보고
마는 유리. 이랑이 곁에 앉아서 쟁반 가까이 밀어 주는데, 그
팔을 '확' 물어 버린다!
신음 소리도 없이 물린 팔을 움켜쥐는 이랑! 그 팔에서 피가
'뚝뚝' 떨어진다!

싱긋 웃더니, 유리의 팔 낚아채서 똑같은 부위를 '콱' 물어 버린다! 유리가 비명을 지른다.

이랑   이렇게 하는 거야.

유리   ('무슨 뜻일까.' 보면)

이랑   누가 너를 물면, 똑같이 물어 버리면 된다고. 물어도 아프다 소리 못하는 놈들한텐 세상이 되게 잔인해지거든.

유리   (눈빛 흔들리다가) 누가 구해 달래?!

이랑   그러게. (동병상련의 기분으로) 난 원한 적도 없는데, 주워 와서 밥 주고, 정 주고, 그러다 지 땡기면 분리수거 해 버리고. 나도 그런 놈 질색이야. (털고 일어서서) 그러니까 먹이 다 먹으면 내 집에서 나가.

유리   뭐?!

대답도 않고 나가 버리는 이랑이다.
혼자 남은 유리, 잠시 고민하다가 족발에 손을 뻗는다.
정신없이 족발을 먹는 모습에서.

#5   플래시백 거리 (낮)

다른 날. 이랑이 길을 걷다가 뭔가 신경 쓰이는 듯 뒤돌아본다.
전보단 조금 말끔해진 차림의 유리가 졸졸 쫓아오고 있다.
차갑게 '따라오지 말랬지?' 하면, 유리 멈춰 선다.
짜증난 듯 더욱 빠르게 걷는 이랑. 유리의 걸음도 빨라진다.

이랑이 유리를 떼어 내려고 뛰기 시작한다. 유리도 뛴다.
이랑을 졸졸 쫓는 유리의 얼굴에 귀여운 미소. 유리가 처음으
로 웃는다.

#6   플래시백 이랑의 집 (밤)

날카로운 비녀를 손에 쥐고 휘둘러 보는 유리.
이랑이 자신의 몸 여기저기 가리키며 '여기 여기, 이쪽이 급소
야. 외워.'
형이 자신에게 검술을 가르쳤던 것처럼, 유리를 가르친다.

#7   플래시백 거리 (밤)

유리가 환한 얼굴로 이랑에게 뛰어온다. 그 뒤로 '사이렌 소
리' 들린다.
자랑스레 피 묻은 비녀 보여 주며 '저 급소 한 번에 찔렀어요!'
이랑이 '잘했다' 칭찬하면, 신나서 이랑을 끌어안는 유리다.
살짝 당황한 이랑 얼굴에서.

#8   도로 (밤)

다시 현재. 그 기억에 잠겼던 이랑.

이랑   오랜만에 족발 사 줄까?

유리	싫어요! 족발엔 제 개차반 같은 과거가 묻어 있잖아요! 우리 보쌈 먹어요.
이랑	(장난스럽게) 아냐, 나는 딱 족발 감성이야. 지금.

사랑스럽게 다투는 둘의 모습 멀어진다.

#9   지아의 집 / 지아의 방 → 거실 (밤)

부모가 지아 방에 있는 실종 전단지 등을 보고 있다.
실낱같은 희망을 안고, 부모를 찾아 헤맨 흔적. 그 위로 내려
앉은 세월의 더께.

엄마	세상에! 이게 다 뭐야?
지아	처음엔 전단지도 막 뿌려 보고 했는데, 아무도 안 도와주는 거야. 그래서 '내가 직접 피디가 돼서 찾아야겠다.' 이렇게 찾았잖아?
엄마	지아야.
아빠	우리가 미안하다.
지아	(엄마 손 쓰다듬으며) 몸은 좀 어때? 어디 아픈 데는 없고?
엄마	아빠나 나나 아픈 데 없어. 걱정하지 마.
지아	혹시 모르니까 병원도 한 번 가 보자.
아빠	(오르골 만지작) 여우고개에서 그 사고를 당한 게 꼭 어제 일 같아. 다 제자리에 있는데, 벌써 20년이 더 지났다니.
지아	그동안 어디 있었던 거야?

엄마	글쎄, 그냥 되게 긴 잠을 자고 일어난 거 같아.
지아	아빠도?
아빠	(끄덕)
지아	(종이 카네이션 보여 주며) 그럼 이건? 이거, 아빠 글씨 아냐?
아빠	(기억 더듬는) 내가 딱 한 번 잠에서 깼을 때, 하얗고 깨끗한 얼굴을 한 청년이 나타나서 그러더라. 그 메시지를 쓰면, 지아 널 만날 수 있을 거라고.
엄마	그 사람이 도와줬나 봐.
지아	(경악해서) 그놈이 아니야, 이연이야! 이연이 엄마랑 아빠 구했어!
엄마	이연? 아까 그 사람이니?
지아	응.
엄마	어떤 사람이야?
지아	나밖에 모르는 사람. 되게 오랫동안 나 기다려 주고, 나를 위해서 자기 목숨도 막 거는 사람.
엄마	남자 친구? 이야, 우리 딸 신짜 다 컸구나.
아빠	난 좀 서운하네. 남자 친구 생기면 아빠가 제일 먼저 알고, 잔소리하고 싶었는데….
지아	잔소리 해 줘. 나 엄청 듣고 싶어.
아빠	우리 딸내미 해 주고 싶은 거 진짜 많았거든.
지아	(시큰해져서) 그동안 못 한 거 지금부터 다 해 주면 되지.
엄마	대견해 우리 딸. 어쩜 이렇게 씩씩하게 커서 멋있는 피디도 되고.

그렇게 도란도란, 다시 만난 가족들의 밤 깊어간다.

지아에게 영상 통화 걸려 온다. 지아는 그 어느 때보다 밝은 얼굴.

이연   웬 영상 통화?

지아   우리 강아지 오랜만에 혼자 자서 무서울까 봐.

이연   뭐 강아지??

지아   우리도 남들 하는 건 다 해 보자. 애칭도 짓고, 커플링 같은 것 도 하고, 전화기에 대고 진상도 부리고.

이연   진상이라니?

지아   (전화기에 대고 입 맞추고) 이런 거.

이연   (환해져서) 오늘 기분 되게 좋구나?

지아   좋아. 날아갈 수도 있을 만큼.

이연   날아가진 말아 줘. 네 강아지 운다.

지아   (웃고, 진심으로) 고마워, 이연. 엄마 아빠 찾아 준단 약속 지켜 줘서.

이연   네 모든 밤이 오늘 같으면 좋겠다. 내가 그렇게 만들어 줄게.

이연이 손을 뻗어, 전화기 속 지아 얼굴 쓰다듬는다.
밖에서 엄마가 '지아야, 자니?' 부르는 소리.

지아   (잽싸게 베개 챙기며) 가야겠다. 잘 자. 내 꿈꿔.

이연   잘 자.

마음 고단한 밤.

그 여운을 간직하려는 듯 전화기 오래 쥐고 있는 이연이다.

거리 / 대저택 (밤)

사장이 거칠게 차를 몰고 저택으로 내달린다.

'죽을 뻔 했네⋯. 미친 구미호 놈들!' 운전대를 내리치며 울분
을 토해 낸다.

저택에 있는 이무기에게 전화 걸려 온다.

받을까 말까, 망설이다가 이내 비굴한 태도로 전화를 받는다.

사장   안 그래도 전화 드리려고 했어요! 진짜 99프로 다 됐었는데!!
       마지막에 그놈들이 저를 속이는 바람에, 예, 약간의 미스가 난
       거죠!

이무기   꽈리도 잃고 인질도 잃고, 덕분에 제가 가진 패가 별로 안 남
       았네요?

사장   (입모양으로 '젠장') 제가 다 돌려놓을 수 있어요. 믿어 주세요! (동
       시에 저택 앞에 다다른다.)

이무기   그래서 말인데, 지금 어디세요?

       상냥하게 말하는 그 목소리, 더없이 서늘하다. 사장이 재빨리
       머리를 굴린다.

사장   그냥⋯ 길인데요.

이무기   다 들려요. 전화기 너머로 그대 그 헝클어진 마음이.

사장	(굳는)
이무기	들어오세요. 오면 알겠죠. 그대를 기다리는 게 삶인지, 죽음인지.

전화 끊어지면, 저택 바라보며 잠시 고민한다.
이내 '획' 차를 몰고, 빠르게 저택 앞을 스쳐 지나가며.

| 사장 | 난 안 죽어! 절대 못 죽어! 어떻게 지켜 온 목숨인데!! |

#12　　지아의 집 / 부모 방 (밤)

그날 밤. 지아가 엄마, 아빠 사이에 누워 있다. 더 없이 들뜬 얼굴이다. 얼마 만인지, 이렇게 온기로 가득한 집이.

(시간 경과)

밤이 깊었다. 세 사람 모두 곤히 잠들었다.
그런데 나쁜 꿈이라도 꾸는 걸까, 잠결에 지아 얼굴 일그러지기 시작한다.

#13　　대저택 / 거실 → 이무기 방 (밤)

'여기는 어딜까.'
지아가 맨발에, 잠옷 차림 그대로 집이 아닌 다른 곳에 서 있다.
저택은 고요하고 어둑하다. 당황한 지아의 신음 같은 숨소리뿐. 조심스레 둘러보다 '흠칫!' 와 본 적 있는 곳이다!

구미호뎐　　제12화 꼬리잡기 놀이

'내가 왜 여기…' 두렵게 중얼거리는데, 작은 물체 하나 발치로 굴러온다.

주워서 보고 얼어붙는다! 그때와 똑같은 '손톱'이다!

소스라쳐서 저택 빠져나가려는데, 발이… 움직이지 않는다?!

오싹해서 돌아보면 '죽은 베이비시터'가 지아 발목을 붙들고 있다!

그 손 떼어 내려는데, 집요하게 매달린다!

겨우 밀어내고, 정신없이 달아난다! 여자가 바닥을 기어서 지아를 쫓아온다!

살짝 문 열린 방으로 달려가 숨는다!

문밖에서 지아를 찾는 여자의 소리! 문고리 '꽉' 잡고 헉헉대는데!

지아 등 뒤에서, 태연히 책을 읽고 있는 이무기!!

밖에서 문고리 무섭게 돌려 대는 소리 들리더니, 한순간 소리 '뚝' 멈춘다.

살짝 안도하며 문고리 쥔 손 놓으면, 등 뒤에서!

이무기	어서 와.
지아	이무기!!!!
이무기	이무기보단 테리란 이름이 더 좋아. 네가 불러 준 내 첫 이름.

#14   대저택 / 이무기 방 (밤)

지아와 이무기 마주 보고 있다.

매서운 지아 눈빛과 달리, 이무기의 표정 부드럽다.
방에 커다란 협탁과 벽거울 붙어 있다.

지아   네가 한 짓이구나? 나 어떻게 데려온 거야?!
이무기   내가 아니야. '네가' 나를 부른 거지.
지아   (무슨 소릴까) 뭐?!!!
이무기   이건 너의 꿈이야. 우리가 '교감'하고 있단 뜻이고.
지아   (단호히) 교감이고 자시고 너랑은 안 해.
이무기   우리는 운명으로 이어져 있어.
지아   (동요하는) 사라져! 꺼져 버리라고!!!

어지러이 외치자, 거울에 '쨍!' 하고 금이 간다!!

이무기   (지아에게 깨진 거울 보여 주며) 잘 봐. '나는 너'야.

찰나! 거울에 비친 지아의 얼굴 '이무기 비늘'로 빼곡하다!!!
그 섬뜩한 자신의 모습에 소스라치는 순간!

#15   지아의 집 / 부모 방 → 지아 방 (밤)
지아가 눈을 '번쩍' 뜬다! 엄마 아빠는 깊이 잠들어 있다.
자기 방으로 건너가서 거울 들여다본다.
꿈에서 본 비늘은 흔적도 없다! 두려움으로 지아의 눈빛 흔들린다!

#16	이연의 집 (밤)
	이연이 차가운 얼굴로 생각에 잠겨 있다.
이연(N)	이무기를 잡는다. 절대, 지아가 다치지 않는 방식으로. (곰곰이) 허면 어디서부터 시작할까….
	하고, 눈앞에 놓인 꽈리에 시선을 준다.
	이연의 눈빛, 호기롭게 반짝인다. 이내 어디론가 전화를 건다.
이연	나 이연인데. (듣고) 응, 나도 안 반가워. 혹시 '꽈리' 비슷한 거 필요하지 않나 해서 걸었는데, 싫음 말고. (듣고) 그래? 그럼 나랑 좀 만나지?
	용건만 간단히 전하고 전화를 끊으며, 차갑게 웃는다.
#17	고수부지 (밤)
	전화를 받은 상대, 뜻밖에도 사장이다.
사장	(끊긴 핸드폰 초조하게 보다가) 그래, 까짓 거 난 꽈리만 있으면 돼! 이무기든 이연이든! 젠장! 알게 뭐야?!
	불안과 기대감이 교차하면서, 괜스레 큰소리쳐 보는 사장이다.

#18   지아의 집 / 부모 방 → 대문 (낮)

지아가 새 핸드폰을 엄마에게 건넨다.

엄마   이게 뭐야?

지아   새 핸드폰. 매장 갈 시간 없을 거 같다고 누가 주문해 줬어.

엄마   주문? 핸드폰도 배달이 돼?

지아   응. 요즘은 그래. 주문하고 한 시간이면 가져다 줘. (자기 번호로
            전화 걸며) 이거 누르면 나한테 연결되는 거야. 나 말고는 누구
            전화도 받지 마. 문도 열어 주지 말고.

엄마   걱정하지 말고 다녀와. 2020년에 적응하려면 시간이 필요하
            겠지만, 네 엄마 아빠 어린애 아니다?

지아   나한테 기대 줘. 그래도 돼.

아빠   (방문 벌컥 열고) 지아야, 그 친구랑 같이 저녁 먹자.

지아   누구? 이연?!

#19   거리 / 이연의 차 (낮)

지아가 간밤의 일을 이연과 공유했다. 둘 다 표정이 심상찮다.

이연   운명? 교감? 네 꿈에 나와서 그딴 소릴 했단 말이야?

지아   단순한 꿈이 아닌 거 같아. (두려운) 내 얼굴… 끔찍한 '비늘'로
            뒤덮여 있었어. 내 안에 있는 뭔가가 그놈을 부르고 있는 거
            라면… 그럼 어떡해?

이연   (살짝 굳는)

지아	왜 하필 나일까, 왜…
이연	내가 잡을게, 그놈. (손 잡아 주며) 나 믿지?
지아	믿어. (하고) 아, 혹시 오늘 저녁 시간 있어?
이연	저녁?
지아	엄마, 아빠가 보고 싶대. 내 남자 친구.
이연	!!!!!!

#20   동물병원 (낮)

신주가 병원 나서려는데 '새끼 고양이'를 안고 손님 하나 찾아든다.

신주는 알아보지 못하지만 '이무기'다!

이무기	(고양이 보여 주며) 얘 좀 봐주실래요?
신주	제가 지금 나가던 길이라… (하다가) 다쳤어요?!
이무기	길고양이인데, 올가미에 걸린 모양이에요. 치료비는 다 제가 부담할 테니까 부탁드려요.
신주	요즘 세상에 보기 드문 청년이네. 주세요.

보면, 올가미 자국인 듯, 고양이 목 주변 붉다.

신주	(안쓰러운 듯 고양이에게) 아이고 아팠어? 이제 괜찮아요. 다행히 상처가 아주 깊진 않네요.
이무기	그래요?

신주	(치료하며) 누가 이랬어, 아가?
고양이	(그 말에 답이라도 하듯 운다)
신주	(고양이 눈을 빤히) 뭐? 누가 그랬다고?

고양이가 대답하듯 또 한 번 운다. '흠칫-' 해서 이무기에게 시선을 주면!
이무기가 태연하게 신주와 눈을 맞추며!

이무기	왜요? 고양이가 말이라도 합니까?
신주	(애써 침착한 척) 어디서… 데려오셨댔죠?
이무기	요 앞 산책로요.

아나스타샤가 불안한 듯 '컹컹' 짖어 댄다.

신주(E)	(터질 듯한 심정으로) 이무기다! 이놈이… 이무기!!

#22   한식당 우렁각시 (낮)
우렁각시가 떡갈비를 내온다.

우렁각시	연잎 떡갈비에요. 좋은 날이니까 제가 쏠게요.

네 사람, 가볍게 음식 먹으며 얘기 나눈다.

구미호뎐   제12화 꼬리잡기 놀이

재환	(이연에게) 근데 알바는 뭐예요?
작가	(재환 제지하며) 시급부터 듣죠. 우리 나름 고급 인력이거든.
이연	최저 시급에 공 하나 더 붙여 주지.
재환	8… 85,900원?!!
작가	(바로 저자세) 뭐부터 할까요?
이연	방송국 놈들인 여러분이 제일 잘 하는 일을 해 주면 돼.
지아	얘들이 잘 하는 일?
이연	신상 좀 털어 와라.
재환	누구?
이연	이무기. 설화, 전설, 민담, 동화나 만화도 상관없어. 장르 불문, 이무기에 대해 전해 내려오는 모든 기록을 가져 와.
작가	이유는?
이연	약점. 그놈 약점을 찾을 거야.

#22	동물병원 (낮)
	이무기가 지켜보는 가운데, 신주가 고양이 치료 중이다.
	애써 침착한 척 하지만, 자꾸만 손이 떨린다.

이무기	손을 많이 떠시네요?
신주	(얼어붙는)
이무기	수의사가 그래도 되나 몰라.
신주	죄송합니다. (자연스럽게 수납장 쪽으로 향하며) 잠시만요.

이무기 몰래, 수납장 속 둔기로 손 뻗는데, 그 순간!!

이무기	(상냥하게) 그거 만지면 너 오늘 죽어요.
신주	!!!!!!
이무기	(신주에게 다가와서 차분히) 나 누군지 알지?
신주	(식은땀만 삘삘 나는데)
이무기	구신주. 이연의 오른팔. 동물의 말을 알아듣는 재주가 있구나. 재밌네.
신주	(눈앞의 이무기 존재, 압도적이다. 두려움으로) 원하는 게 뭐야?
이무기	내가 지금 이연이랑 '꼬리잡기 놀이' 중이거든.
신주	(무슨 뜻일까) 꼬리잡기?
이무기	그래서 말인데. (신주의 턱을 쥐고) 넌, 좋은 인질이니?
신주	차라리 죽여라. 이연님 약점이 되느니, 죽는 게 나아.
이무기	그런 타입이군.
신주	(눈 질끈 감고) 난 안 무서워! 죽여!
이무기	(흥미로운 듯 보다가) 이건 일종의 암시야.
신주	??
이무기	언젠가 말이야. 그녀 안의 이무기가 부를 때, 너는… (속삭이는 뒷말은 안 들린다. 나중에 알게 되지만 '나의 군사가 될 거다.')

신주 눈빛, 묘연해진다. 유유히 돌아서는 이무기.
신주가 정신 차리고 보면, 이무기는 이미 사라지고 없다.

구미호뎐   제12화 꼬리잡기 놀이

한식당 우렁각시 (낮)

작가와 재환, 이무기의 정체를 알고 경악한다.

작가   우리가 전생에 이무기 손에 죽었다고요?!

재환   그 이무기가 우리 인턴이고?!

작가   (개탄하는) 이건 아니지!! 왜 대한민국에 좀 생겼다 하는 놈들은
       죄다 구미호 아니면 이무긴 건데?!

이연   (흥) 미안하게 됐네.

지아   (시간 확인하고, 먼저 일어서는) 얘기들 나누고 와.

작가   어디가?

지아   회사 들어가서 편집본 넘기고, 집에 가려고. 아빠랑 장보기로
       했어.

이연   데려다 줄까?

지아   괜찮아, 이따 집에서 봐. (눈 찡긋) 이쁘게 하고 와.

지아가 먼저 자리를 뜨면, 세 사람 사이에 어색한 기류 흐른다.

재환   (작가와 함께) 그럼 저희도 이만.

이연   앉아.

작가, 재환   (눈치 보다가 앉으면)

이연   노하우가 필요해. (민망해서 소리 작아지는) 부모한테 이쁘게 보일.

#24   지아의 집 (낮)

지아 아빠가 능숙하게 음식을 만들고, 지아가 옆에서 보조를
한다. 엄마는 단정하게 차려입고 화병에 꽃을 꽂는다.
오랜만에 들뜨고 분주한 분위기.

#25   옷가게 (낮)

탈의실에서 이연이 옷 갈아입고 나온다. 칼 같은 슈트에 나비
넥타이.
작가와 재환, 머리에서 발끝까지 점수를 매기듯 꼼꼼하게 훑
는다.
재환은 괜찮은데, 작가가 고개를 절레절레 흔든다.
이연이 귀찮은 얼굴로 탈의실 들어간다.
두 번째는 아까와 딴판인 아방가르드 의상. 작가가 인상을
'팍' 구긴다.
세 번째, 포멀한 차림에 작가가 만족스럽게 끄덕. 재환이 향
수 뿌려 준다.
이연을 거울 앞에 세워 두고, 양쪽에 붙어 서서.

작가   주의 사항 알죠?
이연   반말하지 말고, 화내지 말고.
작가   어른들 묻는 말엔 구구절절 하지 말고, 무조건 솔직 담백하게.
이연   (살짝 긴장한 얼굴로, 머리에 새기듯) 무조건 솔직하게…
재환   '초대해 주셔서 감사합니다. 이건 제 작은 성의입니다.' 최소
       홍삼, 도라지 정과, 한방 화장품!

구미호뎐   제12화 꼬리잡기 놀이

이연	가능하면 내 재력을 과시하란 말이군.

#26   지아의 집 / 앞 (밤)

그날 저녁, 이연이 살짝 긴장한 얼굴로 벨을 누른다.
지아와 부모가 반갑게 이연을 맞는다.

지아	왔어? (부모에게) 어제 봤지?
이연	정식으로 인사드릴게요. 이연이라고 합니다.
엄마	반가워요. 겸사겸사 밥이나 한 끼 먹자고 불렀어요.
아빠	들어가지.
이연	잠시만요. (아까 외웠던 대사) 초대해 주셔서 감사합니다. (주머니에서 '차 키' 꺼내 들고) 이건 제 작은 성의입니다.
아빠	열쇠??

이연이 열쇠 누르면 '삑-' 소리.
잘 빠진 신차가 리본 달고 서 있다.

이연	저도 애용하는 모델입니다. (아빠에게 차 키 건네고) 편히 쓰십시오. (하고, 당당히 집안으로 먼저 들어간다)
엄마, 아빠	(집들이 선물로 신차라니, 당혹스러운 얼굴로 지아를 보면)
지아	(애써) 하하… 사람이 좀 호탕한 편이야.

다함께 식사 중이다. 불고기, 잡채, 김밥, 각종 전, 해물탕 등 집들이 음식.

아빠   오랜만에 만들었는데, 찬이 입에 맞나 모르겠네.

이연   (잡채 먹다가 진지하게) 솔직히 말씀드리면 제 입엔 안 맞네요. 잡채 간이 좀 셉니다. (지아가 옆구리 쿡 찌르면) 왜??

지아   (아빠 달래듯) 난 맛있어. 다 맛있어!!

아빠   (섭섭함 감추며) 참 솔직한 친구네.

이연   (칭찬인 줄 알고, 뿌듯)

엄마   나이는 몇이에요?

이연   들으면 놀라실 겁니다.

엄마   몇 살이길래?

이연   제가 이래 보여도 두 분 보다는 훨씬 (지아가 발을 '꽉!!') 아…

지아   한국 나이 서른여섯이야. 외국 생활 비슷한 걸 오래 해서.

엄마   어머 유학했어요? 이이랑 나도 유학 시절에 만났는데.

아빠   그럼 대학도 외국서 나왔나?

이연   저 대학 안 나왔는데요?

아빠   (살짝 당황했지만) 뭐 꼭 대학을 나와야 되는 건 아니지.

이연   (태연히 밥 먹으면서) 고등학교도 안 나왔는데.

아빠   !!!!

엄마   (걱정스레) 그럼 직장은?

이연   딱히 없습니다.

'엿 됐다.' 지아가 고개를 푹 숙인다. 그제야 뭔가 잘못됐다는 걸 안 이연. 다들 침묵 속에 묵묵히 젓가락질만 하는데.

이연	아버님 대학 교수, 어머님이 의사시죠?
엄마, 아빠	(보면)
이연	지아는 우리나라 최고 대학교 나온 방송국 피디고.
지아	(또 뭔 소리를 할까 조마조마한데)
이연	이렇게 보니까 저 내세울 거 하나도 없네요. (담담한 진심으로) 그래도 뭐라고 저 이 친구가 참 좋아요.
지아	!!!
엄마	우리 지아 어디가 좋은데?
이연	음… 저는 두 분이 상상하는 것보다 훨씬 많은 일들을 겪으며 살았어요. 꽤 독한 세월이었죠. 이상하죠? 지아 옆에 앉아서 먹는 밥 한 끼가, 가족이 된 거 같은 이 따뜻한 착각이, 그냥 미치도록 위로가 돼요.
지아	(그런 이연을 먹먹하게 보다가) 나도 그래. 엄마 아빠 없는 이 집에서 혼자 악을 쓰듯이 살았는데 이연을 만나고 알았잖아. 사람은, 기댈 수 있는 누군가의 그늘에서 살아가는 거구나. 나도, 그런 사람이 돼야지.
엄마	(그런 둘을 번갈아 보며, 따뜻하게) 잘 컸네. 두 사람 다.

엄마 아빠의 얼굴 한결 누그러졌다. 이연과 지아가 서로를 보며 미소 짓는다.

식당에 손님들 밥을 먹고 있다. 재잘대는 사람들 말소리.

아까 이연이 앉았던 자리에, 혼자 온 남자 손님 하나 눈에 띈

다. 이무기다!!

우렁각시   (주문서 들고 가서) 뭐 드릴까요?

이무기   주문하기 전에… (귀가 따가운 듯) 좀 시끄럽지?

우렁각시   네??

이무기   (손님들 둘러보며, 나른한 목소리로) 졸려 죽겠다. 자고 싶어.

순간, 식당의 소음 '뚝' 끊긴다!

밥 먹던 모습 그대로, 손님들 그대로 잠이 든다!

누군지 알았다! 우렁각시 곧장 뛴다! 그 바람에 손님상의 접

시 '와장창' 깨진다!

하지만 이무기, 순식간에 우렁각시 눈앞에 서 있다!

이무기   우렁각시, 맞지?

우렁각시   (불안해진 얼굴로) 여긴… 왜 왔어?

이무기   맞춰 볼래? (놀리듯 빤히 보다가) 밥 먹으러 왔어. 주문이나 받아.

우렁각시   (사실일까 아닐까) 그게… 메뉴는 뭘로.

이무기   이연은 여기서 뭘 주로 먹니? (뭐라 말하기도 전에) 같은 걸로 줘.

이연이 즐겨 먹는 메뉴.

지아의 집 (밤)

지아가 과일을 챙겨서 거실로 나간다.

이연과 부모, 어느새 옛날 앨범을 보며 수다를 떨고 있다.

한쪽에 서서 잠시 지켜본다. 지아에게도 꿈같은 장면이다.

아빠	이게 지아 백일 때.
이연	귀여워! 어쩜 이렇게 손발이 작죠?
아빠	조그만 게 벌써 성깔이 보통 아니었어.
이연	누구 닮은 겁니까?
엄마	난 아니다?
아빠	이럴 땐 찔리는 쪽이 범인이지. 성격은 이 사람, 얼굴은 날 닮았어.
엄마	(살짝 꼬집는)

자신에게는 없는 미래다. 이연의 얼굴 쓸쓸해진다.

지아가 냉큼 옆에 앉으며.

지아	(부러 밝게) 딸 과거 사진 그렇게 함부로 공개해도 돼?
이연	눈 씻고 찾아봐도 넌 흑역사가 없더라.
지아	나야 나.
아빠	이 사진 보고도 그 소리가 나올까?

유치원 무렵, 지아가 오만상을 쓰고 우는 사진.

'아빠!!' 지아가 급히 사진 빼앗는다.

이연이 웃는다. 한 번도 가져 본 적 없는 여느 가족의 평범한 일상 속에서.

#30   **한식당 우렁각시 (밤)**

이연이 먹던 '떡갈비' 상에 올랐다. 우렁각시가 긴장한 얼굴로 지켜본다.

이무기가 젓가락을 들어 살짝 맛을 본다. 오래 씹고 음미하더니.

이무기   솜씨가 좋구나?

우렁각시   !!! (떨리는 목소리로) 대체… 이연님을 노리는 이유가 뭐야? 억겁의 세월을 고독 속에 살았는데, 이제 겨우 좀 행복해지려는데. 대체 왜?

이무기   우렁각시 설화도 전승에 따라 다양한 변주가 존재하지. 그래도 말이야, 끝이 비극이란 점은 안 바뀌어. 이연이랑 나도 그래. 이건 '우리 둘 중 하나가 죽어야' 완성되는 이야기야. (우렁각시 팔을 꽉 잡고) 지금부터 내 얘기 잘 들어. 너 말이야. (하며, 신주 때처럼 귀에 뭔가 속삭인다)

우렁각시   (눈빛 묘연해지면)

#31   **이랑의 집 / 앞 (밤)**

잠시 후. 유리가 집으로 향하는 길. 지나가던 남자와 어깨를 '툭' 부딪친다.

구미호뎐   제12화 꼬리잡기 놀이

'아!' 짜증스럽게 쳐다본다. 그 얼굴, 이무기다!!

'죽이고 싶어.' 중얼거리며 스쳐 가는 이무기!

유리의 눈에서 초점이 사라진다!

#32   이랑의 집 (밤)

'왔니?' 이랑이 기분 좋게 유리를 맞는다.

그런데! 곧장 머리에 꽂은 비녀를 뽑아 들고, 이랑의 몸을 '푹 푹' 찌르는 유리!

#33   커피 전문점 (밤)

창가 자리에 앉아서 커피를 마시는 이연과 지아.

지아   항상 아메리카노만 먹디니 웬일로 카페라떼?

이연   기억하려고. 다시 오지 않을 거 같은 오늘. 살다 보니 쌉쌀한 내 인생에 부드러운 라떼가 섞일 때도 있더라고.

지아   (미소로) 그렇게 좋았어?

이연   가족 앨범 보면서 잠깐 상상했어. 나도 결혼이란 걸 하고, 언 젠가 우리 닮은 아이도 낳고, 한강에 돗자리 깔고 누워서 내가 만든 김밥을 먹고, 먹다가 부부 싸움도 하고… (먹먹하게 웃으며) 싸우면 내가 지는데. 그러다가 절대 늙지 않는 내 머리에 흰머리도 소복이 돋아나고, 그래도 내 옆에는 네가 있고… 내가 사람이면… (목 메였다가) 평범한 사람이면 얼마나 좋을까.

지아	(아프게 보다가) 인생, 다시 쌉쌀한 맛이야? 중화시켜 줄게, 손 쥐 봐.
이연	??

손 내밀면, 이연의 약지에 '반지'를 끼워 준다.

이연	(손 펴서 보고) 뭐야?!
지아	(자기 손에 같은 반지 보여 주며) 짠!!
이연	(감동해서) 커플링이네! 내가 사 주려고 했는데….
지아	충분히 받았어. 너한테 받기만 했어. 마음에 드니?

이연이 반지 낀 손을 뻗어 지아의 뺨을 어루만진다.
그녀의 눈, 코, 입… 어쩌면 다시 못 올 이 순간을 가슴에 새기듯 보며.

#34	이랑의 집 (밤)

유리 발치로 무너지며 '네가 왜…' 충격을 감추지 못하는 이랑이다!!
이랑 쓰러지면! 그제야 유리에게 걸린 암시 풀린다!
피 묻은 자신의 손과 이랑을 번갈아 보며!

유리	(충격으로) 아니야!! 내가 한 게 아니야… 아니야!!!!

대저택 (밤)

이무기가 턴테이블 앞에서, 클래식 LP를 닦고 있다.
소년같이 고요하고 맑은 눈에 슬며시 미소가 서린다.

#36   이랑의 집 (밤)

신주가 응급 처치 끝냈다. 이마에 구슬땀 맺혀 있다.
심각하게 지켜보고 있던 이연에게 고개를 살짝 저어 보인다.
중태다. 한쪽에서 유리, 미쳐 버릴 것 같은 얼굴로 손톱을 물
어뜯고 있다.

신주   어떻게 된 거야?

유리   (횡설수설) 내가 그랬어. 내가… 내 손으로 이랑님을… 내가 미
          쳤지!

이연   (그 말에, 매섭게 유리 돌아본다)

신주   유리 씨가 대체 왜?!!

유리   나도 몰라… 내가 왜 그랬지?! 진짜 모르겠어!

신주   차분히 생각해 봐.

유리   이랑님 전화를 받고 오는 길에… 집 앞에서 어떤 남자랑 어
          깨를 부딪치고… (하다가, 멈칫) 그 남자가 죽이고 싶다 그랬나.
          그러고는 기억이…

신주   어떤 남자야?!

이연   이무기.

신주, 유리   !!!!

이연	이무기일 거다. 네가 본 그 남자. 너한테 암시를 걸어서 생각을 조종한 거야. 우연이 아니라, 작정하고 널 찾은 거고.
신주	이무기가 유리 씨를 왜요?!
이연	경고하고 싶었겠지, 나한테. 하나를 얻으면, 다른 하나를 잃는다. 아무도 안 믿는 이랑이, 경계하지 않는 유일한 인물을 이용해서.
유리	(고통스럽게 일그러지는)
이연	그래서 너같이 어리고 약한 여우한테 무방비하게 당한 거고.
신주	나쁜 자식! 내 당장 그놈을 그냥!!
이연	네가 상대할 수 있는 놈이 아냐.

신주가 분노로 씩씩댄다. 충격과 죄책감으로 어쩔 줄 모르는 유리.

유리	어떻게 되는 거야? 살 수 있는 거지?!
신주	출혈은 막았는데, 호흡이 너무 약해. 맥박도 거의 안 잡히고.
유리	그래서?!
신주	체력이 너무 떨어진 상태라, 지금으로선 지켜보는 수밖에…
유리	제발 어떻게 좀 해 봐!!
신주	(이연에게 조심스레) 꽈리는요? 우리한테 꽈리 있잖아요.
이연	삼도천 할멈 갖다 주기로 했어.
유리	몇 개만 쓰고 주면 되잖아!!
이연	꽈리 하나하나가 사람들 목숨이야. 이랑 살리자고 사람을 죽이라고?

유리	죽이면 좀 어때? (울며) 난 할 거야! 내가 하면 되잖아!
신주	(안타까운 마음에) 이연님. 이랑님 생사가 달린 문제잖아요.

간곡한 신주와 우는 유리 앞에 두고, 갈등하는 이연!

#37 대저택 (밤)
그런 이연의 속내를 훤히 안다는 듯이.

이무기(N)	넌 사람을 죽일 수 없지. 허나, 그 금기를 어기지 않으면, 이랑은 못 깨어나. 이번에는 어떤 선택을 할래? 이연.

#38 이랑의 집 (밤)
의식 없는 이랑을 바라보는 이연의 눈빛, 흔들리고 있다.

유리	어디야? 꽈리 어디다 뒀어?
이연	(잠시 고민하다가) 우리 집.
유리	그래? (서둘러 나가려는) 가자!
이연	(앞을 가로막는) 못 가.
유리	뭐?!
이연	계속 마음에 걸렸어. 왜 지아 부모 빼고는 사람 모습으로 돌아오지 않는 걸까. 마치 꽈리를 쓰라는 듯이.
신주	설마! 이연님을 시험하려고?!

이연	금기를 어기고 사람을 죽이면, 난 지옥으로 끌려가. 짧게는 며칠, 길게는 몇 주, 지아 옆에서 멀어진다. 그놈은 '내 부재' 를 기다리고 있는 거야.
신주	!!!!!!
이연	꽈리는 쓰지 않는다. 이무기부터 잡을 거야. 내 동생도, 내 방식으로 살릴 거고.

유리가 작은 주먹으로 이연의 등을 '퍽-' 친다!

| 유리 | 내놔! (퍽퍽!) 당장 내놓으라고! |

그런 유리를 뒤로 하고, 방을 나서는데.
뭔가에 허리께를 부딪친다. 자다 깨서 눈 비비고 선 수오다.

이연	이건 또 뭐야?
수오	(반갑게) 어? 구미호 아저씨다!!
이연	(1화의 만남 기억났다) 코 흘리는 소년? 네가 왜 여기 있니?!

남의 속도 모르고, 실실 웃으며 코를 들이 마시는 수오.

#39   포장마차 (밤)

우렁각시가 포장마차에서 화끈하게 소주 들이켠다. 의외의 면모에 팀장이 외려 긴장했다. 공연히 닭똥집 접시만 뒤적뒤적.

우렁각시	(오늘 일진 사납다. 소주잔 탁 내려놓고) 최 팀장, 내가 만만해?
팀장	만만이라뇨. 절대요!
우렁각시	근데 왜 나한테 꽃 사고, 술 사고 지랄이야?
팀장	…지랄이었나요?
우렁각시	혼자 식당 하는 과부한테, 꽃이나 술이나 똑같이 '한 번 하자.' 그 이상도 이하도 아니거든?
팀장	되게 슬픈 문장이네요. 나한텐 꽃도, 술도 반짝 빛나는 단어인데. 같은 단어로 내가 혜자 씨를 이렇게 매섭게 벨 수도 있구나.
우렁각시	(살짝 누그러져서) 왜 나예요? 최 팀장 정도면 조건도 나쁘지 않고,
팀장	혜자 씨여야 해요. 내 눈엔 '혼자 식당 하는 과부'로 보이지 않으니까. 평범한 사람 아닌 거 같으니까.
우렁각시	('이 새끼 뭐지?' 싶은데) ?!!!!
팀장	나 진짜 궁금해요. 그 신비로운 눈 속에 뭘 그렇게 숨기고 있는지.

#40   이랑의 집 (밤)

유리가 이랑 옆을 떠나지 못한다. 신주가 걱정스레 그 모습 보며.

신주	유리 씨 눈 좀 붙여.
유리	그러지 말고, 네가 가서 꽈리 좀 달라고 해. 네 말은 들을 거 아냐!

신주	이연님 믿고 조금만 기다려 보자. 어떻게든 방법을 찾으실 거야.
유리	나쁜 놈. 피도 눈물도 없는 놈. 누구 때문에 이랑님이 이렇게 됐는데…
신주	(달래며) 엄밀히 말하면 이연님 때문은 아냐. 이무기랑 얽히면 화를 입는다고, 이랑님한테 여러 번 경고하셨어.
유리	넌 누구 편이니?! (이랑한테 매달려서) 이랑님…

유리가 또 운다. 신주가 가슴 아파서 어쩔 줄 모르는데.
언제 나타난 걸까. 수오가 우유 '쪽쪽' 마시며 두 사람을 지켜
보고 있다.

수오	(이랑을 보고) 아저씨 아파요?
유리	나가!
신주	(데리고 나가는) 수오야, 형이랑 가 있자.
수오	(이랑 가리키며, 신주에게 작게) 저 아저씨도 구미호예요?
신주	(!!!!) 누가 그래?!
수오	아까 그 아저씨 동생이잖아요. 그 아저씨 구미호예요.

#44 이연의 집 / 지아 방 (밤)

이연이 홀로 독주를 홀짝이고 있다.
그 시선에, 거실 한 구석의 '꽈리 화분' 보인다.

구미호뎐 제12화 꼬리잡기 놀이

#42   이랑의 집 (낮)

유리가 서툰 몸짓으로 이랑의 붕대를 갈고 있다. 새 붕대가
엉망진창으로 엉킨다. 이랑은 죽은 듯 쓰러져 있고, 간호는
마음대로 안 되고, 이래저래 미칠 지경.

유리   (구급상자에서 들었다 놨다) 소독약이 뭐더라? 아이씨.

수오   (불쑥 나타나서) 이거요.

유리   잘난 척 하지 마. (하고, 상처에 소독약 콸콸 부으면)

수오   그렇게 하는 거 아닌데.

유리   네가 뭘 알아?

수오가 거즈에 소독약을 묻혀서 능숙하게 상처 닦아 낸다.
엉망으로 펼쳐 놓은 붕대도 적당한 크기로 자르고.

유리   너 뭐야?!

수오   새아빠가 때리면 엄마 아파요. 내가 엄마 이케이케 해 줘요.

유리   (잠시 생각하고) 그래? 그럼 너 이거 하고 있어. (일어나며) 이랑님
한테 무슨 일 생기면 죽는다.

수오   아줌마 어디 가요??

#43   이연의 집 (낮)

빈 집에 초인종 소리 들린다.
이어 유리가 주인 없는 집에 들어선다.

꽈리를 찾아서 두리번. 꽈리 화분이 집 한복판에 떡 하니 놓여 있다. 잠시 망설이더니 '이랑님, 내가 살려 줄게요.'
꽈리 대여섯 개 매달린 가지 하나를 통째로 꺾는다.

#44   **거리 (낮)**

달뜬 얼굴로 차를 몰고 내달리는 유리!
그런데! 조수석에 둔 꽈리를 보고, 눈에 띄게 당황한다!
꽈리 한 송이, 까맣게 변해서 먼지처럼 바스라지기 시작한다!
다급히 손을 뻗어 보지만, 이미 사라지고 없다! 이어 또 다른
꽈리, 바스라진다!
'안 돼!!' 다급히 외치며 엑셀을 쭉 밟는다!!
그 사이, 두 번째 꽈리도 사라져 버린다!

#45   **이랑의 집 (낮)**

유리가 방으로 뛰어든다!
'마지막 꽈리'를 막 이랑의 몸에 얹으려는 순간!
까맣게 변해서 사라져 버리는 꽈리!!
절망으로, 주저앉아 서럽게 우는 유리다!

#46   **이연의 집 (밤)**

이연과 신주, 꽈리 화분 앞에 두고 마주 앉았다.

신주	(죄인마냥) 용서하세요. 제가 유리 씨 말렸어야 했는데.
이연	기껏 훔쳐 갔는데 다 시들어 버렸다고?
신주	네, 이랑님은 아직 차도가 없고요.
이연	꽈리 도둑 잘 지켜봐라. 걔 그러다 사고 한번 치겠다.
신주	죄송합니다. 남은 꽃은 가면서 제가 삼도천 어르신 갖다 드릴까요?
이연	아니.
신주	그럼??
이연	아직은 아냐. (차갑게 웃는) 나도 지금 '꼬리잡기 놀이' 중이거든.

잠시 후, 신주가 이연의 집을 나선다. 현관 앞에 '사장'이 와 있다. 나가는 신주와 스쳐서 사장 들어온다.
꽈리 화분은 보란 듯이 테이블 위에 놓여 있고.

이연	1박 2일을 12년 같이 보낸 꼬라지네?
사장	모르겠어. 그놈을 피해서 어디로 가야 될지. 난 이미 죽은 목숨이야.
이연	죽어도 싸지. 나라도 가만 안 둬. 오른팔이란 게 사고 쳐 놓고 잠수까지 타면.
사장	(비굴하게) 살려 다오. 시키는 건 뭐든지 할게, 제발 꽈리만…. (손 뻗는) 내 꽈리! (불안한 눈길로 꽈리 흘끔대며) 원하는 거 말만 해!
이연	이무기 잡는 데 협조해. 네가 가진 정보의 가치에 따라, 꽈리 개수가 달라질 거야.
사장	(정신없이) 뭐든! 뭐든지 다 말할게!!

이연	(속 헤아리듯 보다가) 근데, 내가 네 말을 어떻게 믿지? 이랑으로 둔갑해서 옆에서 보니까 인생이 간잡이 그 자체더만.
사장	날 못 믿는 것도 이해가 돼. 나라도 그럴 테니까. 근데, 나도 원해서 한 짓은 아냐.
이연	이제 와서?
사장	살고 싶었어. (울컥) 살고 싶었을 뿐이야! 그 옆에서 구차하게 목숨을 부지하고 있지만, 나도 사람이야! 한때는 평범한 사람이었다고! 그놈한테 가족을 잃었어. (눈물 그렁해서) 할 수만 있으면, 복수하고 싶었어. 한 번만 기회가 있다면, 새 사람으로 살아 보고 싶어.

고개 떨구고 눈물 '툭툭' 쏟아 내는 사장이다.
조금 짠한 듯 그 모습 보다가.

| 이연 | (상냥하게) 고개 들어. |

눈물범벅 된 얼굴을 들면, 이연이 '철썩-' 뺨을 친다!!
놀란 사장이 제 볼을 감싸 쥐기 무섭게, 멱살을 쥐고 그 품에서 뭔가를 낚아챈다! 권총이다!!

이연	이런 거 들고 와서 질질 짜면, 진정성이 느껴지겠어 안 느껴지겠어?
사장	!!!!!!
이연	어쭈? (총구 냄새 맡으며) 묘지의 달맞이꽃까지 발라 놨네?

사장	(표정 싹 바뀌어서) 어떻게 알았어?
이연	원래 사람, 잘 안 바뀌잖아.
사장	보기보다 꽤 스마트하구나, 너?
이연	(총 들여다보며 쯧쯧) 근데 이런 걸로 내가 죽겠니?
사장	총알, 안 들었어.
이연	(열어 보면 그 말대로 탄창 비어 있다)
사장	확인해 보고 싶었을 뿐이야. 희대의 산신이었다는 자가, 내 눈물을 믿을 만큼 멍청한 놈인지 아닌지. 멍청이한테 내 목숨 내맡길 순 없잖아.
이연	(씨익 웃는) 이제야 좀 말이 통하겠네.

#47   방송국 / 사무실 (밤)
작가와 재환이 노트북과 각종 설화집 쌓아 놓고, 알바 중이다.

재환	이무기에 대한 기록은, 제일 유명한 '제주도 김녕사굴 전설'부터 묘하게 패턴이 비슷하네요? 지역도 다르고, 전승 시기도 다른데, 전부 '끝'이 되게 찝찝하달까.
작가	그러게. 아리따운 처녀가 제물로 바쳐지면, 어디선가 용사가 나타나서 천신만고 끝에 이무기를 물리쳐. 근데 절대, 해피엔딩은 아니란 말이지.
재환	죽어라 이무기를 물리쳤는데, 제물로 바쳐진 '처녀가 죽거나, 용사가 죽거나' 둘 중 하나예요.
작가	심지어 김녕사굴 주인공은 검으로 이무기를 찔러 죽였는데,

'죽은 이무기'한테 살해당했다고 나와.

재환   한 놈이 아닌 게 아닐까요? 이무기가 처음부터 '두 마리'였던
거죠.

#48   방송국 / 복도 (밤)
같은 시각, 인적 없는 방송국 복도에 나타난 이무기!!
여유 있는 걸음으로, 사무실 향해 가고 있다!

#49   이연의 집 (밤)
이연과 사장의 얘기 계속되고 있다. 탐색전은 끝났다.

이연   어때? 네 대답이 마음에 들면 (화분을 툭) 화분 통째로 주마.

사장의 눈빛, 교활하게 번득인다!! 이내 바짝 몸을 들이대고,
목소리 낮춰서.

사장   이건 진짜 나밖에 모르는 건데… 섬에 있던 무당 계집이 그
러더라. 놈은 죽지 않는다고. 그저 잠들뿐.
이연   그건 나도 대충 알아. 재우는 방법이 문제지.
사장   깨우는 거랑 똑같아. 왜 기억 안 나? 놈이 깨어난 그 우물 말
이야.
이연   알아듣게 말해. 우물에다 처넣으라고?

사장	아니, 물이 있는 곳이면 어디든 상관없어. 중요한 건 '재료'지.
이연	재료??

이하, 사장 대사에 맞춰.

3화 56씬 우물로 걸어가는 마을 주민들 /

3화 48씬 지아 손에 피 /

3화 53씬 우물로 씻겨 내려가고 /

3화 50씬 이연이 무당에게 벼락을 내리던 장면, 차례로 보인다.

사장	산 사람의 육신과 제물의 피. 그리고 신에 가까운 존재의 힘.
이연	산신인 내 힘?!
사장	그래, 네가 바로 그놈을 깨운 마지막 재료였으니까.
이연	!!!!!!

#50	**방송국 / 사무실 (밤)**

작가가 노트북 붙들고 머리 싸매고 있다.

작가	이무기랑 싸웠단 기록은 많은데, 정작 공격 아이템이 안 나오네.
재환	저 하나 찾았어요!
작가	뭔데?
재환	'울소의 구렁이 설화'요. 이 주인공이 늪에 사는 이무기랑 싸우는데, 말피를 몸에 바르고 싸웠대요. 이무기가 말피를 싫어하나 봐요.

작가	오, 일단 그거라도 보내 줘라.
재환	(이연에게 문자 쓰면서) '이무기는 말피를 싫어한대요.' (^^ 쓰다가)
	작가님, 이모티콘 붙일까요, 말까요? (대답 없자) 예?

작가는 답이 없다! 재환이 고개 들고 보면 굳어 버린 작가!
그리고 그들 눈앞에 '이무기'다!!
얼어붙은 자세 그대로, 손가락만 몰래 움직여 메시지 전송 버
튼 찾는 재환!

#51	이연의 집 (밤)
	잠시 굳었던 이연, 이내 코웃음을 치며.

이연	별 거 아니네? 세 가지 재료랑 물만 있으면 된단 거잖아.
사장	문제는 그놈이 '나 잡아 재워라.' 순순히 당하고 있겠냐는 거지.

이연이 생각에 잠기는데, 문자 메시지 수신되는 소리.
문자 내용 확인한다.
재환의 문자 내용, '이무기는 말피를 싫어한대요.'

이연	(문자 확인하고) 순순히, 당하게 만들어 주지 뭐. (하더니, '가위' 집어
	들고 사장에게 다가간다!!) 그런 의미에서…
사장	뭐 하자는 거야?!!
이연	쏘리. '산 사람의 육신'이 필요해.

기함한 사장 얼굴에서 시간 경과되면.

혼자 남아서 통화 중인 이연의 손에 '사장의 머리카락'!!

꽈리 화분도 사라졌다!

#52　　　　내세 출입국 관리 사무소 (밤)

현의옹이 이연과 통화 중이다. 노파가 관심 없는 척 귀 기울이

고 있다.

현의옹　　꽈리 화분은 우리가 직접 수거하라고? 오냐, 그건 나한테 맡

　　　　　겨라. (듣고, 반갑게) 뭐? 그게 정말이냐?! 그래 그래, 몸조심하고.

노파　　　(끊으면) 뭐래?

현의옹　　이무기, 잡을 수 있다고. 그놈 수하한테 꽈리 내주는 척 하고

　　　　　뭔가를 알아냈나 봐. 꽈리는 내가 가서 압수해 올게.

노파　　　(어두운 얼굴로) 안 돼.

현의옹　　안 된다니? 그럼 꽈리 내줘?

노파　　　(불안스레) 아니, 연이. 연이는 이무기 못 잡아.

현의옹　　그게 무슨 소리야?

노파　　　이연이니까. 우리가 아는 연이라서 절대, 할 수 없는 일이라고.

현의옹　　?!!!!

#53　　　　이랑의 집 (밤)

그날 밤. 이연, 의식 없이 누워 있는 이랑을 아프게 내려다본다.

아귀의 숲에서 울먹이던 이랑 모습 스쳐 간다.

플래시백

'쫄지 말고 생각해! 네가 제일 무서운 게 뭐야?!'
'난 내가 제일 무서운 건 버림받는 거. 엄마도 나를 버리고 너도 나를 버렸어.'

이연   (가만히 이랑 쓰다듬으며) 난 절대로 너 안 버려. 형이… 꼭 살릴게. 이무기는, 내가 잡는다.

#54   건물 옥상 / 지아의 집 (낮)
작가와 재환, 건물 옥상 끝에 아슬아슬하게 서 있다!! 금방이라도 추락할 듯! 뭔가에 홀린 것처럼, 두 눈에 초점이 없다! 동시에 지아, 핸드폰 영상 통화 화면으로 두 사람을 보고 있다.

지아   (다급하게) 재환아!! 김작!! 내 목소리 안 들려?!

하지만 두 사람 미동도 없다! 화면은 이무기로 바뀐다!

이무기   소용없어. 둘은 지금 암시에 걸렸거든.
지아   (미칠 듯한) 두 사람한테 손대지 마. 죽여 버릴 거야!
이무기   나랑 데이트 할래? 그럼 살려 줄 수도 있는데.
이무기   의상은 내가 고른 대로 입고 나와.

지아   뭐? (하는데, 전화 뚝 끊어진다) 여보세요! 야!!

엄마가 방문을 노크한다. 커다란 선물 상자 들고 있다.

엄마   문 앞에 네 이름으로 이런 게 와 있더구나.

상자 풀어 보면, 아름다운 드레스와 구두, 화려한 목걸이 들어
있다.

#55   **이연의 집 (낮)**
         지아가 이연을 찾아왔다. 눈물까지 그렁해서.

지아   어떡하지?! 김작이랑 재환이가 나 때문에… 나 때문에!! 경찰
         에 신고라도 할까?
이연   (눈물 닦아 주며) 무사할 거야. 내가 찾을게. 신주한테 연락해 놨
         어. 두 사람 냄새를 따라가 보라고. 그러니까 넌 그놈 만날 필
         요 없어.
지아   (잠깐 생각하고) 아니. 나갈 거야. 만날래. 그놈 잡자, 오늘.
이연   !!!!!

그 말대로 어쩌면 오늘이 기회다. 이연의 눈빛도 서늘하게 빛
난다.

#56   고급 레스토랑 (낮)

손님 없는 고급 레스토랑에 이무기 혼자 앉아 있다.
그의 선물로 풀 세팅한 지아 들어온다. 젠틀하게 의자를 빼
주는 이무기.

이무기   잘 어울려. 드레스도 목걸이도 전부.

지아   (차갑게) 앞으론 이력서 취미란에 독서 대신 인형놀이 적어.

이무기   난 네가 그런 식으로 말할 때 표정이 참 좋아.

지아   밥이나 먹자. (하고, 기계적으로 식사 시작한다)

이무기   보고 싶었어.

지아   하아… (쳐다보지도 않고) 밥 먹을 땐 개도 안 건드린다는데.

이무기   나한테, 좀 더 친절하길 바라.

자신의 핸드폰 올려놓는다. 작가, 재환을 비추는 핸드폰!
지아, 전화기 너머 그들을 위태롭게 본다!!

이무기   (핸드폰 엎어 놓으며, 작게) 내 말 한마디면 진짜 날아가.

지아   (소름 끼쳐서) 왜 나야?

이무기   너라면, 내가 진짜 갖고 싶은 걸 찾아 줄 수도 있을 거 같아서.

지아   ('무슨 뜻일까.') 진짜, 갖고 싶은 거?

이무기   나만 갖지 못한 거. 어쩌면, 날 때부터 잃어버린 것.

마치 남 애기하듯 담담하게.

이무기	옛날 옛날에 말이야. 신라의 한 이름난 진골 가문에 9번째 아들이 태어났어. 갓난아이는 우는 소리 한 번 안 냈는데, 그 어미가 서러이 울었다지. 아기의 팔다리는 꼭 퇴화된 뱀처럼 우묵했고, 눈도, 귀도, 심지어는 목청도 성한 데 하나 없는 괴물이었거든.
지아	(!!!) 그 애는… 어떻게 됐어?
이무기	귀족인 아비는 그 끔찍한 핏덩이를 제 손으로 없애 버리려 했는데, 산파가 말렸대. 저주받을지도 모른다고. 덕분에 아이는 고운 문갑에 갇혀서 살았어. 먹이를 던져 주는 산파 말고는 부모 형제, 아무도 찾지 않았대. 울지 않는 아이는 잊히는 법이야.
지아	(충격으로) 너도. 괴물이 아니고, 사람이었구나.
이무기	역병 환자들의 굴에 던져졌어. 그리고… '먹혔다.'
지아	!!!!!!!

#57   한식당 우렁각시 (낮)

이연이 우렁각시네 주방에 와 있다. 우렁각시가 말피를 구해 왔다. '이게 말피야?' 하고, 피 찰랑거리는 양동이에 이연이 두 손을 담근다.
붉게 물든 제 손, 서늘하게 보는 이연의 모습에서.

#58   고급 레스토랑 (낮)

지아와 이무기의 대화 계속된다.

이무기   세월이 흘러 역병 환자들의 무덤이 돼 버린 동굴에서 '새하얀 뱀' 한 마리가 기어 나왔는데, 사람들은 그것을 이무기라 부르며 불길히 여겼다는, 그저 그런 얘기야.

지아   답을 알았어. 네가 진짜 갖고 싶어 하는 거.

이무기   (보면)

지아   사람의 마음.

이무기   (싱긋) 찾아 줄래?

지아   내가… 싫다면?

이무기   죽일 거야. 이연을 죽이고, 너한테 소중한 사람들을 죽이고, 그 다음엔 너를.

지아   (굳는)

이무기   그리고 나면 세상에 역병이 돌 거야. 아무도, 감히 행복하지 못하게.

#59   건물 / 옥상 (낮)
       초점 없이 옥상 끝에 서 있는 작가와 재환 모습, 아슬아슬하다!!

#60   방송국 / 복도 (낮)
       신주가 지아네 사무실 앞부터, 냄새를 좇아 작가와 재환의 흔적 따라간다. 손에 작가의 사무실용 슬리퍼 한 짝 들려 있다.

구미호뎐   제12화 꼬리잡기 놀이

#61	방송국 / 앞 (낮)

신주가 빠르게 걷고 있다. 길에서 온갖 냄새 흘러들어 온다.
혼란스러운 듯 멈춰 서서 주위를 살핀다.
잠시 심호흡을 하고, 작가의 슬리퍼 냄새 다시 확인한다.
그리고 공기의 냄새 맡아 본다. 찾았다. 다급히 그 방향으로
걸음을 옮긴다.

#62	공원 (밤)

지아와 이무기가 인적 끊긴 공원을 걷고 있다. 일부러 이곳으
로 유인했다.

이무기	밤공기 좋다. 그치?
지아	('이연은 어디쯤일까.' 불안스레 주위 살피는) 응.
이무기	누구 기다려?
지아	아니.
이무기	난 아직 대답을 못 들은 거 같은데? 네 마음.
지아	(잠깐 생각하고, 솔직하게) 미안하지만 잔액이 없어. 내 마음은 십 원 한 장까지 다 털어서 전부 줘 버렸거든. 이연한테.
이무기	이연이 너한테 뭐길래?! (지아 어깨 꽉 그러쥐고) 응?!! (분노로) 말해!

그 순간! 이연이 기다렸다는 듯 어둠 속에서 모습을 드러내며!!

이연	놔라. 손모가지 날려 버린다.

이무기	!!!!!!

#63　　　**건물 (밤)**

신주가 신중하게 코를 킁킁대며 문제의 건물 찾아왔다. 옥상 올려다본다. 까마득한 높이에 작가, 재환으로 보이는 사람의 형체! 곧바로 건물로 뛰어 들어간다!

#64　　　**공원 (밤)**

이무기가 더없이 냉정한 눈빛으로 이연을 바라본다.

이무기	네가 끼어들 자리가 아냐. 우리 지금 데이트 중이거든?
이연	여기서부터는 나랑 데이트야.
이무기	(지아를 보며) 약속을 어기는 건 별론데. (하며 전화기 꺼내 들면, 지아가 말리려고 손을 뻗는다!) (전화기에 대고) 날고 싶어.
지아	!!!!!!!

#65　　　**건물 / 옥상 (밤)**

작가와 재환이 막 허공으로 발을 떼는 그 순간! 신주가 뒤에서 두 사람을 낚아챈다! '잡았다' 외친다! 나뒹구는 세 사람!!

구미호뎐　　제12화 꼬리잡기 놀이

#66	공원 (밤)

핸드폰 영상을 본 이무기의 안색 살짝 굳는다.

지아   날지는 못한 모양이네.

하자마자, 이연이 이무기의 목을 '꽉' 움켜쥔다!
그 힘에 떠밀려 한 발 뒷걸음질 치면, 얕은 물웅덩이다!
이연이 사장의 머리카락을 물웅덩이에 뿌린다!!

이연   자고로 이무기는, 뭍에 있는 것보다 물이 제격이지.

무슨 짓을 하려는지 알았다!!
당황한 이무기가 이연을 밀어내려 하지만, 몸에 힘이 안 들어
간다?!

이연   (왼손 보여 주며) 이거 말피야. 약점 알아낸다고 나 돈 좀 썼잖아.
지아   (눈썹 칼로 손바닥 긋고, 피 한 방울 떨어뜨리며) 이건 내 피야. (두 사람
으로부터 떨어져서, 마지막 인사) 우리 데이트는 여기까지.

그와 동시에, 이연이 하늘을 올려다본다! 마른하늘에서 '쾅!!'
벼락 내리친다!!

#67	내세 출입국 관리 사무소 (밤)

노파가 근심 어린 얼굴로 자리에서 벌떡 일어선다!!
'그게 아니야 연아… 그쪽이 아니야.'

#68   공원 (밤)
이연이 당황한 얼굴로 이무기를 마주 보고 있다!
아무 일도 일어나지 않았다!!

이연   왜지? 뭐가 잘못된 거지?
이무기   '술래'를 잘못 짚은 거지.
이연   뭐?
이무기   네가 찾는 그 이무기, 본체는 내가 아니거든.
이연   그럼?!!

이연이 돌아보면, 지아가 아까 손 살짝 벤 곳을 쥐고 신음하
고 있다!
'뜨거워… 몸이 너무 뜨거워!!!' 중얼거리며!
이무기를 잡은 손 뿌리치고, 지아에게 달려간다!
이무기는 어둠 속으로 사라진다!!

이연   왜 그래? 어디 아파?!
지아   뜨거워. 온 몸이… 뜨거워 죽겠어….
이연   (끌어안고) 괜찮아. 다 괜찮아질 거야. 제발….

그런데!! 한순간 지아의 신음 소리 '뚝' 멈춘다!
안고 있는 이연을 '슥' 밀어낸다!

이연 이제 안 아파? 나 좀 봐 봐.

하다가, 얼어붙는다!!
보면, 지아의 꿈에서처럼 그녀의 얼굴을 뒤덮은 비늘!!

지아 (아음이 이무기에게 씌었을 때와 똑같은 대사) 오랜만이야, 이연.
이연 !!!!!!!!!
지아 (비릿하게 웃으며) 여자는 '내 거'야.
이연 (피를 토하는 심정으로) 그 몸에서… (절규하듯) 나와!!!!

600년 전과 같이, 또 다시 '적(敵)'으로 마주한 이연과 지아의
비통한 모습에서!!

12화 끝

또
하나의
이무기

#1	공원 (밤)

'뜨거워. 온 몸이… 뜨거워 죽겠어…' 신음하던 지아가 이연을 밀어낸다.

이연	이제 안 아파? 나 좀 봐 봐. (하다가, 얼어붙는다!! 보면 그녀의 얼굴을 뒤덮은 비늘!!)
지아(이무기)	오랜만이야, 이연. (비릿하게 웃으며) 여자는 '내 거'야.
이연	그 몸에서 나와!!!!
지아(이무기)	기분이 어때? 600여 년 세월을 돌고 돌아, 사랑하는 여자와 또 이렇게 적이 되어 마주 보고 있는 기분이.
이연	(폭발할 것 같은 심정으로) 지아는? 지아 어디 있어?
지아(이무기)	여기. 내 안에 같이 있어. 비명을 지르고 있어. 속절없는 제 운명을 미워하면서.
이연	하나만 묻자. 아까 그놈은 뭐고, 너는 또 뭐냐?
지아(이무기)	너 때문이야. 그 섬 우물에서 이 여자, 제물로 바쳤으면 우린 처음부터 둘이 아니라 하나였을 거다. 때가 되면, 다시 하나

가 될 거고.

이연 　　　　　'그때'가 언젠데?

지아(이무기) 　　(싱글거리며) 네 몸으로 갈아타는 날?

이연 　　　　　(분노로) 니들은 왜 그렇게 징글징글하게 내 몸에 집착이냐? 니
　　　　　　　들끼리, 합쳐서 잘 먹고 잘 살면 되잖아.

지아(이무기) 　　그거 크는 속도 못 봤니?

이연 　　　　　혹시, 성장이 빠른 만큼 노화도 빠른 건가? (반응을 보고) 그게 네
　　　　　　　저주였구나?! 끊임없이 허물을 벗고, 잠들었다 다시 태어나는
　　　　　　　불완전한 몸뚱이.

지아(이무기) 　　딱 한 번, 운명을 바꿀 기회도 있었어.

이연 　　　　　용이 될 수 있었다면.

지아(이무기) 　　백두대간의 산신은 네가 아니라, 내가 됐겠지.

이연 　　　　　'복수'였어. 그래서 하고 많은 불사의 몸 중에 내가 타깃이었어.

지아(이무기) 　　참고로, 내가 튀어나온 이상, 이 여자는 곧 안녕이야.

이연 　　　　　죽여 버린다.

지아(이무기) 　　날 죽이려면, 이 여자 죽여야 돼. 여자를 살리면 이연, 네가 죽
　　　　　　　는다. 살릴래? 아니면 살래?

　　　　　　　그 말에, 이연이 모든 걸 내려놓은 듯이.

이연 　　　　　좋다. 내 몸을 갖고 지아를 놔줘.

지아(이무기) 　　(예상했던 바다. 씨익 웃는데)

이연 　　　　　이렇게 말하면, 지아는 분명 한심하다고 날 비웃을 거야. 승
　　　　　　　부욕이, 아주 지독한 타입이거든.

구미호뎐　　　제13화 또 하나의 이무기

지아(이무기)	(일그러지는)
이연	유감이지만 네가 제시한 보기 중에 '우리가' 원하는 건 없다.

하자마자, 지아(이무기)가 이연을 가격한다! 꽤 위력적이다!

| 지아(이무기) | 뭐라고 나불거려도 넌 이 몸에 손끝 하나 못 대! |

미동도 없이 고스란히 맞아 주는 이연. 그러다 한순간!

이연	약해.
지아(이무기)	뭐?!
이연	혹시, 그 몸에 있으면 약해지나?
지아(이무기)	!!!
이연	(놈이 움찔하는 것 놓치지 않고) 맞춰 볼까. 너의 힘과 능력은 대부분 지쪽 이무기한테 있어. 넌 그놈의 심장 같은 거고. 그래서 지아라는 방패가 필요한 거야. 네가 약하다는 걸 들키지 않게.

속을 들킨 듯 지아의 얼굴 그악스러워진다!
주위의 철제 펜스 뽑아 든다! 곧장 이연의 몸에 박아 넣으며!!

| 지아(이무기) | 니들은 운명을 바꿀 수 없어. |

그 옛날, 화살 맞았던 자리 중 하나다! 작게 신음하는 이연!

지아(이무기)	(지긋지긋한 듯) 너만 없으면 돼, 너만.
이연	(그런 지아 손을 잡고) 난… 너만 있으면 돼. 지아야.
지아(이무기)	(더 깊게 찔러 넣는다) 제발, 그 몸뚱이 내놓고 좀 죽어 주라.
이연	지아야, 듣고 있지?! 거기 있지?
지아(이무기)	닥쳐!!
이연	돌아와. 내가 항상 너를 기다리고 있으니까.

찰나, 지아 눈빛 흔들린다! 이연과 함께한 기억들 단말마처럼
스쳐 간다!
4화 엔딩에서 이연 '나도, 너를 기다렸어.'
7화 14씬 방송국 로비 '딴 건 몰라도 기다리는 건 이골이 난
놈이야. 24시간이 아니라 24년도 앉아 있을 수 있어.'
9화 37씬 이연이 전화로 '돌아와. 내가 언제나 너를 기다리고
있으니까.'
쏟아지는 기억과 싸우며, 표독스럽게 신음하는 지아!
이연을 있는 힘껏 밀어내는데! 이연이 놔주지 않는다!

이연	('같은 반지' 낀 지아의 손을 붙잡고, 온 진심으로) 옆에 있을게. 죽을 때까지 난 네 거잖아.

지아의 기억 속에 그 반지 끼워 주던 이연 모습 스쳐 간다!
잠시 눈의 초점 멀어졌다가, 제 정신으로 돌아오면!

지아	이연….

구미호뎐   제13화 또 하나의 이무기

이연	(가슴에 박힌 펜스 뽑고, 안아 주는) 그래, 그래 나야. 나 여기 있어.

이연의 가슴에서 피가 '뚝뚝' 흐른다. 눈물 '펑펑' 쏟는 지아.

지아	도와줘. 이연… (이연 상처 어루만지려다 차마 손을 못 대는) 차라리 죽여 줘. 내가 너를 해치지 못하게.
이연	괜찮아. 내가 있잖아. 다 괜찮아질 거야.

가만가만, 지아를 다독이는 이연의 눈에도 눈물 차오른다.
어둠 속에, 지아의 울음소리 오래 번진다.

#2   건물 / 옥상 (밤)

작가와 재환이 아슬아슬하게 목숨을 건졌다. 작가는 충격이
큰 모습.

재환	원장님, 오늘 고마웠어요. 덕분에 살았네요.
신주	인사는 저 말고 이연님한테 전해 주세요. 두 분, 몸조심하시고 요. (전화벨 울린다. 받고) 이연님! 바로 갈게요!

신주가 곧장 사라지면.

재환	(일으키며) 작가님, 일어설 수 있겠어요?
작가	(일어서다가 힘 풀려서 비틀거린다)

재환	(얼른 부축해 주는) 괜찮으세요?
작가	다리에 감각이 없어.
재환	(다리 주물러 주며) 저기 몇 시간이나 서 있었다잖아요.
작가	우리… 대체 무슨 일에 휘말린 걸까.
재환	죽을 뻔 했어요. 나 5대 독잔데. 엄마한테 효도도 못 해 보고. (점점 북받치는) 아직 입봉도 못 하고… 연애도 딱 한 번밖에…
작가	(울컥) 재환아!
재환	작가님!!

살았다는 안도감에, 부둥켜안고 눈물콧물 흘리며 우는 두 사람이다.

#3   도시 외곽 도로 (밤)

사장이 빠르게 차를 몰고 서울을 빠져나가는 중이다. 조수석에 '꽈리 화분' 보인다. 원하던 꽈리를 손에 넣고 들뜬 상태.

사장	이연이고 이무기고 이제 다 상관없어! 난 꽈리만 있으면 돼! 하하, 꽈리만!!

하는데, 뒷좌석에서 불쑥 '이보게.' 하는 소리!!
룸미러에 비친 낯선 얼굴, 현의옹이다!
귀신이라도 본 듯 소스라쳐서 급브레이크 밟는다! 차 멈추면!

현의옹	이 사람아, 운전을 그렇게 거칠게 하면 쓰나?
사장	(권총 꺼내 들고) 너 누구야?!
현의옹	아, 난 현의옹이라고 하는데, 신고 받고 꽈리 회수하러 왔어.
사장	누가 보냈어?! 이무기야? 아니 이연인가?!
현의옹	그게 뭐 중요하겠나. 어차피 그 꽈리는 자네 물건이 아닌 걸.
사장	웃기지 마!!

거침없이 현의옹에게 총을 쏘는 사장!!
두 발의 총알이 정확히 현의옹 가슴에 박힌다!

사장	(미친놈처럼) 꽈리는 내 거야. 내 거라고! (하다가, '흠칫!!')
현의옹	(총알 자국 거짓말처럼 사라졌다. 태연히) 수명을 지 맘대로 거스르고 그러믄 안 돼.
사장	뭐야, 너도 괴물이야?!
현의옹	(허허) 보아하니 '조만간' 다시 만나겠구먼.
사장	?!!!!

#4	동물병원 (밤)

신주가 한달음에 병원으로 뛰어 들어온다. 지아가 필사적으로 이연의 상처를 지혈하고 있다.
경악하는 신주 얼굴에서 시간 경과.
신주가 이연의 가슴에 붕대를 감는다. 지아는 병원 앞에 고통스레 앉아 있다. 자신의 몸에 남은 비늘을 보며.

신주	(지아를 흘긋) 지금은 확실히 피디님이신 거죠?
이연	(끄덕)
신주	(걱정스레) 또 언제 변해서 이연님 공격할지 모르는 거고요?
이연	일부러 맞아 준 거야.
신주	예??
이연	확인해 보고 싶었거든. 이무기가 둘로 갈라진 게 놈의 강점이지만, 동시에 치명적인 약점이 될 수도 있지 않을까 싶어서.
신주	그게 무슨 말씀이세요?
이연	지아 몸속의 이무기는, 지금까지 만난 놈하고 묘하게 달라.
신주	같은 이무기인데, 둘이 다르다고요?
이연	이놈은 '전생의 이무기' 쪽이랑 훨씬 닮았어. 난 그놈을 상대해 본 적이 있고.
신주	저는 뭘 하면 될까요?
이연	지금 바로 우렁각시한테 가서 점쟁이 행방 좀 알아보라고 해.
신주	점쟁이? 그 이연님 여우 구슬 가지고 튄 영감 말이죠?

#5   내세 출입국 관리 사무소 (밤)

책상에서 골똘히 컴퓨터를 들여다보던 노파, 안경 너머로 시선을 준다. 사무실 한쪽에 꽈리 화분 보인다.

현의옹	(꽈리 톡 만지며) 얘네 사람으로 돌려놓을까?
노파	명부 확인하고, 현세에 수명 남아 있는 자들만. 한꺼번에 튀어나오면 피곤해.

구미호뎐   제13화 또 하나의 이무기

현의옹	오케이. (하고) 밥 먹고 합시다. (다정하게) 떡볶이 사다 줄까? 김 말이랑 순대 섞어서.

현의옹 다가오자, 노파가 급히 보고 있던 컴퓨터 창을 숨긴다.

노파	(방어적으로 카드 내미는) 치즈 추가.
현의옹	모짜렐라 치즈 추가. 매운 맛 3단계. 나는 1단계.

현의옹 콧노래 흥얼거리며 사라지면, 감췄던 컴퓨터 화면 보인다. 지아의 명부다. 명부에 '사망 일자' 지워져 있다.

노파(E)	환란이 시작될 거야. 아니, 이미 시작됐을지도. 지금 막지 않으면…

빈 사망 일자란에 '2020년'까지 쓰는데, 문득 이연 얼굴 스쳐 간다. '고마워, 할멈. 그래도 내 선택은 저 사람이야. 난, 그녀를 만나기 위해서 살아왔으니까.'
차마 명부를 더 고치지 못하고, 괴롭게 마른세수하는 노파.

#6   동물병원 (밤)

이연이 지아 옆으로 가서 앉는다.
신주는 나가고 없다. 지아는 죄책감으로 고개를 파묻은 채.

지아	(그제야 고개 든다) 미안해.
이연	(안쓰러운) 왜 네가 사과를 하니.
지아	(자신의 손 보며) 내 손이었어. 내 손으로 널 상처 입히고, 찌르고.
이연	그게 네가 아니었다는 건, 내가 제일 잘 알아. 나 좀 봐. (지아가 보면, 다정히) 몸은 좀 어때? 괜찮아?
지아	(다시 눈물 핑 도는) 넌… 왜 이런 모습을 하고도 내 걱정인건데.
이연	(말갛게 웃어 보이며) 커피 사 줄까?
지아	(가만히 고개 내젓는)
이연	닭발?
지아	아니.
이연	집에 바래다줘?
지아	못 가. 내가 아까처럼 변해서 우리 엄마 아빠까지 해치면 나 진짜 미쳐 버릴 지도 몰라.
이연	그럼 어디 갈까?
지아	아무데나. 여기서 먼 곳으로.
이연	가자. 우리 둘 말고 아무도 없는 곳으로.

#7   도로 / 이연의 차 (밤)

둘을 태운 차, 밤길을 내달린다. 뒷좌석에 쇼핑백이며, 간단히 장 본 봉투. 둘 다 피 묻은 옷 갈아입었다.
지아가 조수석에서 침통한 얼굴로 통화 중.

지아	엄마, 나 오늘 집에 못 갈 거 같아. 갑자기 출장이 잡혀서. 미안.

	(듣고 밝게) 아냐. 내 목소리가 왜… 아니라니까. 응, 잘 자요.
이연	(끊으면) 부모님 걱정은 하지 마. 신주한테 지켜보라고 얘기해 놨어.
지아	고마워. 근데 우리 어디 가는 거야?
이연	어디든.

이연이 음악을 켠다. 은은한 음악 소리가 차 안을 메운다.

#8　　바닷가 펜션 (밤)

파도 소리 들린다. 고즈넉한 밤바다 풍경.

이연과 지아, 나란히 통창에 기대어 바다를 보고 있다.

지아	(시선은 줄곧 바다에) 우리 처음 만났을 때 기억해?
이연	너 꼬맹이였을 때?
지아	아니.
이연	당연히 기억하지. 내 평생 누구 잡으러 다니는 게 일이었는데, 그렇게 살벌하게 누가 나 잡으러 온 건 처음이었거든.
지아	(쓸쓸하게) 그때 그냥 살벌하게 고백해 버릴 걸. 그럼 우리가 아무것도 모르고 행복할 수 있는 시간이 조금은 더 길었을 텐데.

이연의 가슴 저릿해진다. 지아의 뺨을 아프게 어루만지다가.

이연	우리 게임할까?

지아	무슨 게임?
이연	네 말대로, 아무것도 모르는 척 하는 거야.
지아	예를 들면?
이연	넌 너무 지루하고 따뜻하기만 한 인생이 불만인 보통 사람이고, 난 구미호가 아닌 거지.
지아	우리 둘이 아는 사이야?
이연	음… 우리는 부부야. 되게 평범한 부부. 넌 평소처럼 회사에 출근하고, 난 저녁을 차려 놓고 기다려.
지아	내가 가장이야?
이연	난 부동산이 있잖아. 월세 따박따박 받으면서 전업주부 할 거야.
지아	(처음으로 웃는)
이연	웃지 말고, 진지하게 해야 돼.
지아	나는 뭐하면 돼?
이연	잠깐만.

하더니, 주방에 둔 편의점 음식 꺼내 들고, 요리하는 흉내를
낸다.

| 이연 | 이제 퇴근해. |
| 지아 | (마지못해 현관으로 향하며) 약간 바보 같은데. (막 퇴근하는 척) 다녀왔습니다. |

이연은 대답이 없다. 이연에게 다가가서.

지아	자기야, 나 왔다니까?
이연	(화가 난 설정이다) 흥.
지아	우리 강아지 삐졌어? 왜 삐졌을까.
이연	지금이 몇 시야? 맨날 여자가 사회생활하다 보면 그럴 수도 있다. 무슨 일이 있어도 12시 전까지 귀가하기로 약속했잖아.
지아	통금도 있는 설정이야?
이연	저번 달에도 통금 시간 두 번이나 어기고. 우리 약속은 약속도 아냐?
지아	내가 그랬어? 다소 억울한 감이 있지만 사과할게. 한 번만 봐주라.
이연	(와인과 와인 잔 들고 테이블로) 앉아 봐.
지아	또 술이야? 여보 알콜 중독 치료받은 지 얼마나 됐다고.
이연	(!!!) 그렇게 설정 막 나갈 거야? 내가 누구 때문에 술을 마시는데.
지아	나 때문이야?
이연	자기, 오늘이 무슨 날인지 알아 몰라.
지아	설마?
이연	우리 결혼기념일.
지아	아… 미안.
이연	뭐가 미안한데?
지아	전부 다.
이연	또, 또 말 흐린다. 그러니까 구체적으로 뭐가 미안하냐고.
지아	와, 바가지 진짜 잘 긁는다.
이연	(끄덕 않고) 자기 요새 좀 변한 거 같아. 날 사랑하긴 하니?
지아	(진지하게) 사랑해.

하자마자, 두 손으로 지아 얼굴을 감싸고 입을 맞추는 이연.

이연   (진심을 다해서) 나도.

지아   (새삼 서글퍼지는데) 그럼 우리 화해한 거다?

이연   (같은 심정으로) 당연하지. 우리 부부 싸움은 5분 이상 간 적이 없어.

지아   억울해. (울컥) 왜 우린 이런 평범한 인생도 가질 수가 없는 건
         데? 억울해 죽겠어, 진짜···

이연   (가슴 미어진다. 말없이 안아 주는)

지아   네가 사람이고, 우리는 진짜 부부고. 이무기 같은 건 존재하지
         도 않고. 그런 세상에서 너를 만났으면. 그랬으면··· 얼마나 좋
         을까.

         두 사람, 서로를 '꽉' 끌어안는다. 놓치면 영영 사라져 버리기
         라도 하듯.

#9   도로변 (밤)

         '젠장! 젠장!!' 꽈리를 뺏긴 사장이 운전대 '퍽퍽' 내리친다.
         좌절감에 운전대 위로 엎드리면 '빵-' 어둠 속에 경적 소리 요
         란하다. 신경질적으로 고개를 든다. 그런데 그 얼굴, 공포로
         빳빳하게 굳는다! 눈앞에, 이무기가 라이트를 받고 서 있다!!

이무기   어디 가시던 길인가 봐?

구미호뎐   제13화 또 하나의 이무기

재빨리 머리를 굴리다가, 차에서 내려 무릎부터 꿇는다.

사장   용서하세요! 내가 잠깐 머리가 어떻게 됐나 봐요! 꽈리에 눈이 멀어 가지고! 미친놈!!

이무기   고개 드세요.

사장   (눈치 보며 슬금슬금 쳐다보면)

이무기   빈대 굼실거리는 초가집에 노비로 태어나, 참 멀리도 오셨어요. 하늘같이 모시던 주인 양반집에 식구가 딱 아홉이었는데, 지금 그대 밑에 직원이 2,000명이랬나.

사장   (비굴하게) 다 덕분이죠.

이무기   역적으로 처형당하기 직전에 구해 준 것도, 저였는데.

사장   제가 그 은혜를 어찌 잊겠어요?!

이무기   근데, 이연하고는 (천둥같이 소리 지르는) 왜 붙어먹었어!!!

사장   (처음 보는 모습에 얼어붙는다!!!)

이무기   (김정 추스르네) 이언한테 뭐 많이 일러 주셨다면서.

사장   살려 주세요. 한 번만 더 저한테 기회를 주시면…

이무기   그럴 필요 없어. 난 이제 아무것도, 아무도 필요 없어졌거든. 계획이 바뀌었다.

사장   (무슨 뜻일까) 예?!!

이무기   (다정하게 사장의 이마 쓸어 주며) 삶이 지옥 같았으면 좋겠어. 살아 숨 쉬는 여러분 모두.

그런 이무기의 손에 아까와 같은 비늘!!!
사장은 모르지만, 그의 이마에 앞 씬의 행인과 같은 '붉은 반점' 돋아난다!

이무기   자수하세요. (싱긋) 그대는 '죄인'이 잘 어울려.

곧바로 사장 눈빛에서 초점이 사라진다!

#10   **바닷가 펜션 (밤)**
방 안에 달빛만 아름답게 비춰 든다.
상의를 벗은 이연이 부드럽고, 섬세한 손길로 지아 원피스 단추를 푼다.
이연 몸에 붕대. 지아가 아프게 어루만진다.
그런 지아를 침대에 눕힌다.
다시 오지 않을 밤, 어둠 속에서 마주한 연인의 눈 애달프다.
이연이 몸을 굽혀 입을 맞춘다. 붕대를 두른 그의 등이 달빛에 희게 빛난다.
시간 경과되면. 지아는 잠들었다. 고이 잠든 그 얼굴 바라보며.

이연   내가 지켜 줄게. 이 싸움의 끝에서, 무슨 일이 있어도 넌 살아야 돼. 나는 그거면 돼.

#11   **대저택 (밤)**
이무기가 시커면 어둠뿐인 정원을 바라보고 서 있다.

구미호뎐   제13화 또 하나의 이무기

이무기	몇 번을 다시 태어나도 세상은 사방 어둠이네. 이연, 너도 보여 줄게. 내가 보는 이 세상 끝의 풍경.

#12   바닷가 펜션 테라스 / 대저택 (낮)

먼저 잠에서 깬 지아, 복잡한 얼굴로 테라스에서 커피를 마시고 있다.

핸드폰 진동음 울린다. 이무기다.

이하, 저택에서 통화하는 이무기와 교차된다.

지아	여보세요?
이무기	파티가 시작될 거야.
지아	?!!
이무기	기대해. 난 이제 너한테 마냥 친절하지만은 않을 생각이거든.
지아	난 네가 불쌍해. 넌 아직도 문갑 속에 갇혀 있는 어린아이야. 누군가 사랑하는 법도, 받는 법도 모르니 할 수 있는 게 협박 뿐이지.
이무기	네 말대로, 이건 협박이야. 네 몸은 이제부터 시한폭탄이 될 거거든.
지아	?!!!!
이무기	네 꼴을 좀 봐.

보면, 유리창에 비친 자신의 몸에 '비늘'이 전보다 더 늘어 있다!

지아	!!!!!
이무기	머잖아 그것이 완전히 네 몸을 지배할 거야. 그때가 되면, 넌 네 손으로 이연을 죽이게 될 거다.

그 말을 끝으로, 전화는 '뚝' 끊긴다.
잠든 이연을 보며, 끔찍한 비늘을 털어 내리려는 듯 자신의 몸을 정신없이 문지르는 지아!

#13   내세 출입국 관리 사무소 (낮)
현의옹이 아내 컴퓨터 앞에서 불같이 화를 낸다.

현의옹	당신 미쳤어?!!
노파	왜 남의 컴퓨터는 뒤지고 난리야?
현의옹	어쩔 셈이야, 응? 그 아이 명부까지 손을 대려는 이유가 뭐냐고?!
노파	(작심한 듯) 그 아이가 '진짜'야. 진짜 이무기.
현의옹	그게 뭔 소리야?
노파	그 아이 몸에 든 게 이무기의 요체라고. 그쪽을 잡아야, 밖에서 날뛰는 놈도 잡을 수 있어.
현의옹	이무기 잡자고 죄 없는 아이를 희생시키려고?! 그 애가 연이한테 어떤 존재인지 알면서!!
노파	알지. 누구보다 내가 잘…
현의옹	근데 어떻게 그래!!
노파	그걸 아니까 내가 하려는 거야. 연이는 절대 그 아이 죽게 내

버려 두지 않아. 아무기도 그걸 알지. 그것이 '이연 몸까지 갖게 되면' 무슨 일이 일어날 거 같니?

현의옹   그래서 아직 일어나지도 않은 일 때문에 사람을 죽이겠다? 그렇게까지 해서 당신이 지키려는 게 대체 뭔데?!

노파   이게 내 일이야! 깜박깜박하는 모양인데, 당신 일이기도 하고!

현의옹   똑같은 이유로 우리 아들은 각시를 잃었고, 우린 아들을 잃었어. 그때도, 당신이 그 각시 명부를 고쳤지. 덕분에, 스스로 목숨을 내버린 내 아들, 아직까지 혼도 못 건졌어.

노파   덕분에 역병을 막았고.

현의옹   환생도 못 해, 우리 복길이!

노파   그건… 그 아이 운명이야.

현의옹   (머릿속에서 뭔가 뚝 끊어진다) 운명? 난 말이야. 당신이 자식 그렇게 보내고 조금은 변한 줄 알았어. 미워하지 말자. 원망하지 말자. 저 사람도 속에선 피눈물이 날 거다. 내 속이 문드러지도록 당신을 증오했다 용서했다 발버둥을 쳤다고. 근데 당신… 하나도 안 변했네?

노파   더 큰 환란이 올 거야. 지금 막지 않으면…

현의옹   (말 자르며) 그래, 당신은 환란을 막아. 난 당신을 막을 테니까.

노파   (서늘하게) 지금, 뭐 하자는 거야.

현의옹   그 아이 죽는 날짜 바꿔 놓는 순간, 우리 사이 끝이라는 거야.

노파   !!!!!

#14   바닷가 펜션 (낮)

이연이 잠에서 깨어난다. 지아가 누웠던 옆자리 비어 있다.
황망한 마음에 여기저기 둘러보지만, 펜션 어디에도 지아는
보이지 않고.
테이블 위에 지아가 남긴 편지만 덩그러니.
이연이 읽기 시작하면, 편지 쓰는 지아 모습 교차되면서.

지아(N)   잠든 네 모습을 보며 쓰고 있어. 난 서울로 돌아가기로 했어.

'혼자 가 버린 걸까.', 편지 읽는 이연의 얼굴 어두워진다.

지아(N)   여기서 하룻밤을 보내며 내가 내린 결론은 '아무리 멀리 달
아나도 도망칠 수 없다.' 그래서 말인데…

까지 읽고, 이연이 창문으로 뛰어간다. 홀로 바닷가 거니는 지
아 모습 보인다.

지아(N)   난 바다에 있어.

곧장 바다로 달려 나간다. 빈 방 테이블에 고이 남겨진 편지.

#15   바닷가 (낮)
맨발로 나란히 모래사장 걷는 두 사람. 그 위로 편지 내용 계
속된다.

구미호뎐   제13화 또 하나의 이무기

지아(N)	우리, 같이 걷자. 이 해변 끝까지만 같이 걷고 돌아가자. 너랑 같이 있는 이 모든 순간을 별처럼 눈에 담고 돌아갈래. 작고 보잘 것 없는 나는 내가 진 운명의 무게가 너무 무거워서 자꾸만 저 바다 밑으로 가라앉아 버릴 거 같은데, 이연. 넌 부력처럼 날 밀어 올려. 날 떠다니게 해. 가라앉지 않게 해.

파도에 발 적시고, 물장구치는 보통의 연인 같은 모습 위로.
이번에는 이연 목소리.

이연(N)	'보통 사람들처럼 지루하고, 따뜻하게' 선물처럼 그런 일상을 돌려주겠다고 난 약속했지만, 그 바다에서, 그녀는 말했다. '혼자'는 싫다고. 죽어도 같이. 살아도 같이 살자고.

지아가 햇살처럼 웃는다. 이연의 시선, 지아 몸의 비늘에 머문다.

이연(N)	네가 원하면, 난 세상을 다 줄 수 있을 거 같은데. 어쩌면… 그 약속만큼은 지켜 줄 수가 없겠구나.

종장(終章)이 다가오고 있다.
목숨을 건 싸움을 각오한 이연이 애타게 지아를 눈에 담는다.

#16	이랑의 집 (낮)

수오가 옷장 속에 숨어 있다. 잔뜩 겁에 질린 얼굴.
그 시선으로, 누군가와 대화하는 유리의 모습 보인다.

유리   이랑님 살려 내. 내가 할 수 있는 건 다 해 봤는데 안 돼.
이무기   내가 왜?

이랑을 내려다보는 남자의 얼굴 드러난다. 이무기다.

이무기   내가 왜 네 부탁을 들어줘야 되지?
유리   너 때문에 내가 이랑님 찌르고 누명 썼잖아. 너도 책임을 져
         야지.
이무기   (생각지도 못한 대답에) 너, 나를 대체 뭐라고 생각하는 거니?
유리   (매섭게) 꽈리 공장 공장장.
이무기   (어이없는데)
유리   난, 너 안 무서워.
이무기   (속 헤아리듯 보다가) 진심이구나. 근데, 거래를 하자고 불렀으면
         이쪽도 얻어 가는 게 있어야지 않겠어? 암만 봐도 넌 가진 패
         가 없어 보이고, 이 반쪽짜리 여우는 이제 나한테 아무 쓸모
         도 없는 존재야.
유리   (각오한 듯이) 내 목숨 받고 이랑님 살려.
이무기   괜찮겠어?
유리   잠깐만. (하고, 이랑 손을 꼭 잡는다) 이랑님, 유리는 이렇게 가지만
         오래오래 사세요. 밥 굶지 말고, 살도 좀 찌시고, 이제 형 그만
         쫓아다니고. (따뜻하게 이마 쓰다듬는) 조금은… 조금은 더 행복

해지세요.

하고, 돌아서서 이무기에게, 자기 비녀 쥐어 준다.

유리   죽여라.

이무기가 날카로운 비녀 들고 다가온다!
정확히 목 급소에 갖다 대면! 유리가 눈을 질끈 감는다!
옷장 속에서 수오가 입을 틀어막는다!
그런데, 그 자세 그대로 유리를 빤히 보고 있는 이무기!

유리   (눈 감은 채) 뜸 들이지마. 그게 더 짜증나니까.
이무기   (픽 웃고) 눈 떠. 네 부탁 들어주마. 대신, 넌 나랑 가자.
유리   !!!!!

잠시 후. 이무기가 꽈리를 들고, 이랑 곁에서.

이무기   이연의 형제야. 난 네가 죽어 버렸으면 좋겠는데. (꽈리를 가슴에
          올려놓고) 그녀 안의 이무기가 부를 때, 넌 우리 군사가 될 거다.

하고, 방을 나서다가 옷장 앞에서 걸음을 멈춘다!
수오가 움찔해서 숨을 죽인다!

이무기   얘야. 그런 데에 오래 들어가 있으면, 어둠에 먹혀 버린단다.

경찰서 (낮)

사장이 뭔가에 홀린 것 같은 얼굴로 경찰서 찾아왔다.

경찰1이 '어떻게 오셨어요?' 묻자, '자수할게요. 자수하러 왔
어요.'

백 형사가 사장과 마주 앉는다. 사장 이마에 붉은 반점 선연
하다.

사장   제가 죽였습니다.

백 형사   죽이다니, 뭘요?

사장   금란구 공사장 미라 시신.

백 형사   !! (반신반의로) 그게 사실입니까?

사장   네 명이 더 있어요. 내 차 내비게이션 기록 보면 나머지 시체
           가매장한 장소 찾을 수 있을 겁니다.

백 형사   (옆에 형사들에게) 확인해 봐!!

경찰들   (빠르게 달려 나간다!)

백 형사   (긴장해서) 동기가 뭡니까. 방송국 사장씩이나 되는 분이 왜?

사장   (이마의 반점 긁적거리며) 난 그냥, 오래 살고 싶었을 뿐이요. 형사
           님도 나랑 같은 상황이 되면, 분명 같은 선택을 할 겁니다.

#18   지아의 집 / 앞 (낮)

이연이 지아를 배웅하고 있다. 지아의 손엔, 어제 산 쇼핑백.

지아는 비늘을 가릴 수 있는 옷차림. 신경 쓰이는 듯 옷소매
자꾸 매만진다.

구미호뎐   제13화 또 하나의 이무기

이연	같이 가 줄까?
지아	아니. 우리 엄마 아빠 얼굴 제대로 봐 놓고 싶어. 혹시라도 나한테 무슨 일 생기면…
이연	절대 그럴 일 없어. 그래도 네 마음이 편하면 그렇게 해. (하고, 버티고 서 있는데)
지아	걱정하지 마. 그놈은 나름 위험을 느낄 때 튀어나오잖아. (이무기 봉인할 때 생긴 손바닥 상처 보여 주며) 피를 본다거나.
이연	그러고 보니….

인서트 플래시백   3화 39씬

섬에서 지아가 선원의 망치에 다친 직후다.
'오랜만이야. 이연.' 그때 처음으로 지아 몸속에서 이무기가 나왔었다.

지아	비늘이 점점 커지고 있어. 내가, 나로 있을 시간이 얼마 안 남았을지도 몰라.

이연이 가만히 지아를 안아 준다.

#19   이랑의 집 (낮)

줄곧 의식 없던 이랑이 눈을 '번쩍' 뜬다.
이무기와 유리는 없고, 수오만 남아 있다. 수오가 '훌쩍훌쩍' 울고 있다.

이랑	(뭔가 예감하고) 유리는? 유리는 어디야?
수오	갔어요. 무서운 아저씨 따라갔어. 아줌마 이제 안 와요.
이랑	!!!!!

#20 한식당 우렁각시 / 내실 (낮)

이연이 우렁각시를 찾았다.

이연	점쟁이는? 알아봤어?
우렁각시	우리 손님들 통해서 수소문하고 있어요.
이연	하급 토속신은 아닌 거 같은데, 뭐하는 영감쟁이래?
우렁각시	(조심스레) 이건 그냥 뜬소문인데, 지옥을 다스리는 저승 시왕 중 한 분이, 이따금 말도 없이 자리를 비운다는 얘기가 있어요.
이연	재밌네. (일어서며) 그 영감 소식 찾는 대로 나한테 연락해.

#21 지아의 집 (낮)

지아가 가져온 쇼핑백을 풀어 보는 부모, 고운 새 옷이 나온다.

아빠	이게 다 뭐야?
지아	그동안 월급 타서 엄마 아빠 내복 한 벌 못 사 줬잖아. 내내 마음에 걸렸거든.
아빠	(싱글벙글 해서) 바쁠 텐데 또 언제 이런 걸 다 사 왔어?
지아	입어 보세요.

구미호뎐   제13화 또 하나의 이무기

| 아빠 | 난 아까워서 못 입겠다. |
| 엄마 | 우리 딸 고생해서 번 돈으로 사 준 건데, 예쁘게 입는 게 도리지. 한 번 걸쳐 봅시다. |

지아가 옷 갈아입고 나온 아빠의 옷깃 고쳐 주며.

지아	(따뜻하게) 우리 아빠, 진짜 멋있다.
아빠	(괜히 시큰해서) 자식 월급으로 새 옷 입는 게 이런 기분이구나. 고마워. 딸.
지아	고맙긴. 아직 해 주고 싶은 거 되게 많은데…
아빠	염치없이 받기만 하네. 키워 준 공도 없는데.
지아	그런 소리 하지 마.
엄마	(나오며 농담처럼) 그러다 너네 아빠 버릇 잘못 든다.
아빠	와, 이게 누구야?
지아	예뻐 엄마. 잘 어울린다.
아빠	(냉큼 엄마 어깨를 두르고) 지아야, 우리 사진 한 장 찍어 줄래?

부모가 소파에 가 앉는다. '하나, 둘, 셋' 소리에 환하게 웃는다.
사진 찍는 지아 얼굴 먹먹해진다.

#22   도로 / 유리의 차 (낮)

유리가 굳은 얼굴로, 이무기를 태우고 저택으로 향하는 길이다. 이무기는 뒷좌석에서 책을 읽고 있다. 저택으로 가다가 방향을 '확' 튼다.

이무기	이 길이 아닌데, 우리 집?
유리	5분만 줘.

#23   동물병원 (낮)
신주가 아나스타샤 간식을 먹이다가, 유리를 보고 반갑게.

신주   유리 씨!! 이 시간에 병원은 어쩐 일이야?

유리가 곧장 다가와서 뜨겁게 입을 맞춘다.

신주	(얼굴 빨개져서) 뭐야, 갑자기.
유리	작별 인사. 우리 이제 헤어지는 거야.
신주	(청천벽력 같은) 그게 무슨 말이야?
유리	구신주. 너 차였다고 방금. 그러니까 이제 나 기다리지 마. 찾아오지도 말고.
신주	(믿기지 않는데) 왜 그래… 내가 뭐 잘못했어?
유리	그냥 싫어졌어. 내가 원래 금방금방 질리는 성격이거든.
신주	아니. 유리 씨는 그런 타입이 아냐. 시간이 좀 걸려서 그렇지 한 번 마음을 열면 오래오래 아끼고, 못 돼 먹은 척 하지만 여리고, 상냥해.
유리	네가 나에 대해서 뭘 알아?!

신주	난 알아. 이랑님이나 강아지 대하는 것만 봐도…
유리	착한 척 좀 하지 마! 너 진짜 재수 없어! 나한테 친구가 필요하니, 가족이 필요하니, 훈계질 하는 것도 열 받고! 네 촌스러운 꼬라지도! 맨날 웃고 있는 얼굴도 싫고! 그래, 네가 만든 밥도 맛없어!
신주	(상처 입고도) 훈계질 안 할게. 옷은 네가 골라 주는 대로 사 입을게. 웃지 말라면 안 웃고, 음식은 내가 더 열심히 배우면…
유리	제발 그만 좀 해!! 너 싫어. 싫어. 싫다고! 이렇게 말해야 알아듣겠니?
신주	(눈물 그렁해서) 거짓말.

아나스타샤가 유리 손을 핥으며 꼬리를 흔든다. 따뜻한 감촉에 속이 미어진다.

유리	(괜히 매몰차게) 너도! 질척거리지 마!
신주	유리 씨…
유리	(눈물 보이기 싫다. 돌아서는) 갈게.

신주가 달려가서 유리를 끌어안는다.

신주	싫어. 난 너랑 절대 못 헤어져.
유리	놔.
신주	아니, 안 놔줄 거야. 우리 끝이라는 말 취소하기 전엔 절대.
유리	(울면서 부러 독하게) 구신주. 네가 이럴수록 나 정이 더 떨어져.

신주	(펑펑 울며) 잘못했어. 그게 뭐든 내가 다 잘못했으니까 제발…
	그러지 마.
유리	냐.

차갑게 밀어내고 병원을 나서는 유리.

#24   동물병원 / 앞 (낮)
성큼성큼 멀어지는 유리. 그 뒤를 그저 울면서 쫓아가는 신주다.

유리	(돌아보며) 따라오지 마!
신주	(간격을 두고 계속 따라간다)
유리	따라오지 말라고! 제발. 제발 내 인생에서 좀 사라져 주라.

조금 떨어진 곳에 세워진 차 뒷좌석에서, 의미심장하게 그 모습 보는 이무기.

#25   이연의 집 (낮)
그날 오후. 신주가 이연 앞에서 눈물콧물 짜내고 있다.
앞에 코 푼 휴지 한가득 쌓여 있다.

| 신주 | 내가 착한 척 한대요. 얼굴도 싫고, 막 옷도 촌스럽게 입고. |
| 이연 | (위로한답시고) 들어보니까 아주 일리가 없는 애긴 아닌데. |

구미호뎐   제13화 또 하나의 이무기

신주	(그 소리에 '흐엉-' 더 서럽게 운다)
이연	(당황해서) 걔 아주 양아치네! 누구 갖고 노는 것도 아니고!
신주	유리 씨 욕하지 마세요.
이연	(열 받는데 꾹 참고, 티슈 뽑아 주는) 그만 울어.
신주	내 처음이자 마지막 사랑인데. 프로포즈도 하려고 했는데. 저 어제 종로에서 금반지도 맞춰 왔거든요. 근데 어떻게… 크흑.
이연	갑자기 헤어지잔 이유가 있을 거 아냐.
신주	그걸 모르겠어요.

그러고 있는데 이랑이 불쑥 나타나서.

이랑	이무기야. 이무기가 데려갔어.
신주	(울다 말고) 이랑님!
이연	랑아!!!!

벅차게 이랑을 안아 준다. 이랑은 좋으면서 괜히 삐죽.

이랑	뭐 하는 짓이야?
이연	깨어났구나. 돌아왔어.
이랑	(밀어내는) 안 하던 짓 하지 마. 나 두 번 죽고 싶어질지도 모르니까.
이연	(반갑게 얼굴 들여다보며) 어떻게 깼어?
신주	(끼어드는) 그게 무슨 말씀이세요? 이무기가 데려갔다니?
이랑	나 살리는 조건으로 유리가 그놈 따라갔대. 수오가 봤어.

신주	안 돼… (당장 달려 나가려는) 유리 씨 찾아야 돼요!
이연	(신주 가로막고) 이런 식으론 안 돼.
신주	그 사이에 죽이면요?!!! (거칠게 이연 손 뿌리치며) 놓으세요!!

순간, 이랑의 주먹이 배에 꽂힌다! 신주의 무릎 풀썩 꺾인다!

이랑	멍충이. 세트로 죽자는 거야 뭐야. (이연에게 어깨를 으쓱) 넌 못 할 거 같아서 내가 팼어.
이연	(잘했다는 뜻으로 눈짓해 보이고, 신주에게 단호히) 내가 약속할게. 네 여자 친구 꼭 살려서 데려올게.
신주	(그제야 이성을 찾았다. 분노로) 이무기, 죽여 버릴 거야.
이랑	그놈은 나한테 양보해. (이를 갈며) 두 번이나 날 죽이려고 했어.
신주	(이랑에게) 그러고 보니 수오는요? 혼자 있는 거 아녜요?!
이랑	혼자 있지 그럼.
신주	애를 혼자 두고 오시면 어떡해요!!
이랑	(태연히) 걔 지금 네가 끌고 나와도 안 나와.
신주	??

#26   이랑의 집 (낮)

수오가 산더미 같은 장난감 풀어 보느라 정신이 없다.
난생 처음 가져 본 좋은 장난감들. 전부 이랑이 사서 던져 주고 나왔다.

27

이연의 집 (낮)

지아가 작가, 재환을 데리고 나타난다.

지아   다들 모였네? (이랑을 보고) 반갑지 만은 않은 얼굴까지.

이랑   (오만상) 이것들은 다 뭐야?

이연   내 알바생들.

이 멤버들이 처음으로 한 자리에 둘러앉았다.

태블릿PC 손에 들고, 작가가 옆에 앉은 이랑을 대놓고 흘끔

거린다.

이랑   (차갑게) 뭘 봐?

작가   못지않게 조각같이 생긴 거 보니 딱 견적 나오네. 사람 아니죠?

이랑   나한테 말 시키지 마. 물어 버린다.

작가   (절레절레) 그럼 그렇지.

재환   사람 셋에 여우가 둘이라… (신주에게) 원장님은 어느 쪽이에요?

신주   사람 셋, 여우도 셋이에요.

재환   (알아듣고 입 틀어막는다)

지아   대충 자기소개는 끝난 거 같은데, 시작할까?

이랑   (지아 가리키며 이연에게) 작전 회의 어쩌고라며. 쟤는 왜 여기 있어?

지아   내가 너보다 이무기를 많이 상대해 봐서?

이랑   몸속에도 하나 키우고 있고?

지아   (노려보는데)

이랑   저 여자 빼. 그놈이 엿들으면 어떡해, 쟤 몸에서.

이연	아니, 이 작전엔 지아가 꼭 필요해. 그게 싫은 놈은, 나가.
	이랑의 얼굴 일그러진다. 이연이 아랑곳 않고.
이연	여기 있는 모두들, 최소 한 번 이상 이무기를 만났어. 어떤 식으로든 생명의 위협을 받은 적이 있고. (신주를 보며) 인질도 잡고 있어.
신주	(표정 어두워진다. 혼잣말처럼) 유리 씨.
이연	게다가 이무기는 하나가 아니라 둘이야. 둘 다 잡아야 이 싸움이 끝나. 알다시피 한 쪽은 지아한테 기생하고 있어. 심지어… (망설이면)
지아	(소매 걷어서 비늘 보여 주며) 심지어 이쪽이 본체래.
작가, 재환	(충격으로) 워후…
이랑	(지아에게) 어이, 이무기 둥지. 여러 사람 귀찮게 하지 말고 그냥 돌아가시는 건 어때?
지아	넌 집에 쭉 누워 있지 그랬냐? 잠자는 숲속의 공주가 잘 어울리는데.
이연	이무기는 찌르거나 베거나 하는 물리적인 방법으론 죽지 않아. 마음을 조종할 수도 있어. 그게 안 통하는 건 나랑 지아 둘 뿐. 가능한, 일대일로 마주치지 마.
재환	근데 안 마주치고 어떻게 싸워요?
	이랑은 그새 소파에 드러누웠다. 핸드폰 들여다보면서.

이랑	니들이 마주쳐서 뭘 하겠니? 기껏해야 '사람 살려.' 그딴 거나 하겠지.
이연	(이랑에게) 너 경고야.
이랑	흥.
작가	그렇게까지 해서 테리 그놈은 대체 뭘 하려는 거야?
지아	전부 죽일 거라고 했어. 그러고 나면…

인서트 플래시백   12화 58씬

'죽일 거야. 이연을 죽이고, 너한테 소중한 사람들을 죽이고, 그 다음엔 너를. 그리고 나면 세상에 역병이 돌 거야. 아무도, 감히 행복하지 못하게.'

작가	**역병?!!**

다들 긴장해서 침 '꿀꺽' 삼키는데, 이랑 핸드폰에서 '게임 효과음' 앵앵거린다.

신주	이랑님, 게임 좀 그만하세요.
이랑	다 듣고 있거든? (게임하면서) 구구절절하지 말고, 요점만 말해.
이연	난 지금까지 지아가 다치지 않게 우리가 아는 그 이무기하고만 싸우려고 했어. 이제 '타깃'을 바꾼다.
이랑	(시니컬하게) 쟤 몸에 든 걸 어떻게 죽일 건데?
지아	방법을 찾은 거지?
이연	찾았어.

28

한식당 우렁각시 / 앞 (낮)

우렁각시가 '비단 보자기로 싼 작은 상자'를 소중히 안고 돌아왔다. 괜스레 쭈뼛쭈뼛해서 주위 둘러본다.

#29   이연의 집 (낮)

회의 계속되고 있다.

이연   (지아에게) 민속촌에서 만났던 점쟁이, 기억나?

지아   당연히 기억하지. (이랑을 빤히) 누구 때문에 여우 구슬 털렸잖아.

이랑   흥. (핸드폰 보면서 무심히) 꽤 거물이란 소문이 있던데, 사실이야?

이연   지옥 시왕 중 하나.

이랑   (놀라서 몸 일으키는) 뭐?!!

이연   그 자가 '의령검'을 가지고 있어.

이랑   설마!!

재환   의령검이 뭔데요?

신주   '죄를 베는 검'이요.

재환   죄를 벤다고요?!

신주   그 옛날 염라대왕께서 죄의 무게를 다는 의령수 가지를 꺾어 직접 만드셨다는 검이에요. 헌데 그거 수천 년도 전에 세상에서 사라지지 않았어요?

이연   방금 우렁각시가 픽업했어.

재환   근데요. 칼로 막 베면 우리 피디님도 다치잖아요.

신주   안 다쳐요. 의령검은 목검이거든요. 본디 '벨 수 없는 것을 베

구미호뎐   제13화 또 하나의 이무기

는 칼'이에요. 이무기의 혼만 베는 거죠.

작가　　다행이다, 지아야!!

이랑　　(그제야 구미가 당기는 듯) 언제 할 거야?

이연　　내일.

#30　　커피 전문점 (낮)

회의 끝난 후. 이연과 이랑이 음료를 마신다. 서로 증오하고 원
망하던 세월이 수백 년, 비로소 '진짜 형제'처럼 마주 앉았다.

이연　　다시 태어난 기분이 어때?

이랑　　(딴청 부리며) 죽다 살아나서 그런가 커피가 유난히 맛있네.

이연　　오래 살아, 바보야. 죽으면 이 좋아하는 커피도 못 먹고 얼마
　　　　나 억울하니?

이랑　　쫄았냐? 나 죽을까 봐?

이연　　(진심으로) 그래 쫄았다.

이랑　　(괜히 어색해서) 네 건 뭐야? 한 입만 줘 봐.

이연　　(아이스크림 때처럼 거절할 줄 알았는데, 슥 밀어 주는) 맛있어.

이랑　　(의심스럽게) 왜 이렇게 잘해 줘?

이연　　그냥. 너랑 카페에 와 본 거 처음이잖아. (이랑한테 준 음료 가리키
　　　　며) 이렇게 손만 뻗으면 할 수 있었는데, 그동안 왜 그랬을까.

이랑　　어우 오글오글. 죽을 날 받아 놓은 놈처럼 왜 그래?

형의 속도 모르고 구시렁거리는 이랑이다. 음료 '홀짝' 마시고,

이랑	(처음으로 악의 없이 웃는) 어? 진짜 맛있네.
이연	(따뜻하게 보다가) 네 것도 내놔.
이랑	(흥) 내 건 안 돼.
이연	(이미 뺏었다) 이 배은망덕한 놈 보소.
이랑	입 대지 마!!

태연히 입 대고 마시는 이연.
이랑이 자기 커피 뺏으며 이연 어깨를 한 대 '툭' 친다.
이연이 신음한다. 이랑이 옷깃 젖혀 본다. 이연 몸에 붕대 발견하고.

이랑	뭐야?
이연	(옷깃 여미며) 별 거 아냐.
이랑	그 여자야?
이연	그런 거 아니야.
이랑	감싸는 거 보니까 맞네. (심각해져서) 의령검인지 뭔지 확실히 그놈한테 통하기는 하는 거야?
이연	(대답 대신) 장장 600년 세월이야. 난 이 싸움을 완전히 끝내려고 해.
이랑	만약 실패하면, 그럼 넌 어떻게 되는데?!
이연	랑아, 그래서 네가 필요해.

#31   경찰서 / 유치장 (낮)

구미호뎐   제13화 또 하나의 이무기

사장의 암시 풀렸다. 좁은 유치장 구석에 서서 자조적으로 중얼거린다.

사장 죽도록 발버둥 치며 살았는데… 딱 한 걸음이면 대한민국 머리 꼭대기에 설 수도 있었는데… 젠장, 결국 한 평 남짓 이 자리네. (미친놈처럼 쿡쿡 웃는) 그래도 난 살았다. 살아 있어!!

하면서, 팔을 벅벅 긁는다!
그러다 '흠칫!' 자신의 몸을 뒤덮은 '붉은 반점' 발견했다!

#32 경찰서 (낮)
백 형사의 시선으로, 경찰1이 몸 여기저기 긁고 있는 모습 보인다. 그의 몸에도 '붉은 반점' 돋아 있다.

#33 이연의 집 (낮)
지아와 작가, 재환 셋이 남아서.

지아 당분간은 나 찾아오지 마. 나랑 같이 있는 거 위험할 수도 있어.
작가 내 맘이야.
지아 니들 죽을 뻔 했어.
작가 기억나? 우리 엄마 허리디스크 수술한다고 서울 왔던 거.
재환 작가님 그날 방송이라 병원 못 가서 울고불고 했죠.

작가	네가 나 대신 병원 가 줬지. 우리 엄마 지켜 줬어. 그때 엄마 혼자 뒀으면 나 엄마 죽고 가슴에 못 하나 더 박혔을 거야. 우리도 돕게 해 주라.
재환	맞아요. 보통 사람인 우리가 뭔 힘이 있겠냐만 그게 피디님을 살리는 일이면 뭐든지 저도 돕고 싶어요.
지아	(따뜻하게 웃으며) 지금은 회사로 돌아가는 게 날 돕는 길이야. 셋 다 자리 비우면 팀장님 가만있겠어?
재환	팀장님 없어요.

#34   커피 전문점 / 이연의 집 (낮)
이연이 지아와 전화 통화 중이다. 이랑이 지켜보고 있다.

이연	뭐? 자수했다고?!
이랑	이무기가 그 자를 순순히 살려 보낼 리가 없는데.
이연	경찰서에서 무슨 일이 벌어지고 있는지 알아봐 줘.

재환이 팀장에게 연락해 본다.

재환	팀장님 전화 안 받으시는데요?
지아	!!!!

#35   경찰서 (낮)

팀장이 경찰서를 찾았다. 경찰서는 벌써 아비규환.

경찰1이 쓰러져서 경기를 일으킨다!

백 형사가 경찰1의 머리를 받쳐 주며 '빨리 119!!' 다급히 외친다! 경찰2가 119에 전화를 건다! 팀장이 심폐 소생술로 응급 처치 시도한다!

경찰1, 가슴 압박에 뭔가를 '칵' 토해 낸다! '새하얀 알'이다!!

반점이 퍼진 경찰1과 접촉하는 팀장의 손, 위태롭게 보인다!

#36   도로 / 이연의 차 (낮)

이연이 빠르게 차를 몰고 달리며 우렁각시와 통화 중이다.

단호해진 얼굴로 '계획을 앞당겨야겠다.'

#37   몽타주 (밤)

우렁각시가 밖을 한 번 살피고, '영업 종료' 팻말 내건다.

이랑이 내실 안에 테두리를 그리듯 말피를 뿌리고 있다.

신주가 케이지를 들고 빠르게 뛴다.

이연과 지아, 식당 앞에 도착했다.

이연이 손을 내민다. 지아가 각오한 눈길로 그 손을 잡는다.

#38   한식당 우렁각시 (밤)

몽타주의 인물들이 한 자리에 모였다.

이연	놈이 움직이기 시작했다. 우리한텐 시간이 별로 없어. 오늘, 지아 안의 이무기를 먼저 잡는다.
지아	(전에 없이 긴장했다)
이연	이제부터 단 한 순간도 미스가 나선 안 돼.
이랑	다 알아 먹었으니까 그냥 읊어.
이연	계획은 심플해. 먼저 지아가 (옷핀 건네주며) 피를 내서 이무기를 불러낼 거야. 놈이 튀어나오면 내가 의령검으로 단 번에 벤다. 신주는 나랑 지아가 내실에 들어가면 밖에서 문을 잠궈. 내가 부를 때까지 아무도 가까이 오면 안 돼.
신주	왜요?
이연	만에 하나, 그놈이 지아 몸에서 도망치면 너희가 위험해져. 니들 몸에 들러붙을 수도 있고.
이랑	그래서 내가 말피로 경계를 쳐 둔 거잖아.
이연	이놈은, 지금까지 만난 이무기와 달라. 어떻게 생겼는지, 어디로 어떻게 움직이는지, 현재로선 아는 게 없어. 단 하나의 변수도 있어선 안 돼.
이랑	만약 그놈이 너한테 들러붙으면?
이연	내가 의식이 있는 한 그건 불가능하고. 신주야.
신주	(케이지 가리키면, 안에서 쌕쌕하는 소리 들린다) 구렁이요. 그 자식한테 제일 잘 어울리는 걸로 준비했어요.
우렁각시	그러니까 한 번에 놈을 벨 수 있으면 베스트, 만약 도망쳐도 남은 몸뚱이는 구렁이밖에 없단 거네요.
이연	(끄덕)
지아	가자. 한시라도 빨리 없애 버리고 싶어.

일어서서 내실로 향하는 지아. 손에 옷핀을 '꾹' 쥐고 있다.
그런 지아를 복잡한 눈길로 바라보는 이연이다.

지아가 내실 입구에서 안을 둘러본다. 중앙에는 의자 하나만
덩그러니 있고, 입구부터 사방에 말피 보인다.
이연이 내실 구석에 케이지 던져 놓는다.
말피 경계를 넘어, 내실로 들어서는 지아의 발 비춰지고.
곧바로 우렁각시가 따라와서 나무 상자 공손히 건넨다.

우렁각시   검입니다.
이연   (상자 열면 나무로 만든 단검 들어 있다. 확인하듯 꺼내서 보고) 고생했네.
자넨 나가 봐.
우렁각시   모쪼록 몸조심하세요.

우렁각시 나가면 내실에 둘만 남았다.
신주가 문에 빗장을 대고 못질을 한다. 우렁각시가 부적을 붙
인다.

이연   그럼, 시작할까?
지아   그 전에 이연. (흰색 천 보여 주며) 이걸로 의자에 나를 묶어. 내가
또 이연을 다치게 하면 어떡해.
이연   왜 자꾸 네가 날 지키려고 하니.

내실 밖에서는. 신주와 우렁각시가 자리로 돌아온다.

이랑　　난 어째 예감이 영 안 좋다.
신주　　(목소리 낮춰서) 그런 말 마세요. 부정 타요.

내실에 묘한 긴장감 흐른다.
지아가 양 손을 의자 손잡이에 올려놓고 앉아 있다.

이연　　(목검 들고 다가와서) 준비됐어? 묶는다.
지아　　(심호흡하고) 이연. 나, 한 번만 안아 줄래?

이연이 의자에 목검 내려놓고, 지아를 안아 준다.

지아　　행여 나 때문에 망설이지 마.
이연　　긴장하지 마. 날도 안 서 있는 목검이야.
지아　　웬만한 부상도 각오하고 있어.
이연　　그럴 일 없어. 이건 '이무기의 혼'같이 벨 수 없는 것들만 베는
　　　　칼이야.
지아　　그럼… 이연의 혼도 벨 수 있어?
이연　　벨 수 있지.

그 말에 지아, 이연의 등 뒤에서 소리 없이 웃는다?!! 그런데!!

이연　　근데 말이야.

구미호뎐　　제13화 또 하나의 이무기

지아	응??
이연	아까부터 너 '누구'야?

웃던 지아 얼굴 '확' 구겨진다!
그런데! 지아의 손에 이미 이연이 내려놓은 목검 쥐어져 있다!!
이연이 밀어내려고 하는데!
무서운 힘으로 이연을 끌어안고, 다른 손으로 이연의 등에 칼
을 내리꽂으며!!

지아(이무기)	사라지는 건 네 영혼이야!!

#40   한식당 우렁각시 (밤)

내실에서 '쿵!!' 하는 소리 들린다! 이랑이 자리에서 벌떡 일
어선다!

신주	안 돼요!!
이랑	(뒤춤에서 도끼 빼 들고) 비켜!! 만에 하나, 이연한테 무슨 일 생기면 저 여자 죽여 버릴 거야.
우렁각시	(가로막고) 못 가. 저기 들어갈 거면 나부터 쳐 봐.
이랑	내가 못할 거 같냐?
우렁각시	(흔들림 없이 쏘아보는데)

이연이 쓰러졌다! 지아(이무기)가 비늘 드러난 채 '피식' 웃는다!

지아(이무기)   한심한 놈. (하며, 옷핀을 툭 던진다)

내실로 들어오는 길에, 이미 옷핀을 찔렀던 손에 핏방울 맺혀
있다. 옷에다 대충 피를 닦고, 이연의 머리채 거칠게 움켜쥔다.

지아(이무기)   하다하다 의령검을 다 구해 올 줄이야. (의식 있는지 확인하며) 어
              이, 자는 척 하는 건 아니지?

얼굴을 '툭' 친다! 이연은 미동도 없다!
의심을 거두지 않고, 이번엔 의자로 찍어 내린다! 역시 반응
이 없다!

지아(이무기)   진짜 혼이 날아간 거야?

지아(이무기)가 자신의 몸에서 고통스레 '비늘' 하나 떼어 낸다!

인서트
같은 시각 이무기. 지아(이무기)가 '비늘 떼어 낸 곳'과 같은 부
위 누르며 신음한다!

지아(이무기)   (쪼그려 앉아 비늘을 이연의 입에 쑤셔 넣고) 어차피 이렇게 됐을 일이

구미호뎐   제13화 또 하나의 이무기

다. 헌 집 줄게, 나 새 집 줘.

그 순간! 이연이 '퉤-' 비늘을 뱉어 낸다!!!

이연   요새 집값이 얼만데. 날강도도 아니고.

지아(이무기) (화들짝 떨어지며) 뭐야?!!

이연   뭐긴 뭐야. (뱉어 낸 비늘 손에 들고) 이걸 확인하고 싶었거든. 너,
             이 비늘로 갈아타고 다니는구나?

지아(이무기) !!!!!!

#42   플래시백 이연의 집 / 한식당 우렁각시 (낮)

             이연의 집에서 작전 회의를 하기 직전이다. 우렁각시에게 전
             화 걸려 온다.

우렁각시   그 점쟁이, 민속촌을 마지막으로 행방이 묘연해요! 천리를 내
             다보는 삼도천 어르신 눈에도 안 뵌다지 뭐예요?

이연   젠장.

우렁각시   이제 어쩌죠?

이연   (잠시 생각하고) 자네는 지금 바로 나가서 목검 한 자루만 구해 와.

우렁각시   목검이요? 베지도 못하는 칼로 뭘 하시려고요?

이연   벨 수 없는 걸 베어 볼까 하고.

#43   한식당 우렁각시 / 내실 (밤)
이연이 '비늘'을 손에 들고 서늘하게 웃는다.

이연   이제 우리 좀 다르게 놀아 볼까?
지아(이무기)   !!!!!!

#44   도로 (밤)
이무기가 유리에게 거칠게 '차 세워!'

#45   한식당 우렁각시 / 내실 (밤)
이연과 지아(이무기)의 대화 계속되고 있다.

지아(이무기)   (목검을 보며 분노로) 그럼 이 검은 처음부터…
이연   청계천 벼룩시장에서 왔어. 그놈의 점쟁이, 본인이 원할 때,
            원하는 곳에만 나타난다지 뭐냐.
지아(이무기)   하… 이 양아치 같은 새끼.
이연   누가 누구한테 감히. 그 되도 않는 지아 코스프레는 뭐냐?
지아(이무기)   (쓰게 웃는) 난 줄 알았어?
이연   피 냄새. 내실로 들어올 때 너한테 희미한 피 냄새가 나더라
            고. 참고로 내 후각은 너보다 몇 배는 예민하거든. (비늘 들어 보
            이며) 암튼 기부 고맙다.
지아(이무기)   내 비늘을 손에 넣었다고, 당장 전세 역전이라도 된 거 같아?

구미호뎐   제13화 또 하나의 이무기

다른 데 옮겨 심어 봤자, 난 또 이 여자 찾아서 들러붙을 거야.
네가 항복하고 그 몸을 포기할 때까지.

이연   그러니까, 널 옮겨 심을 수도 있는 물건이란 거네, 이게?

지아(이무기)   (살짝 일그러지는)

이연   예를 들면, 저 구렁이는 어때?

지아(이무기)   (표정 감추며) 해 보시든가.

이연   (케이지로 다가가서, 비늘 집어넣는 시늉하면)

지아(이무기)   설마, 내가 원치 않게 끌려 나가면서 이 몸을 고이 놔줄 거라고 생각하는 건 아니지?

'사실일까 아닐까.' 놈을 팽팽히 보다가, 이연이 케이지에서 손을 뗀다.

이연   솔직히 말하면, 난 저쪽 이무기보다 네가 마음에 든다. 자고로 악역이라면 이 정도는 막 나가 줘야지. 이무기가 '멜로'는 무슨 얼어 죽을.

지아(이무기)   나한테 이 여잔 인질 그 이상도 이하도 아냐.

이연   그놈은 네 몸을 완성하는 것보다, 지아한테 관심이 많을 걸?

지아(이무기)   놈은 내 몸의 부스러기일 뿐이야.

이연   걔 생각은 좀 다른 거 같던데?

지아(이무기)   네가 이런다고, 그놈이랑 내가 갈라서기라도 할까 봐? 꿈 깨.

이연   너, 그놈이 지금 무슨 일을 벌이고 있는지 아니?

지아(이무기)   ??!

이연   그러니까 네 반쪽이 말이야.

하는데, 지아, 갑자기 얼굴을 싸매고 신음하기 시작한다!!

#46   도로 / 차 안 (밤)

'하여간 이놈이고 저놈이고…' 분노로 중얼거리며.
아까의 비늘 떨어진 자리를 무서운 힘으로 누르는 이무기!
마치 지아(이무기)를 밀어 넣으려는 듯이!

#47   내세 출입국 관리 사무소 (밤)

노파가 모든 걸 내려놓은 얼굴로 눈을 질끈 감는다.
사망 일시에 '今日(오늘)'이라고 적어 넣는 손!!
지아의 명부가 고쳐졌다!
고통스럽게 마른세수하다가 고개 들면, 남편이 노파를 바라
보고 있다!
아내가 무슨 짓을 했는지 다 아는 얼굴로.

노파   (살짝 당황해서) 무고한 인명이 죽어 가고 있어. 이대로 뒀다간
        세상 쑥대밭 되는 거 시간문제… (하는데)
현의옹   아니. 틀렸어. (외려 담담하게) 그냥 처음부터 그게 당신이었던 거야.
노파   여보.
현의옹   그렇게 부르지 마. 방금 나 당신 남편 그만두기로 했으니까.
노파   (!!!) 웃기지 마. 누구 맘대로?!

'픽' 쓰게 웃어 보이고, 현의옹이 돌아서 나가 버린다.

노파	거기 서! (사이) 내 말 안 들려?!!
현의옹	(아랑곳 않고 걸어 나가는)
노파	그 문 열고 나가면, 당신이 가진 모든 걸 다 잃게 될 거야! 내가 그렇게 만들 거야!

#48   거리 (밤)

이무기가 도심을 걷고 있다. 그 얼굴, 전에 없이 분노로 그득하다! 곁을 스쳐 지나가는 사람들, '픽픽' 쓰러진다!
'역병'이다!

#49   한식당 우렁각시 / 내실 (밤)

지아(이무기), 그악스럽게 버티다가 원래의 지아로 돌아온다!

지아	…이연?
이연	그래 나야.
지아	서둘러 줘, 적어도 마지막 순간엔 내가 나로 남아 있을 수 있게. 내가, 네 옆에 있을 수 있게.

시간이 많지 않다. 자신이 이대로 이연을 해치진 않을까, 두려운 지아인데.

그런 지아의 손을 잡아 주며.

이연   끝내자. 이 징글징글한 싸움을 이제 끝내 버리자.

Dead
End

(막다른 길)

#1   내세 출입국 관리 사무소 (밤)

노파가 작심한 듯 지아 명부를 고친다!

사망 일시에 '今日(오늘)'이라고 적어 넣고, 고개를 떨군다!

#2   한식당 우렁각시 / 내실 (밤)

이무기로 변했던 지아가 정신을 차렸다.

지아   …이연?

이연   그래 나야.

지아   (정신없이) 미안. 아까 내실로 들어오는데, 갑자기 몸이 내 마음
대로 안 움직이더니… 미안해.

이연   아냐, 충분히 잘 버텨 줬어.

지아   (몸서리치는) 지금도 느껴져. 그게 소름끼치게 내 머리를 막 휘
젓고 다니는 게. 서둘러 줘, 적어도 마지막 순간엔 내가 나로
남아 있을 수 있게. 내가, 네 옆에 있을 수 있게.

이연	끝내자. 이 징글징글한 싸움을 이제 끝내 버리자.

#3   거리 / 차 안 (밤)

세워 둔 차 안에서, 밖을 내다보던 유리의 표정 심상찮게 변한다.

위태로운 유리의 시선 따라서 보면, 이무기가 차가운 얼굴로 차로 걸어온다.

그 손에 13화처럼 비늘 돋아 있다.

그 뒤로 거리를 오가던 인파, '픽픽' 쓰러진다!!

이무기	(차에 올라서) 가자.
유리	왜 이런 짓을 하는 거야?
이무기	응?
유리	막 세상을 엉망으로 만드는 게 재밌어? 그래서 그래?
이무기	아니. 솔직히 말하면 난 책 읽는 쪽이 훨씬 재밌어.
유리	그럼 왜 이러는데?
이무기	이연이 좀 죽어 줬으면 해서?
유리	네가 이런다고 이연이 순순히 죽어 줄 놈이야?
이무기	그래서 그래. 지치지도 않고 징글징글하게 달려드니까. 자꾸 운명을 거스르려고 하니까.
유리	(이무기 너머로 쓰러지는 사람들 보며) 미친.
이무기	이제 아무것도 돌이킬 수 없어. (광기 어린 얼굴로) 그놈이나 나나, 이미 선을 넘었거든.

구미호뎐   제14화 Dead End (막다른 길)

이연이 지아 어깨 감싸 안고 나오면, 신주가 자리에서 벌떡 일어난다. 우렁각시가 지아 부축해서 자리에 앉히고, 따뜻한 차를 내준다. 지아가 한쪽에서 몸 추스르는 사이.

이랑	어디 다친 덴 없고?
이연	('걱정해 줬구나.' 싶어 따뜻하게) 딱히.
이랑	그래? 그럼 이제부터 좀 다치자. 감히 나를 속여?
이연	방법이 이거밖에 없었어.
이랑	닥쳐.
신주	작전 회의 한다고 다 끌어 모을 때부터 대충 각 나왔잖아요.
이랑	지는 뭐 알았던 척.
신주	진짜 의령검을 찾았으면 그렇게 나불나불하고 계실 분이 아네요. 무식하게 막 칼부터 휘두르고 말지.
이연	뭐? 무식?
신주	(움찔) 우리 이연님은 원래 문법보다 회화 위주다 뭐 그런 거죠.
우렁각시	그래서 원하는 답은 얻으셨나요?
이연	뭐 대충.
우렁각시	(미소)
이랑	그 답이 뭔데?
이연	열쇠.
이랑	무슨 열쇠?
이연	놈이 다른 육체를 드나드는 데 필요한 열쇠.
신주	그럼 이제 피디님 몸에서 끌어낼 수 있는 거예요?

이연	그것만 갖고는 안 돼.
신주	예??
이연	난 그놈을 영영 묻어 버릴 생각이야. 두 번 다시 돌아오지 못하게.

#5 내세 출입국 관리 사무소 (밤)

현의옹이 처음으로 아내에게 반기를 들었다.

노파	거기 서! 내 말 안 들려?!!
현의옹	(아랑곳 않고 걸어 나가는)
노파	그 문 열고 나가면, 당신이 가진 모든 걸 다 잃게 될 거야! 내가 그렇게 만들 거야!
현의옹	(그제야 멈춰 선다. 돌아보며) 내가… 가진 게 뭐지?
노파	삼도천의 주인, 신에 가까운 지위, 영원한 삶까지 전부 내가 줬잖아.
현의옹	(안쓰러운 눈빛으로) 내가 갖고 싶었던 건 그런 게 아냐. '내 아내와 아들'이지. 여보. 당신하고 영원히 사는 게 나한테는 제일 큰 형벌이야.
노파	!!!!!

모든 걸 내려놓은 얼굴로, 현의옹 돌아선다.

| 노파 | 거기 서! 거기 서라고!! |

구미호뎐 제14화 Dead End (막다른 길)

남편은 마지막까지 돌아보지 않는다. 너른 출입국 사무소에, 노파의 고함 소리만 황량하게 메아리친다.

#6   방송국 / 사무실 (밤)

그 시각. 경찰서 다녀온 팀장의 몸에도 반점 두어 개 돋아 있다.
무방비하게 팀장에게 다가가는 작가와 재환.

#7   한식당 우렁각시 / 방송국 사무실 (밤)

다들 우렁각시가 차려 준 늦은 저녁 먹고 있다.
지아는 한쪽에서 재환과 통화 중.
이하, 사무실 구석에서 통화하는 재환과 교차된다.

지아   팀장님은 뭐래?

우렁각시   (팀장 얘기가 나오자 지아를 흘긋)

재환   경찰 한 분이 돌아가셨대요.

지아   원인은?

재환   사인은 심장마비라는데요. 응급 처치 할 때 보니까 몸에 이상
        한 반점이 잔뜩 돋아 있었다고… 아, 그리고 무슨 '알'을 토해
        냈다는데요?

지아   (!!) 알이라니?

일동   (핸드폰 보며 태연히 밥 먹는 이랑을 빼고, 다들 지아에게 시선) ?!!!

이연   설마, 팀장이랑 같이 있는 건 아니지?

지아	너 지금 어디야?

핸드폰 들고 얼어붙은 재환의 모습에서 화면 넓어지면.
붙어 앉아 얘기 중인 팀장과 작가.

팀장	이게 웬 봉변이니. 눈앞에서 사람 죽는 걸 보게 될 줄이야.
작가	그러게 굳이 가지 말라는 면회는 가셔 가지고.

굳은 채 그들을 보는 재환!

지아	니들, 거기서 당장 떨어져.
재환	!!!!

지아가 전화 끊으면, 식당 분위기 술렁인다.

우렁각시	(걱정스레) 최 팀장이 경찰서에 갔었다고요?
지아	네. 돌아가신 분 응급 처치를 직접 하셨대요.
우렁각시	별 일 없는 거죠?
지아	아직은요.
이랑	(관심 없는 듯 핸드폰만 보다가, 이연에게) 야, 이거 좀 봐 봐.
이연	(받아서 보면)

인서트   인터넷 뉴스

'붉은 반점'으로 뒤덮인 시신 - 서울 도심에서 수수께끼의 사

구미호뎐   제14화 Dead End (막다른 길)

망자 발생!

지아　（뉴스를 보고, 충격으로) 사망자가, 무서운 속도로 늘어나고 있어!
이연　（곧바로 나가며) 나 좀 나갔다 올게.
지아　어딜?
이연　집에 가 있어. 절대 혼자 가지 말고 애들이랑 같이.

이랑이 그런 이연의 뒷모습을 불안한 눈빛으로 바라본다.

#8　도로 / 이연의 차 (밤)

이연이 차를 몰고 어디론가 내달린다. 전화기 너머 현의옹이
'서둘러야 한다. 연아. 할멈이 지아 명부에 손을 댔다.'
'설마 진짜 명부를 고칠 줄이야.' 이연의 얼굴 무섭게 굳는다.

#9　한식당 우렁각시 / 앞 (밤)

지아가 이랑, 신주와 함께 식당을 나선다. 문득 걸음을 '뚝' 멈
추면.

신주　왜 그러세요?
지아　（불안한 얼굴로) 그놈이… 경고한 대로 되고 있어요.
신주　무슨 경고요?
지아　세상에 역병을 퍼뜨리고. 나한테 소중한 사람들을 다 죽이겠

다고. (하다가 퍼뜩) 잠깐만요! 우리 엄마 아빠!!

신주 제가 가 볼게요. 이연님 말씀대로 가 계세요.

지아 그래도.

신주 걱정 마시고요. (이랑에게) 이랑님 부탁드려요.

신주 잽싸게 사라지면, 지아와 이랑 둘만 남았다. 이랑은 노골적으로 싫은 기색.

이랑 '바래다주세요.' 해 봐.

지아 죽어도 싫어.

이랑 그럼 죽어. (어깨를 으쓱) 이무기한테 잡혀가도 난 모른다.

지아 나한텐, 너나 이무기나 거기서 거기야.

이랑 '거기서 거기'는 너한테 해당되는 말 아닌가? 여자 이무기.

지아 (열 받아서) 각자 갈 길 가자.

이랑 좋으실 대로.

지아 (주저 없이 이랑 반대편으로 가 버리면)

이랑 독하다 독해. (고개를 절레) 이연은 대체 저 여자 어디가 좋은 거야?

#10   횡단보도 (밤)

지아가 횡단보도에 서 있다. 길 건너에 빈 택시 정차된 것 보인다. 지아 옆에는 아기 업은 아줌마 서 있고.
이랑, 맞은편 어디선가 지아를 슬쩍 지켜보고 있다.

구미호뎐   제14화 Dead End (막다른 길)

조금 떨어진 곳에서, 트럭 한 대가 빠른 속도로 달려온다.

신호등 파란불로 바뀐다. 아줌마가 앞서 가고, 지아도 길 건너기 시작한다.

트럭 운전사 당황한다. 브레이크가 듣지 않는다!

이랑은 트럭을 봤다. 하지만 움직일 생각은 없다. 그저 지켜볼 뿐.

지아와 트럭 사이에는 아직 거리가 있다!

그런데 먼저 건너던 아줌마 등에서, 아기가 인형을 떨어뜨린다!

'저기요' 부르는데 아줌마는 듣지 못한다!

지아가 무릎 굽혀서 인형 줍는다! 그 순간!! 순식간에 지아를 덮쳐 오는 트럭!

경악한 지아 얼굴에서!

#11   내세 출입국 관리 사무소 (밤)

노파가 텅 빈 사무실에 홀로 앉아서, 괴롭게 머리를 감싸 쥔다!

#12   횡단보도 (밤)

이랑이 믿기 힘든 표정으로 그쪽을 보고 있다!

지아가 전혀 다친 데 없이 '부스스' 몸 일으킨다!

그 앞에서, 한 손으로 육중한 트럭을 막고 서 있는 것, 현의웅이다!!

지아	현의옹 할아버지?!!
현의옹	다행히 내가 제때 왔구나.

지켜보던 이랑, 모습을 감추며.

이랑(E)	삼도천에서… 직접 움직이기 시작했다? 조만간, 뭔 사달이 나도 제대로 나겠구나.

#13   내세 출입국 관리 사무소 (밤)

이연이 서릿발 같은 얼굴로 사무소에 나타난다.
노파 또한 이연이 올 줄 알았다는 듯 그를 기다리고 있다.
둘 다 물러설 곳이 없는 표정.

이연	할멈.
노파	(하자마자) 지금부터 입에서 기어 나오는 단어 신중하게 골라라. 내가 지금 너 못지않게 기분이 엿 같거든.
이연	기어이 명부에 손을 댔어? 기어이, 나를 적으로 돌리고. 할멈 자신도 스스로를 용서 못 할 그 길을… 할멈은 기어이 선택한 거야?
노파	네가 뭐라 해도 명부를 철회할 생각은 없다. 이게 '내 선택'이야.
이연	역병을 퍼뜨린 놈은 놔두고, 왜 지아야?!
노파	그것이 칼로 벤다고 베어지더냐?

구미호뎐   제14화 Dead End (막다른 길)

이연이 기습적으로 찌른 검, 태연하게 뽑아내던 이무기 모습
스쳐 간다!

노파　　여자애 속에 든 게 문제야. 그것을 먼저 잡아야, 밖에 놈도 벨
　　　　수 있다. 그것을 잡으려면, 그 아이가 죽어야 돼.

이연　　(폭발할 것 같은 심정으로) 마지막으로 말할게. 돌려놔. 제 자리로.

노파　　여기가 제 자리야. 그래야 끝나.

이연　　아니, 지아는 못 데려가. 설령 그게 할멈이라 해도.

노파　　연아, 이미 네 손을 떠난 일이다.

이연이 모든 걸 내려놓은 얼굴로 눈을 질끈 감는다.
그런 이연의 손에 검이 들려 있다!!

노파　　(예상했다는 듯) 오너라.

검을 들고, 저벅저벅 노파를 향해 나아가기 시작하는 이연 모
습에서!

#14　　이연의 집 (밤)

지아가 현의옹과 마주 앉았다. 지아도 모든 걸 알았다.

지아　　그럼 제가 죽을 때까지, 아까 교통사고 같은 일이 계속 벌어진

다는 거네요. (충격으로) 하… 엄마 아빠한테 인사하고 오길 잘했네.

현의옹   미안하다.

지아   할아버지가 왜 미안해하세요. 제 목숨을 살려 주셨는데.

현의옹   내가 어떻게든 막아 보려고 했는데, 내 힘으론 고작 여기까지구나.

지아   이연은요? 이연은 어디 있어요?!

현의옹   할멈이랑 담판을 지으러 갔다.

지아   (!!!) 괜찮을까요?

현의옹   글쎄다. 할멈은 지금껏 단 한번도, 제가 옳다 믿었던 일에 고집을 꺾은 적이 없단다. 연이도 그걸 알고.

지아   그럼 이연이 나 때문에…

현의옹   연이는 지금, 지가 가진 모든 걸 다 걸었을 게야.

지아   !!!!!!

#15   내세 출입국 관리 사무소 (밤)

둘 다, 일촉즉발의 분위기다!

이연이 몇 발짝 떨어진 곳에서 우뚝 멈춰 선다.

그런데! 노파에게 덤벼드는 대신, 검을 '휙' 던져 주는 이연!

노파가 한 손으로 검을 잡으면!

노파   ?!!!

이연   내 목숨 값이야. 사흘만 줘. 사흘 안에 놈을 못 잡으면 날 베라.

구미호뎐   제14화 Dead End (막다른 길)

노파	그렇겐 안 되겠는데?
이연	!!!!!
노파	그놈은 이미 폭주하고 있어.
이연	(비늘 보여 주며) 비늘을 손에 넣었어!
노파	늦었어.
이연	잡을 수 있어, 이무기! 내가 잡을 수 있다고!!
노파	앞으로 사흘간 그놈이 쓸어갈 인명이 몇이나 될까, 응? 누가 감히, 네가 지키려는 목숨보다 그들 목숨이 가볍다 하겠느냐.

반박할 수 없다.
하지만 물러설 수도 없다. 여기서 물러서면 지아가 죽는다.

| 이연 | 살려 줘. |

이연이 노파 앞에 무릎을 꿇는다.
600년 만에 다시, 그녀의 목숨을 구걸하며.

이연	제발 지아 죽이지 마. 내가 무슨 일이든 다 할 테니까. 제발…
노파	차라리 검을 들어! 꼴사나운 짓 때려치우고, 너답게 들이받으라고!!
이연	살려 줘… 살려 주라. 지아.

숫제 자존심도 다 내려놓고 애원한다. 그런 이연을 흔들리듯 보다가.

노파	연아. 돌이킬 수 있는 길이면, 시작도 안 했어.
이연	할멈이 어떻게 나한테 이래?
노파	자식 잃고, 남편 잃었다. 내 너라고 잃지 못할까.

이윽고 서서히 고개를 드는 이연의 눈에, 분노와 절망으로 눈물 흐른다.

| 이연 | 후회할 거야. 할멈. |

#16   이연의 집 (밤)

보이지 않아도 이연이 거기서 무슨 고초를 겪고 있을지 안다.
울컥하는 기분에.

지아	어디서부터 잘못된 걸까요? 나만 아니었으면 이연… 지금도 산신으로 버젓이 잘 살고 있었겠죠?
현의옹	(짠하게 보면)
지아	자꾸 후회돼요. 내가 이연 정체를 밝히겠다고 '빨간 우산'을 쫓아다니지 않았으면. '내가 속한 세상으로 돌아가라'고 날 밀어냈을 때, 내가 돌아섰다면. 그런 이연을 어느 순간 사랑하지 않았더라면. 아니, 처음부터 내가 태어나지 않았다면…
현의옹	애야, 네 잘못이 아니란다. 왜 스스로를 미워하고, 네 인연을 부정하려 애를 쓰니?
지아	전부 나 때문인 거 같아서요.

구미호뎐   제14화 Dead End (막다른 길)

현의옹	불멸을 사는 우리도, 너희랑 똑같아. 다들 기댈 수 있는 기억에 살아간단다. 난 잃어버린 자식이었고. 우렁각시는 다정했던 남편. 그리고 연이는 네가 있어 살아왔어.
지아	이무기가 그랬어요. 나는… 내 손으로 이연을 죽이게 될 거라고.
현의옹	그래서 이렇게 서로를 지키기 위해 싸우고 있지 않니? 너도, 연이도.
지아	(눈물 핑 돈다)

#17   내세 출입국 관리 사무소 / 앞 (밤 → 낮)

서울 전경이 한 눈에 내려다보이는 사무소 앞.
이연이 홀로 앉아 있다. 결국 노파는 설득하지 못했다. 사면초가의 상황이다.

이연	이래저래 막다른 길이네.

마침내 뭔가 결심한 듯 분연히 자리 털고 일어서는 이연.

#18   이랑의 집 (낮)

이랑이 잠에서 깼다. 이랑은 모르지만 몸에 '아동용 스티커' 잔뜩 붙어 있다. 거실로 나오다가 '악!!' 소리를 지른다. 장난감 부품을 밟았다. 수오가 코 흘리며 장난감 가지고 놀다가.

수오	(쪼르르 달려가서) 내가 '호~' 해 줄까요?
이랑	(싸늘하게) 병 주고 약 주냐?
수오	(장난감 차 들어 보이며) 자동차 줄까요?
이랑	에휴. 말을 말자. (하다가 정색하고) 그리고 너, 나랑 있을 때는 그 코 좀 어떻게 처치해. 나 비위 되게 약해.
수오	(소매로 얼른 코 닦으면)
이랑	(오만상) 그 옷은 얼마나 입은 거냐? 빨기는 한 거지?
수오	(절레절레)
이랑	(한숨 푹 쉬고, 지갑에서 카드 꺼내 주는) 백화점 가서 몇 벌 사 입어. 나 위생에 되게 민감하거든. (하고, 자리를 뜬다)

강아지처럼 그 뒤를 좇는 수오. 이랑이 좋다.

이랑	(홱 째려보며) 나 화장실 갈 거거든?
수오	(이랑 들어가면, 문 앞에 쪼그려 앉는데)
이랑(E)	(그제야 거울을 보고) 이 스티커 뭐야?! 야! 나가면 너 죽는다!

#19	지아의 집 / 안팎 (낮)
	신주가 지아 집 앞을 지키고 있다.
	지아 아빠가 마당에서 나무에 물을 주고 있다. 엄마가 곁에서.

엄마	이 나무 되게 많이 자랐다.
아빠	그러게… 무슨 생각해?

구미호뎐   제14화 Dead End (막다른 길)

엄마	세월이 이렇게 흐르는 동안 우리는 대체 어디 있었던 걸까.
아빠	장기 실종자라는데, 좀 묘하지?
엄마	줄곧 잠들었던 기억뿐인데 몸에 욕창 하나 없는 것도 그렇고. 지아가 왠지 모르게 불안해 보이는 것도…
아빠	이어도 전설 생각나더라.
엄마	이어도?
아빠	왜 우연히 환상의 섬으로 표류해 들어간 어부가 뭍으로 나와 보니 100년의 세월이 흘러 있더라 하는.

도란도란 흘러나오는 말소리 들으며, 유리에게 주려던 반지 상자 만지작거리는 신주.

#20   이랑의 집 (낮)

수오가 우유에 만 시리얼 두 그릇을 식탁에 올린다.

이랑	(짜증스럽게) 밥상이 이게 다야?
수오	(먹으며) 맛있어요.
이랑	아, 나 냉면 먹고 싶은데… (마지못해 한 입 먹고 한숨) 유리야.
수오	아줌마 언제 와요?
이랑	지금 생각 중이야. (의미심장하게) 언제가 좋을까.
수오	왜 생각만 해요?
이랑	내가 생각을 끝내면, 우리 형이 '뭔가'를 잃게 될 테니까?
수오	??

커피 전문점에서 이연과 나눈 대화, 여기서 이어진다.

이연   장장 600년 세월이야. 난 이 싸움을 완전히 끝내려고 해.

이랑   만약 실패하면? 그럼 넌 어떻게 되는데?!

이연   랑아, 그래서 네가 필요해. 만에 하나 나한테 무슨 일이 생기면, 네가 이 일을 마무리해 줘야 돼. 네가 내 마지막 무기가 돼줬으면 좋겠다.

이랑   (말없이 보다가) 사양할게.

이연   ?!!

이랑   난 이무기가 세상을 멸망시키든 네 여잘 죽이든 아무 상관이 없거든. 우린, 서로 지키고 싶은 게 달라.

이연   (무슨 뜻인지 알았다. 간곡히) 랑아….

이랑   넌 그 여자를 지켜. 난 유리를 구하고 '너'를 살릴 거다.

다시 현재. 이랑이 가만히 생각에 잠겼다가 쓰게 웃는다.

수오   왜 웃어요?

이랑   역시, 난 착한 어린이는 적성에 안 맞는 거 같아서. (먹다 말고 일어서며) 나간다. 집 잘 지켜라, 검둥개.

수오   (어리둥절해서) 왜 내가 검둥개예요?

#21   한식당 우렁각시 (낮)

구미호뎐   제14화 Dead End (막다른 길)

우렁각시가 오픈 준비하고 있다. 팀장 나타난다. 안색이 썩 좋진 않다.

우렁각시	이 시간에 어쩐 일이에요?
팀장	삼계탕 한 그릇 먹고 가려고요.
우렁각시	(어제 들은 얘기가 마음에 걸려) 어디 몸 안 좋은 건 아니죠?
팀장	제가 이래 보여도 스쿼트를 하루에 200개씩 찍습니다. 제 허벅지 보실래요?
우렁각시	(손사래) 에라이.

#22   방송국 / 복도 (낮)

같은 시각. 작가와 재환이 원고 챙겨서 편집실로 향하고 있다.

작가	오늘 아침에만 경찰 일곱 명이 실려 갔대!
재환	그럼 팀장님은요?!
작가	멀쩡하신 거 봤잖아. 그래도 병원 가 보라는데 말을 들어먹으셔야지.
재환	(마른침을 삼키며) 팀장님이 괜찮으시면, 우리도 괜찮겠죠?
작가	우리는 일단 편집이나 걱정하자고.

#23   한식당 우렁각시 (낮)

팀장이 삼계탕을 맛있게 먹는다.

우렁각시가 삐딱하게 그 앞에 앉아 있다. 아직 마음이 놓이지 않았다.

팀장   (먹다가 시선 느끼고, 기분 좋게) 오픈 준비하느라 바쁘실 텐데.

우렁각시   그쪽 허벅지 보라면서.

팀장   (부끄럽다. 딴청) 아유, 아침 내내 입이 깔깔했는데 이제 좀 풀리
          네. (하다가 수저질을 멈칫, 배를 움켜쥐면)

우렁각시   왜요?

팀장   아, 아닙니다. 방금 속이 약간… (다시 수저를 들었다가, 이번엔 아예
          움직이지도 못한다)

우렁각시   안색이 왜 그래요?!

팀장   저 혹시 열나나요?

우렁각시   (이마 짚어 보고) 전혀요. 엄청 찬데? 손 줘 봐요! (잡아 보고) 손도
          차!! 아니 사람 체온이 이렇게 내려갈 수가 있나?

          하면서 손목 뒤집어 보면, 그 손목에 붉은 반점 서너 개 돋아
          있다!
          팀장이 배를 쥐고, 거친 숨을 몰아쉬기 시작한다!
          우렁각시가 팀장을 일으켜 세우고, 뒤에서 끌어안듯이 명치
          를 조인다!
          '쿨럭' 하더니 뭔가를 뱉어 내는 팀장! 타원형의 '새하얀 알'
          이다!

우렁각시   (알 확인하고, 경악해서) 구렁이 알?!!!!

구미호뎐   제14화 Dead End (막다른 길)

방송국 / 편집실 (낮)

작가와 재환, 편집실에 도착했다. 뒷모습으로 의자에 기대 잠든 남자 보인다.

작가　에휴. 또 주무시네.
재환　감독님. 일어나세요. 감독님?!

하는데, 남자가 축 늘어진다?! 그 얼굴에 반점 잔뜩 돋아 있다!

재환　(코 밑에 손을 대보고, 소스라치는) 죽었어요!!
작가　지금 바로 119 전화해! (뛰쳐나가며) 내가 사람 불러올게!

#25　방송국 / 모처 (낮)

그런데! 사람을 부르러 간 작가, 패닉이 돼 있다!
보면, 복도에 청경 둘이 기묘한 자세로 쓰려져 있다! 그 몸에도 반점! 다른 사무실 열어 보면, 거기도 사람들 죽어 있다!!

#26　거리 (낮)

행인 여자, 벤치에서 반점을 가리려 초조하게 콤팩트를 찍어 바른다!
그러다 앉은 채 힘없이 쓰러진다! 화장품 굴러 떨어진다!

#27   응급실 (낮)

행인 남녀를 응대했던 간호사의 몸에, 붉은 반점 드러났다!
아무것도 모른 채, 환자를 돌보는 간호사!

#28   이연의 집 (낮)

지아가 전화기 들고 자리에서 벌떡 일어선다!

지아   죽었다고? 우리랑 같은 층에 있는 직원들이… 전부?!! 잠깐만!

     지아가 통화하면서 급히 텔레비전을 켠다! 현의옹의 얼굴도
     심각해진다! TV에서 긴급 속보 타전하고 있다!

하단 자막 서울 전역 수수께끼의 사망자 속출

앵커   서울 전역에서 정확한 원인을 알 수 없는 사망자들이 속출하
     고 있습니다. 금란구의 한 병원에서 첫 사망자가 나온 지, 불
     과 이틀만의 일입니다. 해당 병원에서만 잇달아 40여 명의
     사망자가 나온 것으로 보아, 당국은 높은 치사율과 강한 전
     염성을 가진 미지의 질병으로 추정하고 있습니다. 첫 번째 사
     망자를 부검한 결과, 시신의 장기가 마치 짐승에 의해 훼손된
     것처럼, 치명적인 손상을 보였다는데요.

     이내, 현의옹의 등 뒤에서 조용히 모습을 감추는 지아!

구미호뎐 제14화 Dead End (막다른 길)

#29   대저택 (낮)

          유리가 조심스레 저택 둘러보고 있다. 이무기가 댄디한 차림
          으로 나타나서.

이무기   어때 보여?

유리   구려. 내 스타일 아냐.

이무기   노멀하단 거네.

유리   또 어디 가려고?

이무기   차 한 잔 얻어 마시러? 기념으로 너도 면회 허락해 줄게.

유리   면회?

이무기   남자 친구. 만나고 와.

유리   ?!!!!

#30   지아의 집 / 앞 (낮)

          신주가 차 안에 오도카니 앉아 있는데, 유리 전화 걸려 온다.

신주   (받자마자) 유리 씨? 유리 씨 괜찮은 거야?

유리(E)   (착 가라앉은 목소리로) 우리, 지금 좀 만나.

신주   지금? (지아네 집 돌아보며) 어디서?

유리(E)   근처로 갈게.

#31   이연의 집 / 욕실 (낮)

지아가 욕실 문을 잠그고, 뭔가를 작정한 얼굴로 거울 앞에 선다. 커터 칼을 손목에 대고.

지아   나와. 내 속에 숨어 있는 거 아니냐.

하지만 거울 속에는 자기 얼굴뿐이다.

지아   나오라고. (반응 없자) 셋 셀 때까지 안 나오면. (목덜미 겨냥하며) 죽어 버릴 거야. (사이) 하나. 둘. 셋.

하고 손목에 힘을 주면, 욕실 바닥으로 피 한 방울이 '똑' 떨어진다. 그 순간!

지아(이무기)   (거울 속에서) 미친년.

지아   !!!!!

지아(이무기)   껍데기 주제에 감히 날 오라 가라 해?

지아   껍데기? 월세도 안 내고 남의 몸에 세 들어 사는 놈이 집주인 행세까지 하려고?

지아(이무기)   주인이 바뀔 테니까. 앞으로 하루 아니면 이틀. 이제 곧 네 몸은 완전히 내가 갖는다.

지아   (단호히) 생각보다 오래 걸리네? 왜지? 여우 구슬이 사라진 건 한참 전인데?

지아(이무기)   후유증이지 뭐. 구슬에 묶여서 너무 오래 잤거든. 미리미리 작별 인사나 해 둬. 주인이 바뀌면, 네 몸에 갇혀서 영원한 잠

구미호뎐   제14화 Dead End (막다른 길)

	을 자는 건 네가 될 테니까.
지아	그러니까, 적어도 그때까지 넌 불완전하다는 거네.
지아(이무기)	(입술을 비틀며) 그래 봤자, 네까짓 게 뭘 할 수 있는데?
지아	(도발하는) 그 전에, 내가 죽어 버리면?
지아(이무기)	(!!!) 넌 그렇게 못 해.
지아	사람은 말이야. 지키고 싶은 게 있을 때, 뭐든지 할 수 있어. (커터 칼을 보며) 미친년이 될 수도 있지.

#32   도로 / 이연의 차 (낮)

이연의 시선에, 거리 곳곳 사람들 '픽픽' 쓰러지는 모습 보인다!

#33   이연의 집 / 욕실 안팎 (낮)

지아와 거울 속 이무기, 팽팽하게 내치 중이다.

지아(이무기)	내가 그렇게 놔둘 거 같아?
지아	(빙긋) 내가 죽으면 꽤 곤란한가 봐?
지아(이무기)	이년 봐라?
지아	됐어. 나대지 말고 들어가 봐. 그걸 확인하고 싶었던 거뿐이야.
지아(이무기)	(섬뜩해진 표정으로, 경고하는) 여자야. 이연은 너로 인해 끝장날 거다. 이연은 절대 널 포기하지 못하니까.
지아	남의 연인 사이에 신경 쓸 시간 있으면, 네 반쪽이나 챙겨. 그 자식은, 실연의 아픔을 못 이기고 너나 나나 싹 다 지옥으로

끌고 갈 생각인 거 같으니.

지아(이무기)   (!!) 그럴 리가 없어.

지아   내 명부가 바뀌었어. 무고한 사람들을 학살하면서, 삼도천 할
머니가 이렇게 나올 걸 그놈이 과연 몰랐을까.

거울 속 지아 얼굴 일그러진다. 그때, 현의옹이 밖에서 욕실
문 두드린다.

현의옹   안에 있니?

지아   예, 나갈게요!

그러고 나서 보면, 거울 속 이무기는 사라지고 없다!!

#34   놀이터 (낮)

지아네 집에서 멀지 않은 놀이터. 유리가 혼자 그네에 앉아
있다. 신주가 한달음에 그리 달려가서.

신주   유리 씨! 다친 덴 없어? (상처라도 났나 걱정스레) 어디 봐!

유리   안 다쳤어.

신주   다행이다. 나 진짜 걱정돼서 죽는 줄 알았어. 어떻게 왔어? 도
망친 거야? 왜 이무기 때문이라고 말 안했어?

유리   (대답 대신) 이랑님은?

신주   무사히 깨어나셨어. 말은 안 해도 네 걱정 많이 하신 눈치야.

구미호뎐   제14화 Dead End (막다른 길)

유리	다행이네.
신주	(유리 손잡고) 가자. 너 무사히 왔다고 하면 이랑님도 분명… (하는데)
유리	못 가.
신주	뭐?
유리	못 간다고. 나도. 너도.
신주	(불길한데) 무슨 소리야?
유리	나 지금 네 발목 잡고 시간 끄는 중이거든.
신주	그게 무슨?

하다가, 번뜩 깨닫고 지아 집 쪽을 돌아본다!
'안 돼!' 당장 달려가려는데, 유리가 신주를 완강하게 붙든다!

신주	놔줘!
유리	아무데도 못 간다고 했잖아. 우리 둘 다.

인서트 플래시백

앞 씬에서 생략된 유리와 이무기의 대화 여기서 이어진다.

이무기	기념으로 너도 면회 허락해 줄게.
유리	면회?
이무기	남자 친구. 만나고 와.
유리	내가 왜 네 말을 들어야 되는데?
이무기	(상냥히) 그야 신주가 오늘 내 눈에 띄면… 죽을 테니까?

그 말 떠오르면서, 유리 손에 힘이 '꽉' 들어간다!
슬프게 대치하고 선 둘 모습에서!

#35   이연의 집 / 지아의 집 (낮)
지아가 주방에서 찬물을 벌컥 마시고 있는데 전화 걸려 온다.
아빠다. 밝게 통화하는 아빠와 지아 교차된다.

지아	(안도감과 반가움으로) 아빠!
아빠	(아무것도 모르고 그저 다정한) 딸, 어디야?
지아	밖이야. 왜?
아빠	네 친구라고 누가 찾아왔는데.
지아	내 친구? 누구? 아무한테도 문 열어 주지 말랬잖아.
아빠	그게 아는 얼굴이라서.
지아	(불안해져서) 엄마, 아빠가 아는 얼굴이 누가 있어? 이연?!
아빠	아니. 저번에 말한 그 얼굴 하얀 청년. 카네이션.
지아	뭐?!!!

지아 부모 모습에서 화면 넓어지면, 지아네 집에 와 있는 이
무기 보인다!
여유 있는 태도로 차를 얻어 마시고 있다!!
전화기를 든 지아의 손 떨린다! 전화는 이무기가 넘겨받았다!

이무기	말했잖아. 난 이제 너한테 마냥 친절하지만은 않겠다고.

구미호뎐   제14화 Dead End (막다른 길)

지아	가만 안 둬. 우리 엄마, 아빠한테 손끝 하나만 대면 내가!
이무기	운명을 거부하지 마. 난 네가 아끼는 모든 걸 다 부숴 버릴 수도 있어.
엄마, 아빠	(뭔가 심상찮은 분위기 느꼈다!!)
엄마	너 누구야? 지아 친구 아니지?!
지아	(그 소리에) 안 돼, 엄마!! 그러지 마!!
이무기	(부모의 눈을 보며) 목매달고 싶어.

'안 돼!!!' 지아가 핸드폰 손에 쥐고, 미친 듯이 뛰어나가려는데!
'나가면 안 된다!' 간곡히 말리는 현의옹!

#36 지아의 집 (낮)

부모의 눈에서 초점이 사라진다!
곧장 영혼 없는 인형처럼 집안 어디론가 걸어간다!
그곳 천장에, 이미 목을 맬 수 있는 밧줄 두 개 걸려 있다!!
부모가 발밑에 쌓아 놓은 책을 딛고, 밧줄에 목을 걸기 시작한다!
이무기는 지아 가족사진 등을 들어 보며, 한가로이 집 구경을 한다!
부모가 밧줄에 막 목을 거는 순간!!
순식간에 '확' 잘려 나가는 밧줄! 이무기가 돌아본다!
어느새 이연이 검을 들고 서 있다!! 이무기 얼굴 매섭게 굳는다!

이무기	(지아 부모에게, 성가신 듯) 주무세요.

부모 그대로 잠들면, 이연이 부축하듯 눕혀 주고 이무기에게 다가간다.
그 어느 때보다도 냉정하고 차분해진 얼굴이다.

이무기	나 여기 있는 거 어떻게 알았어?
이연	삼도천에서 오는 길이야.
이무기	아… 그 노파, 천리안.
이연	할멈이 지아 명부를 고쳤다. 네가 역병을 뿌리고 다닌 덕이야.
이무기	살아 있던데? 좀 전에 나랑 통화했거든.
이연	현의옹 어르신이 지키고 있으니까. 그래봐야 오래 못 버티겠지만.
이무기	(떠보듯) 거기서 오는 길이라며? 노파한테 목숨이라도 구걸해 보지?
이연	구걸은 할 만큼 했다.
이무기	안 먹히는구나?
이연	만일 지아가 죽으면, 그 속에 있는 네 반쪽도 무사하진 못해.
이무기	(태연히) 그래서?
이연	네가 진짜 원하는 게 뭐니?
이무기	맞춰 볼래?
이연	넌 존재 자체가 결핍이야. 인간의 아이였을 때도, 지금도. 인간일 때는 몸이 기형이었겠지만, 지금은 몸도, 마음도 기형이지. 신이 엿 먹으라고 만들었나 싶을 만큼, 저주받은 존재. 그

게 이무기잖아.

이무기   (서늘하게 웃으며) 싸우자는 거지?

이연   그 반대야.

이무기   뭐?

이연   네 결핍을 메우는데, 나나 지아한테 집착하는 것보다 훨씬 나은 길이 있다면? 하급 산신 따위는 감히 넘보지도 못할 자리를 네가 갖는다면.

이무기   알아듣게 말해.

이연   '신들의 신'은 어때?

이무기   설마…

이연   삼도천의 주인 말이야.

이무기   !!!!!!!

#37   내세 출입국 관리 사무소 (낮)

노파가 늘 앉아 있던 책상 비어 있다. 드넓은 사무실에는 정적만 감돈다.
아들 유골함 앞에 노파 모습 보인다. 가만가만 유골함 쓰다듬고 있는 노파의 등이 유독 왜소해 보인다.

#38   지아의 집 (낮)

생각지도 못한 이연의 제안에, 이무기의 눈빛 교활하게 빛난다.

이연	같이 치자, 삼도천의 주인을.
이무기	신선하네. 뜻밖이야. 네가 그 노파 뒤통수 칠 생각을 할 줄이야.
이연	(진심으로) 지아를 살릴 수 있다면 난 뭐든 할 수 있어.
이무기	(비웃듯) 그래서, 나랑 손을 잡겠다?
이연	(끄덕) 너 같은 거랑 손잡고 시궁창에 뒹구는 일이라도.
이무기	조건은?
이연	지아 놔줘. 지아 몸에 있는 네 반쪽 깨끗하게 회수하고. 그리고 다시는 나랑 지아 찾지 마. 그게, 내 유일한 조건이다.
이무기	(피식) 너라면 믿겠니? 이게 함정이 아니라고.
이연	나라면 안 믿지.
이무기	(어이없는데) 뭐?
이연	(흔들림 없이 보는)
이무기	(무슨 속셈일까) 그럼 맞춰 봐. 내 대답은 뭘까.
이연	NO라고 말하고 싶겠지만, 넌 결국 내 제안을 수락할 거야.
이무기	하… 그런 자신감은 어디서 나오니?
이연	피차 막다른 길이잖아? 네가 날 거절하면, 우리는 지아와 네 반쪽을 동시에 잃고, 죽도록 싸우다 같이 지옥이나 가는 거야.
이무기	그녀와 마지막 데이트 이후로, 내가 바라던 게 바로 그건데?
이연	마음 바뀌면 연락해. 시간은, 내일 아침 해 뜰 때까지다.

새로운 국면으로 서로를 마주한 이연과 이무기!

#39 놀이터 (낮)

구미호뎐 제14화 Dead End (막다른 길)

같은 시각, 신주가 유리와 대치 중이다.

신주   이무기가 그분들 죽이러 간 거 알면서, 날 잡아 둔 거야?!! 왜?
그놈이 협박했어? 아님, 이랑님 찔렀던 것처럼 마음을 조종당
하기라도 한 거야?

유리   둘 다 아냐.

신주   아닌데 왜! 왜 그랬어?!

유리   상관없잖아. 그깟 인간들 따위.

신주   그깟⋯ 인간들?

유리에게 한 번도 화낸 적 없던 신주의 얼굴, 매서워진다.

신주   날 만나러 온 줄 알았어. 네가 걱정돼서 미쳐 버리는 줄 알았
어. 근데 난 그냥 미끼였네. 나를, 내 마음을 이용했어.

유리   (답답하고 속상한) 구신주!!

신주   그만. 한 마디만 더하면, 나 유리 씨 좋아한 걸 처음으로 후회
할지도 몰라.

하고, 돌아서 가 버리는 신주. 유리가 비참한 얼굴로 그 뒷모
습 보고 서 있다.

#40   이연의 집 (낮)

이연이 집에 돌아왔다. 신주가 뒤에 죄인처럼 고개 푹 숙이고

서 있다.

이연	많이 걱정했지? 부모님 기억은 깨끗이 지우고 왔어. 아마 이 무기를 만난 것도 기억 못 하실 거야.
지아	고마워 이연. 고마워.
신주	저 때문이에요. 제가 자리를 비워서.
지아	원장님 탓 아녜요. 계속 우리 엄마 아빠 지켜 준 거 아는데.
이연	(현의옹에게) 감사해요. 어르신. 저 대신 지아 지켜 주셔서.
현의옹	이제 어쩔 셈이니?
이연	저는, 이무기랑 손을 잡을 겁니다.
신주	예?!!!
지아	그게 무슨 소리야?!!

다들 경악해서 이연을 보는데, 현의옹이 짚이는 데가 있는지.

현의옹	그 할망구 때문이니?
이연	(담담히) 예.
현의옹	할멈이 끝내 널 저버린 거야?!
이연	'기회'를 준 겁니다. 마지막으로 싸울 수 있는 기회.
지아	(걱정스레) 자세히 좀 얘기해 봐.
이연	이틀의 시간을 받았어. 그때까진 너도 무사할 거고.
지아	그럼 나 안 죽어?
이연	네가 죽긴 왜 죽어. 내가 두 눈 시퍼렇게 뜨고 있는데.
신주	그럼 이무기랑 손잡는 것도?

이연	당연히 그렇고 그런 거 아니겠어?
신주	(신나서) 역시 이연님!!
현의옹	할멈의 조건은?
이연	없어요. 이번엔 꼭 이무기 잡아 오라는 것밖에.
현의옹	(할멈의 성정을 안다. 근심 어린 얼굴로) 연아…
이연	(말 돌리는) 자세한 건 나중에요. 저 지아랑 밥 먹으러 갈 거거든요.
지아	외출?
이연	응, 옷 갈아입고 올게.

방으로 사라지는 이연. 현의옹의 눈길 어두워진다.

#41   **이연의 방 (낮)**

이연이 방으로 들어온다. 복잡한 얼굴이다.
방문에 기대서 오늘 아침, 노파와의 대화 떠올린다.

#42   **내세 출입국 관리 사무소 / 앞 (낮)**

17씬에 이어 '이래저래 막다른 길이네…' 이연이 자리 털고
일어선다. 그런데 뒤에서 인기척 들린다. 노파가 담배를 물고
등 뒤에 서 있다.

노파	(이연은 본체만체 라이터 켜며) 넨장. 불도 안 붙네.

이연	담배 끊는다며.
노파	내가 담배 끊으려고 세상 별 짓을 다 해 봤거든? 은단도 씹고, 뭐 금연 패치에 껌에, 요샌 약까지 지어 주더만. 근데 그 요란을 떨어도 안 되더라 이 말이야.
이연	(퉁명스레) 뭔 소리야?
노파	네가 아무리 발버둥 쳐도 '엔딩'이 안 바뀐다면, 어떡할래? 너나 그 아이, 둘 중에 하나만 살 수 있다면…
이연	엔딩은… 안 바뀌는구나. 그래서…

이연의 얼굴 무참해진다. 잠시 침묵하다 '픽' 웃는다.

이연	(이내 시원스럽게) 그럼 이제, 더 고민할 필요가 없겠네.
노파	??
이연	살고 싶었거든. 실은 나… 그 어느 때보다 살고 싶었어. 지아 인생, 남들이랑 똑같이 사계절 피고 지는 거 멀리서 지켜보고 싶다고. 얘 세상에 올 때 마중도 못 해 줬는데… 내가 배웅은 해 주고 싶다고. 욕심인 줄 알면서도, 그게 잘 포기가 안 되더라고. 근데… 이제 됐어.
노파	(불안한) 뭘 어쩔 셈인데?
이연	내가 먹을게. (손바닥의 비늘 펴 보이며) 이거. 지아 안에 있는 이무기 내 몸에 담아서, 나머지 반쪽, 마저 데리고 뛰어들 거야. 삼도천으로. 그놈이, 다시는 부활하지 못하게.
노파	제 발로 삼도천에 뛰어들면, 너도!!
이연	알아. 윤회조차 없다는 거. 두 번 다시는, 지아 곁으로 돌아올

수 없다는 것도.

#43   이연의 방 (낮)

다시 현재. 이연이 시큰하게 웃는다. 이연은 이미 '선택'했다.
지아를 살리고 이무기와 함께 사라지는 길을.

#44   한식당 우렁각시 / 내실 안팎 (낮)

내실에 아픈 팀장 눕혀 놨다. 팀장이 이불 싸매고 식은땀을
흘리고 있다.
우렁각시가 간병해 준다.

팀장   진짜 동화 속 우렁각시 같아요.

우렁각시   (놀랐지만) 비실비실하더니 별 흰소리를 다하네.

팀장   폐 끼쳐서 미안해요. 병원으로 가도 되는데.

우렁각시   병원은 소용없을 거예요. 이건 당신들이 아는 그런 질병이 아
             니야.

팀장   춥네요… (하고, 의식이 가물가물한 듯 눈을 감는다)

우렁각시   (잠들었구나 싶어 이불 싸매 주며) 버티세요. 머잖아 이 지독한 싸움
             이 끝날 겁니다. 그때까지 죽어라 버티세요. (하고, 일어서는데)

팀장   (손목을 잡고) 역시, 혜자 씨는 보통 사람이 아닌 거죠?

그러고 있는데 현의옹이 문을 벌컥 연다! 화들짝 손을 빼는

우렁각시!

우렁각시 어르신!

현의옹 큼큼… 왜 식당 문을 내 걸었나 했더니… (하다, 팀장을 보고 흠칫. 가까이 가서 얼굴 들여다본다) 세상에!

현의옹이 어리둥절한 우렁각시를 데리고 나간다. 밖에서 목소리 낮춰서.

현의옹 저이가 누군지는 알고 여기 데려다 놓은 건가?

우렁각시 다짜고짜 무슨 말씀이세요?

현의옹 자네 서방이잖나.

우렁각시 예??

현의옹 자네가 평생을 잊지 못하고 살아온 전생의 그 서방이란 말일세.

우렁각시 !!!!!!!!

#45 경찰서 / 유치장 (낮)

사장이 유치장 창살을 거칠게 흔들며 소리친다.
알 수 없는 추위로 몸이 덜덜 떨려 온다. 반점도 심해졌다.

사장 거기 누구 없어?! 야!! 사람이 죽어 간다고! (창살을 쾅) 젠장! 젠장!!!

구미호뎐 제14화 Dead End (막다른 길)

깨끗한 '가죽 구두'를 신은 발이 그 앞에 멈춰 선다.
백 형사다. 과자 봉지 뒤춤에 감춰 들고 서 있다.

백 형사	괜찮으세요? 세상에! 몸에 반점이…
사장	형사님! 나 병원 좀 보내 줘요!
백 형사	소용없어요. 죽는 속도가 다를 뿐, 치사율 100퍼센트랍니다.
사장	(절망으로 고개 떨구다가, 구두코에 시선)
백 형사	(안쓰럽게) 아이고, 어쩌다가 이렇게 되셨어요?
사장	근데요… (구두를 빤히 보며) 대한민국 형사가 언제부터 그렇게 먼지 한 톨 없는 정장 구두를 신고 다녔지?
백 형사	(잠시 침묵 흐르더니) 하아… 이놈의 드레스코드.

사장의 머리 위에서 장난스럽게 한숨 쉬는 소리.
고개 들면 옷차림은 그대로인 채, 백 형사의 얼굴, 이랑으로
바뀌어 있다.

사장	누가 보냈어?!! 이연이야, 아니면…
이랑	이제 와 그게 뭐가 중요하겠어. 다 죽어 가는 마당에.
사장	나 죽는 거 감상하려고 온 건 아닐 텐데?
이랑	나 그거 되게 좋아해. (과자 봉지 보여 주는) 팝콘도 사 왔잖아. (얄밉게 먹으며) 일부러 장례식장도 찾아다니고 그러거든?
사장	원하는 게 뭐야, 응? 말해 봐.
이랑	(팝콘 얼굴에 툭 던지는) 시한부 주제에 어디서 거래를 하려고 들어? 아직도 이무기 등에 업고 나대던 추억에서 못 벗어난 거야?

사장	이무기, 그놈이 죽으면 이 지랄 맞은 병도 사라지는 거지?
이랑	아마도.
사장	여기서 빼 줘.
이랑	내가 왜?
사장	난 니들이 아는 것보다 훨씬 오래 이무기를 모셨다. 그 자에 대해 나만큼 많이 아는 놈도 없단 뜻이지.
이랑	그래서? 넌 입만 나불거리고 자유를 얻겠다고? 공짜로 병도 고치고? 에이 난 싫어. 나 보기보다 싸움 잘 못해. 몸에 흉터 남는 것도 질색.
사장	(의도가 뭘까 보다가) 무슨 말인지 알았어. 그래서 왔구나. 네 손에 피 안 묻히려고.
이랑	(미소)

#46   경찰서 (낮)

백 형사 혼자 남아서 텅 빈 동료들 자리 둘러보고 있다. 사무실 엉망이다. 그때, 젊은 경찰 하나가 급히 뛰어 들어오며!

경찰	도망쳤어요!
백 형사	누가?!
경찰	(백 형사 얼굴을 보고 뒷걸음질 치며) 연쇄살인 용의자요.
백 형사	(벌떡 일어서는) 누구 짓이야?!!
경찰	CCTV를 보니까 그게…
백 형사	왜 말을 못해?

구미호뎐   제14화 Dead End (막다른 길)

경찰	백 형사님이요!!
백 형사	뭐?!!

#47 곱창집 / 외경 (낮)

#48 곱창집 (낮)

숯불에 먹음직스럽게 익어 가는 곱창 보인다.
이연과 지아, 홀에 앉아서 주문 중이다.
이런 시간이 얼마 남지 않았단 생각에, 그 어느 때보다 애틋
하고 밝은 지아.

지아 직화 모듬 하나랑 소주 한 병 주세요. 아, 치즈도 많이요.

주문한 메뉴 나온다.
직원이 치즈를 녹이는 사이, 지아가 소주를 따른다.
'맛있게 드세요.' 하고 직원 사라지면, 지아가 잔을 든다.
잔 부딪치고 소주를 털어 넣는 두 사람.

지아	와, 치즈 진짜 많다.
이연	(시큰하게 보면)
지아	왜?
이연	예뻐서.

지아	('치-' 하고 다시 잔 채우며, 부러 환하게) 나랑 약속해.
이연	무슨 약속?
지아	첫눈 오는 날, 다시 오자.
이연	(지키기 힘든 약속이라는 거 알면서) 그러자.
지아	크리스마스는 나랑 보내. 그날은, 우리 같이 갔던 바닷가에 다시 가는 거야.
이연	(아프게) 그러자.
지아	새해 첫 날엔, 우리 집 와서 엄마 아빠랑 같이 떡국 먹어야 돼. 그리고 내 생일엔…
이연	뭐 갖고 싶어?
지아	(귀에다 뭔가 속삭이는)
이연	사 줄게.
지아	오늘 나랑 한 약속 다 지키려면 어떻게 해야 돼?
이연	오래 살아야지.

슬픔을 '꾹' 삼키며, 소주 마시는 두 사람.
잡을 수만 있다면 꼭 붙잡고 싶은 시간이다.

#49   **공원 (낮)**

작가가 벤치에 앉아 있다. 재환이 소박한 소국 꽃다발을 불쑥
내민다. 작가 얼굴 묘하게 고요해 보인다. 재환도 평소와 달
리 착 가라앉은.

작가	뭐야, 엎드려 절 받기냐?
재환	(꽃다발 툭 안겨 주고) 생일이라고 미리 말을 하시지.
작가	요즘 세상에 누가 음력 생일 따박따박 챙겨 먹냐? 엄마나 기억하지. (하면서도) 향기 좋다.

재환이 주섬주섬 조각 케이크 포장을 푼다. 담담히 그 모습 지켜보며.

작가	내가 자취방에서 열대어 두 마리 키우거든?
재환	(초에 불붙이며) 이름도 있어요?
작가	덕배랑 춘삼이. 둘 다 경주 김씨야. 이번 달 월급 타면 수조 큰 거 사 주기로 했는데. 네가 입양해 줄래?
재환	(복잡한 얼굴로 보다가) 자, 소원부터 비세요.
작가	음… 내년 생일에도 재환이한테 케이크 얻어먹게 해 주세요.

촛불을 끄면, 재환의 슬픈 시선으로 작가의 종아리에 '반점' 잔뜩 보인다!!

#50   곱창집 (낮)

불판은 거의 비었다. 소주는 2병째. 이연이 마지막 잔을 따르면 소주병 빈다.

이연	마지막이네.

지아	어쩌면 이게, 우리가 함께 마시는 마지막 소주겠지? (입만 살짝 적시며) 아껴 먹어야겠다.
이연	(그 말에, 차마 마시지 못하고) 왜 그런 소릴 해?
지아	아까 내 몸에 있는 놈이 그러더라. 길어야 앞으로 이틀이라고. 그때가 되면, 난 몸만 남은 빈껍데기가 될 거라고.
이연	그럴 일 없을 거야.
지아	(그 단호함에, 빤히) 삼도천 할머니랑 무슨 일 있었니?
이연	(소주만 홀짝) 일은 무슨.
지아	아무 대가 없이, 내 목숨을 살려 줬을 리 없잖아.
이연	그런 거 없어.
지아	(뭔가 있구나) 간밤에 있지, 밤새 너 기다리면서 그런 생각을 했어. 나 하나만 사라지면 괜찮지 않을까. 내가 죽어 버리면, 이 무기도 사라지고, 내가 사랑하는 가족, 친구, 그리고 너, 다치게 할 일도 없지 않을까.
이연	다시는 그런 생각 하지 마.
지아	근데 말이야. 그러고 나면 남겨진 넌 어떻게 살까.
이연	또 다시 긴긴 세월을 자책하며 살아가겠지. 나는 또 너를 지키지 못했구나.
지아	나도 마찬가지야. 나도 이제 너 없이는 제대로 살 자신이 없어. 그러니까 우리는, 서로를 지켜 줘야 돼. 절대 이무기가 바라는 일 같은 거 해 주지 말자, 우리.

미어지는 얼굴로 서로를 보는데, 지아한테 전화 걸려 온다.
'응, 재환아… (듣고) 뭐?!!' 얼굴 하얗게 질리는 지아다.

구미호뎐   제14화 Dead End (막다른 길)

51

공원 (낮)

지아가 작가에게 다가간다. 꽃다발을 들고 꼿꼿이 앉아 있는
작가.
재환은 조금 떨어져서 울음 참고 있다.

작가   오지 말라고 했잖아. 왜 왔어.
지아   (미쳐 버릴 것 같은 심정으로) 왜 네가 이러고 있어? 응?!!
작가   (말갛게 웃으며) 나 만지지 마. 옮아.

아랑곳 않고 작가를 안아 준다. 이를 악물고 눈물을 삼키는
지아.
그 모습 지켜보는 이연의 얼굴도 무섭게 굳어 있다.
모두에게, 시간이 그리 많이 남지 않았다.

뒷골목 (낮)

이랑이 인적 없는 골목에 차를 세운다. 사장이 권총을 품에
챙겨 넣는다.

이랑   피차 예쁘지도 않은 얼굴, 다시 보진 말자고.
사장   (자조적으로) 너랑 마지막이 이런 모습일 줄이야.
이랑   그러게, 내 손에 죽었어야 됐는데. (삐딱하게) 이왕 이렇게 된
       거 최선을 다해서 살아남아 봐.
사장   너는? 겨우 형이랑 화해한 거 같더만, 뒷감당할 수 있겠어?

이랑	아니. 이연은 나 용서 안 할걸? 다시는… 못 볼 지도 모르고. 그래도 그놈이 죽는 것보단 나아.
사장	(처음으로 안쓰럽게 보며) 적당히 해. 너 같이 짠내 나는 것들은, 보통 끝이 별로 안 좋더라고.
이랑	이제 꽈리도 없고, 나도 고작 인간 하나 수명밖에 안 남았는데 재수 없는 소리 하지 마라. 난 가진 돈 다 쓰고 죽을 거야.
사장	(쓸쓸하게 웃고) 간다.

이랑이 사이드미러로 보면, 사장이 차에서 내려 비척비척 멀어진다.

#53   한식당 우렁각시 (밤)
현의옹과 우렁각시 마늘을 까며 마주 앉았다. 각시의 눈시울 살짝 붉어져 있다.

우렁각시	어찌 바로 눈앞에 두고도 못 알아봤을까요. 자꾸 눈에 밟히길래 내가 얼마나 개 구박을 했는데.
현의옹	자네 그리움을 알고, 전생의 연이 예까지 흘러왔나 보네.
우렁각시	이제야 찾았는데 젠장… 또 저 모양이라니.
현의옹	(마늘 까던 손 멈추고) 이게 다 우연일까?
우렁각시	네?
현의옹	연이와 그 아이를 중심으로, 얽히고설킨 모든 인연들이 한 자리에 모여들고 있어. 전생의 연인, 가족, 친구, 그리고 원수.

구미호뎐   제14화 Dead End (막다른 길)

난 불안하네. 뭔가 이제부터, 우리가 감당도 못할 일이 벌어 지려는 게 아닐까.

우렁각시　　　!!!!

#54　　　　　이연의 집 (밤)

작가를 집으로 데려왔다. 지아가 손님방으로 들여보내면. 작가가 이불을 뒤집어쓰고 앉아서 '추워…' 덜덜 떤다.

작가　　　(그 와중에 재환 가리키며) 쟤 보내.

지아　　　재환이 여기 있지 마. 너까지 위험해져.

재환　　　옮을 거면 진작 옮았겠죠. 아니면 잠복기이거나.

작가　　　쟤 좀 패라.

재환　　　맞아도 안 나갈 거예요. 제가 지켜 드릴게요. 간병인 필요하잖아.

고집스럽게 버티는 재환이다. 지아가 방문 닫고 거실로 나와서.

지아　　　팀장님은?

이연　　　알을 토해 냈는데도 아직 차도가 없대.

지아　　　그 알은 뭐야?

이연　　　깨 봤더니 작은 새끼 뱀이 들어 있더래. 그게 속을 파먹는 모 양이야.

지아　　　나 쟤 죽는 꼴은 도저히 못 보겠어! 절대.

이연　　　이제 곧 모든 게 끝나. 내가 던진 미끼를 그놈이 물기만 하면,

그러면… 그때까지 조금만… 조금만 기다려 줘.

이연이 흘긋 시계를 본다. 자정이다.

#55   **대저택 (밤)**
이무기가 홀로 정원을 보며 가만히 생각에 잠겨 있다.
'같이 치자. 삼도천의 주인을. 마음 바뀌면 연락해. 시간은 내
일 아침 해 뜰 때까지다' 하던 이연 얼굴 스쳐 간다.
'픽-' 희미하게 웃는다.

#56   **이연의 집 (밤 → 낮)**
이연이 주방에 홀로 앉아 초조하게 시계를 본다. 새벽 2시다.
새벽 3시, 4시… 시간은 자꾸 흐르는데, 이무기에게서는 아
무 기별이 없다.
손님방에서는, 작가가 배를 움켜쥐고 앉아 숨을 몰아쉰다.
지아와 재환이 밤새 그 곁을 지키는 중.

작가   (애써 미소로) 셋이 꼭 엠티 온 거 같다.
지아   이 와중에 농담이 나오니?
작가   난 있지. 어려서부터 작가가 되고 싶었어. 작가 되면 돈 많이
        버는 줄 알았잖아. (하고, 이를 악물고 신음한다.)
지아   얘기 그만 해.

| 작가 | 서울 와서 이사만 일곱 번 했어. 고시원에서 반 지하로, 반 지하에서 원룸으로. 내 명의로 된 예쁜 집 한 채 갖는 게 꿈이었는데, 망했어. |

하고, '스르르' 쓰러진다!

| 지아 | 김작!! |
| 재환 | 작가님!!! |

마침내 날이 밝기 시작한다. 이연이 '젠장' 입술을 깨문다.
'이제 글렀구나.' 싶어 괴롭게 핸드폰 놓고 자리에서 일어서는데! 그 순간, 핸드폰 진동음 울린다!!

| #57 | **대저택 (낮)** |

잠시 후, 이연과 이무기 마주 보고 서 있다.

| 이무기 | 좋아. 같이 치자. 삼도천의 주인을. |

이무기가 손을 내민다.
이연이 고심하다 마침내 그 손을 맞잡으면!

| #58 | **이랑의 집 (낮)** |

신주가 이랑에게 불려 왔다. 수오는 구석에서 놀다가 잠들어 있고.

이랑   (경악해서) 이연이랑 이무기가?! 농담이지?! (심각해져서) 안 돼.
신주   예?!!
이랑   이건 자살 행위야. 이 새끼, 이무기랑 같이 죽을 생각인 거라고!!

#59   대저택 (낮)
이연과 이무기, 손을 맞잡고 있다. 서로의 눈을 똑바로 보며.

이무기(E)   이연, 너는 네가 놓은 덫에 스스로 걸려들게 될 거야.
이연(E)   이걸로 우리는 '같은 무대'에 올랐다. 한 번 발 딛으면, 양쪽 다 죽을 때까지 내려올 수 없는 무대에.

그렇게 각자 다른 생각으로, 손을 맞잡은 두 남자의 모습에서!

#60   이연의 집 (낮)
지아가 숨도 못 쉬고 얼어붙어 있다! 지아의 눈앞에 '총구'!!
사장이 송장 같은 모습을 하고 지아의 이마에 총을 겨누고 있다!

지아   당신이… 왜 여기 있어?!

구미호뎐   제14화 Dead End (막다른 길)

사장	네가 죽어 줘야 내가 사니까? 내 손으로, 모든 걸 끝낼 거야.
지아	이러지 마. 이러면 당신…
사장	잘 가.

사장이 주저 없이 방아쇠를 당긴다!

블랙 화면에 '탕! (사이) 탕탕!' 하는 세 발의 총성 들리면서!

14화 끝

에필로그 epilogue

방송국 / 앞 (낮)

비 내리는 방송국 전경 보인다.
지아가 나오다 말고 건물 입구에 서 있다. 우산이 없다.
잠시 망설이다가 빗속을 곧바로 뛰는데, 그런 지아를 붙잡는
손. 이연이다.
빨간 우산 속으로 지아를 다정히 끌어당긴다.

지아	언제 왔어?!
이연	일기 예보에 없던 소나기 내리자마자?
지아	나 바래다주려고?
이연	(끄덕 하고, 우산 기울여 주는) 비 맞고 다니지 마.

지아가 팔짱을 낀다. 함께 걸어가며.

이연	일은? 끝났어?
지아	간단한 편집이라 뚝딱 해치웠지.
이연	어떤 놈이 감히 너의 이산가족 상봉을 방해해?

구미호뎐 제14화 Dead End (막다른 길)

지아	우리 팀장님.
이연	그리고 나.
지아	응??
이연	나 오늘 차 없다?
지아	놓고 왔어?
이연	차로 너네 집 20분밖에 안 걸리잖아. 엄마 아빠 때문에 당분간 데이트 할 시간도 없을 텐데.
지아	(밉지 않게 흘기며) 치…
이연	(지아 어깨 감싸는) 라면 한 그릇만 사 줘. 그럼 풀어 줄게.

편의점 / 앞 (낮)

파라솔 너머로 아름답게 비 내린다. 김밥에, 라면 나눠 먹으며.

지아	라면 한 개 갖고 모자라지 않아?
이연	많이 모자라.
지아	그러게 두 개 시키자니까.
이연	라면이 제일 맛있어지는데, 두 가지 조건이 있다지.
지아	하나는 김치고. 하난 뭐지?
이연	(지아 가리키며) 옆에서 한 젓가락 뺏어 먹는 놈.
지아	겁나게 맛있게 해 주마.

지아가 면발 왕창 집어 들더니, 웃으며 먹여 준다.

지아	(김밥 하나 먹고) 아… 국물 먹고 싶은데 참아야지.
이연	왜 참아?
지아	소주 땡길까 봐.
이연	역시 배운 여자.
지아	(자랑스럽게 웃으면)
이연	라면 면발 풀어 놓으면 40미터나 되는 거 알아? 아파트 13층 높이.
지아	갑자기 분위기 지식인이야??
이연	네 옆에서, 라면 반 봉지만큼도 떨어지기 싫다.
지아	무슨 고백을 라면으로? 하… 시도 때도 없이 귀엽고 난리네.
이연	백두대간 시절부터 나 큐티 산신으로 유명했잖아.

빗소리에, 라면에, 잔잔하게 웃는 두 사람 목소리. 기분 좋게 서로를 보며.

이연	행복해 보여. 되게 오랜만에.
지아	행복해. 집에 가면 엄마 아빠가 나 기다리고 있고, 눈앞엔 네가 있고. 내 장래 희망은 벌써 이뤄졌는데, 이연 장래 희망은 누가 이뤄 주나?
이연	(조금 쓸쓸하게) '사람'이 된다는 건 어떤 기분일까?
지아	(그 마음 안다는 듯 이연 어깨에 기대어) 사람이든 구미호든 난 아무 상관없어. 같이 있잖아. 지금 여기.

'그대'라는

운
명

15

#1   **대저택 (낮)**

'좋아. 같이 치자. 삼도천의 주인을.' 이무기가 손을 내민다.
고심하다 마침내 그 손을 맞잡는 이연.

이연   하나만 묻자. 나랑 손잡기로 결심한 이유. 그 이유가 뭐야?
이무기   아마도, 너랑 '같은 이유'가 아닐까?

마주 선 두 남자의 눈빛, 서늘하게 빛난다.

#2   **이연의 집 (낮)**

같은 시각, 사장이 송장 같은 몰골로 지아 이마에 총을 겨누
고 있다!

지아   당신이… 왜 여기 있어?!
사장   네가 죽어 줘야 내가 사니까? 내 손으로, 모든 걸 끝낼 거야.

지아	이러지 마. 이러면 당신….
사장	잘 가.

'탕-' 주저 없이 방아쇠를 당긴다!
지아가 몸을 피하면서 첫발이 지아 뺨을 스친다! 상처에서 피 배어 나온다!
순간! 지아 눈빛 달라진다! 얼굴에 비늘 드러난다! 이무기로 변했다!
사장이 곧바로 다시 방아쇠를 당기는데!
순식간에 사장의 손을 잡아 틀고, 그의 가슴에 총구를 겨누는 지아!
'탕탕-' 두 발의 총알, 정확히 사장의 가슴을 뚫는다!
사장이 허물어지듯 쓰러진다! 그 발밑으로 피가 '툭툭!'

지아(이무기)	그러게 지아가 경고했잖아. (뺨의 상처 가리키며) 이럼 안 된다고.
사장	(!!!!) 지아가… 아니구나, 너!
지아(이무기)	주인도 못 알아보나? (시선 맞춰 앉으며) 버러지 같은 놈. 분에 넘치게 살려 놨더니, 감히.
사장	버러지? (진심으로) 꽈리 아니었으면 옆에 붙어 있지도 않았어. 솔직히 말해서 너 진짜 역겹거든. (웃는) 신도, 인간도 되지 못한 콤플렉스 덩어리.
지아(이무기)	(노한 얼굴로) 주절주절 말이 많구나. 너무 오래 살았어, 넌. (하며, 총 맞은 부위 손으로 헤집는다!!)
사장	(비명!!!)

| 지아(이무기) | 지옥이나 가라. 식구들 기다리고 있겠네. |
| 사장 | (이를 악물고) 보아하니 네놈도 그리 멀지 않았어. |

지아(이무기)가 상처 부위 헤집던 손에 힘을 준다! 사장의 눈길 아득해진다!
죽어 가는 그의 귓전에 '아부지! 아부지!!' 아들딸 목소리, 이명처럼 다정히 스친다.

| 사장(E) | 언제였더라… 나도 목숨 바쳐 지키고 싶은 게 있었는데. 내 아이들, 아내, 내 어머니… 이제 그 얼굴조차 기억이 안 나. |

처음으로 '인간다운 눈물' 차오르는 사장의 눈 클로즈업된다!
뜬 눈으로 숨이 끊어진다!
손을 털고 태연히 일어서는 지아의 손, 사장의 피로 온통 붉다!
고개를 돌리면, 기겁해서 이쪽을 보고 있는 제환!!

| 지아(이무기) | (상냥하게) 봤니? |
| 재환 | !!!!!!!! |

| #3 | 대저택 (낮) |

이연이 식탁에 앉아 있다. 이무기가 와인과 잔을 내온다.
이연과 자신의 잔에 와인 채운다.
이하, 편한 듯 서로 경계를 늦추지 않는 분위기로.

이연	살다 보니 원수가 주는 술을 다 받아 보네. (음미하고) 45년산 빈티지?
이무기	알아보네. 시간이 빚어낸 가장 우아한 맛이지. 집주인도, 손님도 빈티지라 꺼내 봤어.
이연	빈티지라… 오래 살아 봤자 남는 거 하나야. 늘 남겨지는 쪽이 된다는 거. 아끼던 모든 게 늙고 낡고 죽고 사라지고, 나만 혼자 남는다는 거.
이무기	고독이지.
이연	고독이야.

오래 산 자들만이 공유하는 묘한 연대감이다. 둘 다 말없이 와인만 홀짝.
이번에는 이연이 이무기의 잔을 채워 준다.

이무기	낯설다. 내 잔을 채워 준 이들은, 항상 내게 시간을 구걸하던 사람들이었는데. 살고 싶다고. 하루만 더, 일 년만 더.
이연	친구 하나 없는 게 자랑이다?
이무기	아무도 신뢰하지 않으니까.
이연	아무한테도 신뢰받지 못한다는 뜻으로 들리는데?
이무기	지켜야 할 게 없단 뜻이지. 그게 너보다 날 강하게 만드는 거고.
이연	지킬 게 있어서 내가 너보다 강한 거야.
이무기	(희미하게 웃어 보이며) 정말? 지아 쪽에 무슨 이벤트가 생긴 모양이야. 내 반쪽이 다시 눈을 떴어.
이연	뭐?!! (하며, 벌떡 일어서려는데)

이무기	앉아. (디캔터 가리키는) 이거 다 마시기 전에 자리 뜨면 우리 동맹은 없었던 걸로.

이연의 눈빛 흔들린다!!

이연(E)	놈을 삼도천으로 끌고 갈 기회는 이번 한 번. 이 기회를 버리고 지아한테 갈 것인가, 아니면… (하는데, 지아 얘기 스쳐 간다!)

인서트 플래시백 13화 18씬

'걱정하지 마. 그놈은 나름 위험을 느낄 때 튀어나오잖아. 피를 본다거나.'

이연(E)	자기 보호 본능이 강한 놈이야. 별 일 없을 거다. '적어도 지아'는. (굳은 얼굴로 자리에 앉으면)
이무기	(미소로) 이게 너랑 나의 차이야.
이연	글쎄? 너도 하나 있잖아. 죽어라 지켜야 되는 거.
이무기	(보면)
이연	(이번엔 이연이 싱긋) 그쪽, 지아 안에 있는 놈은 어때? 그놈이 죽으면, 네가 상당히 하찮아 질 거란 소문이 있던데.
이무기	(살짝 굳는)
이연	머리를 쓴다고 썼겠지만, 그렇게 소중한 물건을 남의 눈에 훤히 보이는데 숨기면 탈이 나게 마련이야.
이무기	비늘 하나를 떼 갔더라?
이연	돌려달라고?

이무기	돌려줄래?
이연	지아 돌려주면.
이무기	삼도천 노파가 먼저야.

짧은 침묵 속에서, 둘의 시선 팽팽히 부딪친다!!

#4   이연의 집 (낮)

사장 시신이 있던 자리에는 '뼈와 흙, 옷가지'만 남았다.
지아가 권총을 주워 들고, 재환에게 다가간다!
재환이 뒷걸음질 친다! 재환의 등 뒤로, 손님방 문 살짝 열려
있다!

재환	(작가가 있는 방문을 막고 서서) 가까이 오지 마!!
지아(이무기)	(다가가서 얼굴 바짝 들이대고) 가까이 와 버렸어. 어쩔 거야? 나 죽일 거야? 내가 죽으면, 지아도 죽는데?
재환	!!!!!
지아(이무기)	(웃으며 권총 쥐여 주는) 쏴 볼래?
재환	(두 손으로 권총 쥐고) 쏘라면… 못 쏠 줄 알고?
지아(이무기)	아까 봤겠지만 한 번에 끝내야 돼. 아니면 '술래'가 바뀐다.

재환, 권총 손에 쥐고 부들부들 떤다!
쏘지 않으면 자신과 작가, 둘 다 위험해진다!

구미호뎐   제15화 '그대'라는 운명

지아(이무기) 이제부터 셋을 셀 거야. 그 안에 결정해. 하나. 둘. 셋.

카운트 하는 소리에 맞춰, 다정했던 지아 모습 어지럽게 스쳐
간다.
'니들 우리 셋이 만난 게 우연이라고 생각해?' '저는 운명이
라고 생각해요.'
'나를 노리는 놈이 생각보다 가까이에 있어.'
'니들이 전생에 나를 지켜 준 것처럼, 나도 니들을 지키고 싶어.'

재환   (눈물 그렁그렁하다. 차마 지아를 쏘지 못하는데)
지아(이무기) 그럴 줄 알았어.

곧바로 총을 뺏고 재환을 겨눈다! 재환이 눈 질끈 감는다! 그
순간!

작가(E)   남지아!!
지아(이무기) (돌아보자마자)
작가   (뺨을 '짝!!!' 치며) 정신 차려 이 계집애야!!

눈에서 불꽃이 이는 기분이다! 지아 '흠칫' 굳는다!
작가가 제대로 서 있기도 힘든 몸으로, 거침없이 총을 뺏는다!
옆구리에 권총 딱 끼고, 지아 손에 묻은 피, 자기 옷에 닦아
주며!

작가	으이그, 손에 피는 왜 이렇게 묻혔어! 예쁜 옷 다 버리고!
지아	(잠시 넋 나갔다가, 서서히 제 정신으로 돌아오는) … 김작?
작가	그래 나야. 이제 우리 알아보겠니?!
지아	(걱정스레 돌아보며) 재환아…
재환	(애써 의연한) 전 괜찮아요. 하나도 안 다쳤어요.
지아	미안해. (북받치듯 무너지는) 미안해 얘들아.
작가	(그런 지아를 안아 주며) 괜찮아. 우리 셋 다 무사하면 됐어.

'토닥토닥' 작가의 손길 느끼며, 지아가 충격으로 몸을 떤다.
친구들을 죽일 뻔 했다.

#5   대저택 (낮)

이연과 이무기의 대화 계속된다.

이무기	삼도천 노파는 어떻게 잡을 거야?
이연	할멈에 대해선 얼마나 알고 있니?
이무기	눈 한번 깜박이면, 어지간한 산신쯤은 돌로 변해 버린다는 거. 게다가 그 눈으로 천리를 내다본다지. 그 천리안이란 거 말이야. 어디까지 보이는 걸까? (떠보는) 예를 들면 '내 얼굴'이라든가.
이연	CCTV가 아냐. 세상 돌아가는 움직임을 읽는 거다. 이를테면 정확히 뭘 쑥덕거리는지는 몰라도, 너랑 내가 지금 같이 있구나.
이무기	디테일은 놓칠 수 있다?
이연	(끄덕) 어쨌든 그 '눈'만 봉쇄하면 승산이 있단 거야.

이무기	어떻게?
이연	(사장이 지아에게 준 물약 꺼내며) 네가 날 재우려고 보낸 물건이지? 랑이가 입만 댔는데, 효과가 나쁘지 않더라.
이무기	(물약을 빤히 보며, 신중하게) 그 노파가 이런 걸 마실까?
이연	마실 수도 있지. 할멈이 '유일하게 신뢰하는 상대'를 이용하면.
이무기	누구?
이연	현의옹.
이무기	(피식) 와이프 말이라면 죽는 시늉도 하는 게 현의옹이라 했다.
이연	이젠 아냐. 할멈 뜻을 거스르고, 지아를 구한 게 그 증거고.

'과연…' 그제야 납득하는 이무기다. 물약 확인하며.

이무기	우리가 도착하기 전에 그 자가 노파를 재운단 거지?
이연	할멈이 잠들면 네가 마무리 해.
이무기	실행은 언제?
이연	내일. (사이) 정오에 그리로 와. 일이 끝나면 넌 약속대로 삼도천 주인 자리를 갖고, 나랑 지아와의 악연도 딱 거기까지.
이무기	좋아.
이연(E)	(속을 훑듯이 보며) 노파심인가. 생각보다 일이 너무 쉽게 풀린다.

이무기는 태연히 잔을 채운다. 그 모습 불안하게 보다가.

| 이연(E) | 아냐. 일단 미끼는 물었어. 어떻게든 이놈을 삼도천까지 데려가기만 하면… (하는데) |

이무기	그 부부 사이에 아들이 하나 있지 않았나?
이연	(!!) 그걸 네가 어떻게 알아?
이무기	그냥. 그냥 알아.
이연	(갸웃하는데)
이무기	(이연의 막잔 채워 주며) 이 이야기가 과연 어떻게 끝날까?
이연	(계획이 성공하면 지아는 산다. 잔을 쭉 비우고 쓸쓸하게 웃으며) 무조건 해피엔딩.

그들 시야에는 보이지 않지만, 유리가 잔뜩 날선 얼굴로 둘을 지켜보고 있다.

#6   이연의 집 (낮)

지아 혼자 소파에 앉아 있다. 소동이 있던 자리 말끔하게 정리됐다. 아까 사장이 들고 왔던 총을 들여다본다.
남은 총알은 1발. 수건으로 둘둘 싸서 집 어딘가에 감춘다.
총 감추자마자, 이연이 나타난다.

지아	(당황해서) 언제 왔어?
이연	(굳은 얼굴로) 무슨 일이야? (뺨의 상처 만지며) 다쳤어?!
지아	별 거 아냐.
이연	(주위 둘러보는) 화약 냄새가 나. 피 냄새도. (매섭게) 누구야?
지아	사장이 왔어. 김작이랑 같은 병에 걸렸더라. 나를 죽이면 자기가 살 거라고.

이연	그놈은?!!
지아	죽었어. (무거운 마음으로) 내가 쐈어. 이무기로 변해서 내가…
이연	수명을 거스르고 살아온 인간이야. 네가 아니더라도, 오늘을 못 넘겼을 거고.
지아	재환이까지 죽일 뻔 했어. 겨우 내 정신으로 돌아왔는데…
이연	(손을 꼭 잡고) 얼마 안 남았어. 내일이면 모든 게 끝나. 우리 이따 데이트할래?
지아	데이트? 갑자기 왜.
이연	그냥. (복잡한 심경 감추며) 오늘을 기념하고 싶어.

#7   한식당 우렁각시 / 내실 (낮)

팀장은 여전히 앓아 누워 있고, 우렁각시가 옆에서 나물을 손질하고 있다. 팀장이 어색한 듯 시선 맞춰 오면.

우렁각시	소변 안 마렵수?
팀장	(정색하고) 저 그런 거 잘 안 눕니다.
우렁각시	남의 영업장에 이불 깔고 드러누워 갖고 뭘 또 가리기는.
팀장	저한테 왜 이렇게 잘해 주세요? 저 때문에 식당 문까지 닫고.
우렁각시	뭐 세상 인연 다 돌고 도는 거 아니겠어요?
팀장	(무슨 뜻일까 싶은데) 오래 전에 상처하셨다고 했죠? 남편은 어떤 사람이었어요?
우렁각시	조기 한 마리를 구워도 일일이 가시를 발라서 내 밥에 얹어 주던 양반이요. 비 오면 비 온다고 업고 다니지. (그리운 눈빛으

로) 언제는 한겨울에 꿀떡이 먹고 싶다, 딱 한마디 했더니 눈 쌓인 재 넘어 꿀떡을 사다 안겨 주던.

팀장   (질투로) 아니 배달 대행을 부르시지. 눈도 오는데 오버는.

우렁각시   (밉지 않게 흘기고) 그쪽은? 왜 자꾸 내 앞에 서성대는 거예요?

팀장   혜자 씨 음식을 먹으면요. 가슴 여기가 간질간질해지거든요.

우렁각시   ??

팀장   왠지 모르게 익숙하고 그리운 기분이 든달까.

그래서 이 사람이 내 앞에 왔나 보다. 우렁각시 얼굴에 뭉클한 미소가 번진다.

#8   내세 출입국 관리 사무소 (낮)
노파가 심각한 얼굴로 전화 통화 중이다.

노파   이무기 건으로 간밤에 망자들 몇이나 넘어 왔어? 구백하고 셋? 비상 인력 풀로 돌리고, 어떻게든 오늘 하루만 버티라고 전해.

전화 끊고, 어깨를 두드리며 약통을 연다. 관절약이 텅 비어 있다. 습관적으로 '여보!' 찾다가 문득 남편이 없음을 깨닫는다.
쓰게 웃고, 일어나서 캐비닛을 연다.
손 글씨로 쓴 포스트잇 가지런히 붙어 있는 차(茶) 보인다.
'여보가 제일 즐겨 찾는 맛' '여보 눈이 침침할 때' '여보 화를 가라앉힐 때' '기침에 좋은 차' '여보 배앓이에 Good'

노파의 얼굴 시큰해진다. 얼른 찬장 문 닫아 버린다.

#9   한식당 우렁각시 (낮)

현의옹이 머리는 까치집을 하고, 밥을 먹는다. 입이 영 깔깔한
눈치.

우렁각시 뭐 불편한 거 있으세요?

현의옹   할망구 관절약이 똑 떨어질 타이밍인데. (애써) 에이 몰라 몰라.

우렁각시 들어가세요. 이만하면 충분히 개기셨어요.

현의옹   일 없네.

우렁각시 후회하시려고.

현의옹   후회하네. 내가 왜 그이를 바꿀 수 있다고 믿었을까. 왜 자식
        잃었을 때 떠나지 못했나.

우렁각시 사랑하셨으니까.

현의옹   사랑했지. 사랑인 줄 알았어. 성격이고 취향이고 뭐 하나 닮
        은 구석이 없는데… 하다못해 떡볶이 한 그릇도 나눠 먹질
        못했어. 난 항상 순한 맛. 거기는 젤로 매운 맛.

우렁각시 중간 맛을 나눠 드시지. 그게 부부살이잖아요.

현의옹   우린 그걸 못 했어. 수천 년을 살아도 안 바뀌는 입맛마냥 닮
        기엔, 너무 다른 둘이었던 거지.

우렁각시 그래서 보고만 계실 거예요? 이연님이랑 어르신. (걱정스레) 이
        연님이 그 아가씨 대신해서 죽을 수도 있다면서요.

현의옹   그게 아니고서야 할멈이 그 아이를 살려 줬을 리 없지.

우렁각시	말리세요.
현의옹	내가 말린다고 들을 거 같으면, 일이 이 지경까지 오지도 않았네.
우렁각시	(간곡히) 그래도 이연님을 이렇게 잃을 순 없잖아요.

#10　　　이랑의 집 (낮)

이랑이 핸드폰 손에 쥐고, 연락을 기다리고 있다.
전화벨 울린다. '이연'이다. 마음의 각오를 하고 전화 받는다.

이랑	나야.
이연(E)	너 이따 나 좀 보자.
이랑	전화로 말해. 각오는 돼 있으니까.
이연(E)	전화론 길어. 좀 전에 이무기 만나고 오는 길이야.
이랑	그래? (듣고) 어디서 볼까? 알았어. (전화 끊고 갸웃) 뭐지? 이 반응은? 그 계집애 죽은 거야 산 거야.

하는데, 현관문 '쿵쿵' 두드리는 소리. 문을 열면 지아가 서 있다.

#11　　　동물병원 (낮)

이연이 신주를 마주하고 있다.
담담한 이연과 달리, 신주 얼굴 사색이 됐다.

신주	그게 무슨 말씀이세요? 이연님이 그놈 비늘을 왜 먹어요?!

구미호뎐　　제15화 '그대'라는 운명

이연	내가 비늘을 먹으면, 지아 안에 있는 이무기가 나한테 옮겨 탈 테니까.
신주	그러고 나면요?
이연	나머지 반쪽 데리고 삼도천에 뛰어들 거야.
신주	안 돼요!! 절대 안 돼!! 그거 말고도 다른 방법이 있을 거예요!!
이연	지금 내 손에 지아뿐 아니라, 역병으로 죽어 가는 수많은 사 람들 목숨이 달려 있어. 모든 가능성을 다 열어 놓고 생각해 봤는데, 그때까지 놈을 잡을 방법은 이거뿐이야.
신주	그럼 제가 할게요!! 제가 비늘을 먹고, 제가 삼도천 뛰어들면 되잖아요!
이연	넌 이무기 감당 못 해.
신주	(울컥해서) 하지 마요. 제발 그러지 마. 그렇게 죽으면 혼도 못 건 지잖아요. 환생이고 뭐고 못 한다고요.
이연	알아.
신주	아시면 제빌 죽는단 얘기는 안 하시면 안 돼요?! 저 이연님 없이 못 살아요.
이연	신주야. 딴 사람은 몰라도 너는 날 이해해 줘야 돼. 그래서 너 한테는 사실대로 얘기하는 거야.
신주	못됐어! (옷자락 붙들고 우는) 이연님 진짜 못돼 처먹었어!!

통곡하는 신주를 아프게 보는 이연이다.

#12   이랑의 집 (낮)

지아가 이랑을 독대 중이다.

이랑 여긴 어쩐 일이야?

지아 '선물'은 잘 받았어.

이랑 선물?

지아 네가 보냈잖아, 우리 사장. 둘러댈 생각은 집어 치우는 게 좋을 거야. 네가 둔갑해서 누명 씌운 형사, 내 친구야.

이랑 알면서, 왜 이연한테 말 안 했냐?

지아 나라도 그랬을지 모르니까. 내가 너였으면.

이랑 내가 너였으면, 벌써 이연한테 꼰질렀어.

지아 난 안했고, 앞으로도 안 할 생각이야.

이랑 (의심스럽게) 왜지?

지아 이연이 아끼는 놈이니까. 널 잃으면 이연이 슬퍼할 테니까.

이랑 (표정 살짝 누그러졌다가, 다시 쏘아 대는) 이연이 이무기랑 손잡는단 게 무슨 의미인 줄은 알아?

지아 무슨 의미인데?

이랑 너를 살리고 죽을 작정인거야. 너 때문에, 이연이.

지아 (충격으로) 그럴 리가… 없어.

지아가 고통스레 고개를 묻고 있다가.

지아 이연이 나를 살리기 위해 죽을 생각을 했다고?

이랑 빤한 거 아냐? 그래서 말인데. 내가 이 자리에서 널 죽이지 말아야 될 이유 하나만 대 봐.

구미호뎐 제15화 '그대'라는 운명

지아	소원이라면 말리진 않을 건데, 딱히 권하고 싶진 않네. 네가 죽거나 다칠 거야. 좀 전에 누가 시험해 봤거든.
이랑	!!!!
지아	(외려 차분해져서) 단도직입적으로 말할게. 나는 죽을 생각이 없어. 적어도 아직은.
이랑	아직?
지아	(품에서 권총 꺼내 놓고) 만에 하나, 내가 이연을 해치게 되면 난 스스로 죽을 생각이야. 만에 하나, 내가 실패하면 네가 죽여. 이연은 못 할 테니까.
이랑	(!!!) 진심이냐?
지아	공교롭게도 우리 둘은 목표가 같아. 이연을 지키는 거.

'진심이구나.' 싶어 이랑의 눈빛 흔들린다.

지아	형을 살리고 싶으면, 지금은 나랑 휴전해. (손 내밀며) 오케이?
이랑	(닿기 싫다. 잠시 고민하다가 테이블에 있던 수오 로봇 들고, 로봇 손으로 잡는) 콜.

#13	동물병원 (낮)

신주가 코를 훌쩍이고 있다.

신주	저는 뭘 하면 될까요?
이연	무사해 줘. 넌 이 싸움에 말려들지 말고 무사히 살아남아서

지아를 지켜 줘. 내가 바라던 그런 삶을 살고 있는지, 나 대신 지켜봐 줘.

신주 　제가… 지킬게요.

이연 　랑이가 혹시 나 땜에 상처받고 또 삐뚤어지면 잔소리 좀 해
　　　줘. 똑바로 살라고.

신주 　(서글피) 잔소리 팍팍 할게요.

이연 　목걸이 도둑이랑 같이 네 가족을 만들어. (서류 봉투 건네는) 이
　　　건 미리 주는 네 결혼 선물. 아파트야. 신축. (털고 일어서며) 그
　　　동안 성질 나쁜 내 옆에서 고생했다.

신주 　(애타게 따라 일어서는) 이연님…

이연 　고맙고 미안하고, 뭐 그런 말은 안 할 거야. 충분히, 먹이고 재
　　　우고 입혔으니까. (하고, 나가는데)

신주 　(훌쩍훌쩍 울면서) 이연님. 저 뭐 하나만 물어봐도 돼요?

이연 　(돌아보면)

신주 　옛날에 저 우리 산신한테 쫓길 때, 왜 제 목숨 구해 주셨어요?

이연 　복수하려고.

신주 　복수요?

이연 　너네 산신이랑 나랑 같이 비빔국수 먹은 적 있거든? 그 자식
　　　이 하나밖에 없는 내 계란을 홀랑 집어 갔어.

신주 　에?? 겨우 그거 때문에 저를 구해 줬다고요?

이연 　겨우라니? 마지막에 먹으려고 아껴 뒀었단 말이야.

눈물범벅된 얼굴로 흘기는 신주. 이연이 웃는다. 평소처럼 의
연히.

구미호뎐　제15화 '그대'라는 운명

거리 / 이연의 차 (낮)

이연이 차를 몰고, 이랑을 만나러 가는 길이다.
죽기를 결심하고 보니, 날은 유독 화창하고 세상은 그저 아름
다워 보인다.
쓸쓸한 얼굴로, 익숙한 도시의 풍경을 눈에 담는다.

#15   냉면집 (낮)

이연과 이랑, 각각 물냉면 앞에 두고 마주 앉았다. 이랑이 볼
멘소리로.

이랑   무슨 뜻이야 이거?
이연   냉면 한 그릇에 무슨 의미까지 담아야 돼?
이랑   갑자기 냉면을 왜 사 주냐고.
이연   이거 네가 사는 거야. (젓가락 들고) 내가 점심을 못 먹었거든.
이랑   웃기지 마. 내가 네 속을 모를까.
이연   속 터지게 하지 말고 좀 먹자.

이연이 냉면을 먹기 시작한다.
이랑도 마지못해 겨자 뿌리고 젓가락을 든다. 계란부터 쏙 집
어 먹는다.

이연   진짜 식초 안 넣고 겨자만 넣네?
이랑   뭐?

이연	기유리? 걔가 그러더라. 넌 냉면에 겨자만 넣어 먹는다고.
이랑	그런 소릴 해?
이연	마음을 되게 많이 써야 알 수 있는 거다 그거.
이랑	내가 걔 생명의 은인이야. 나 아니었으면 동물원에서 굶어 죽든 맞아 죽든 둘 중 하나였어.
이연	집에 있는 그 꼬맹이는 뭐냐?
이랑	검둥개. 전생에 내가 데리고 다니던 그거.
이연	야! 전생에 네 강아지였다고 그걸 홀랑 주워 오면 어떡하냐? 부모는 어쩌고?
이랑	새아빠라고 있는 게 애를 개 패듯이 줘 패고 있잖아. 열 받게.
이연	(픽 웃으면)
이랑	(따지듯) 왜 웃어?
이연	어이없어서. 조커 뺨치는 얼굴로 사방팔방 휘젓고 다니더니 자원 봉사 겁나게 하고 다녔네?
이랑	닥쳐라.
이연	사람 다 됐어. 오줌싸개.
이랑	죽인다.

이랑이 이연 그릇에 계란을 보고.

| 이랑 | 야, 계란 안 먹으면 나 줘. |

마지막에 먹으려고 아껴 둔 계란이다. 물끄러미 보다가 이랑에게 건넨다.

야무지게 계란 먹는 동생을 따뜻하게 바라보는 이연.

#16   대저택 / 정원 (낮)

유리가 뒷모습으로 서서, 정원의 풀을 '툭툭' 신경질적으로 차고 있다.

이무기가 정원 테이블에 앉아서.

이무기   뭐 그리 노골적으로 불행한 얼굴이야?

유리   너랑 있는 거 싫어. 집에 가고 싶어.

이무기   집? 너한테 돌아갈 집이 있나? 네 손으로 이랑의 몸을 찢어 놨지. 어제부로 신주한테도 버림받았어. 이제 아무도 널 찾지 않을 걸.

유리   (일그러지는) 아니야!! 이랑님은 나 기다릴 거야. 구신주도 분명히…

이무기   아니, 넌 여기가 더 잘 어울려. 사람한테 학대받은 적 있지? 꽤 오래. 네 영혼이 너덜너덜해지도록.

유리   !!!!!

이무기   네 속에 어둠이 보여.

유리   (분노로) 남의 속마음 읽지 마. 그래서 네가 더 소름끼치는 거야.

이무기   너 같은 것들은 말이야. 이랑이고 신주고, 옆에 있어 봤자 불행만 전염시킬 뿐이야. 나처럼. 그러니 쓸데없이 희망 같은 거 품고 살지 마. 아무도, 널 구하러 오지 않아. (싱긋) 내가 해 봐서 알아.

뭐라 반박할 수 없다.

형언할 수 없는 분노로, 유리의 눈에 눈물 고인다.

#17 냉면집 (낮)

이랑이 남은 국물 쭉 들이켜고 냉면 그릇 내려놓으면.

이연 냉면이 그렇게 좋냐?

이랑 냉면은 맛이라도 있지. 넌 그 여자가 뭐가 그렇게 좋냐? 뭐가
    좋아서 네 목숨까지 걸려고 하는 거냐고.

이연 지아가 나 지켜 줬어. 전생에 자기 목숨을 걸고. 내가 막지 않
    으면, 지아는 또 자기 자신이 아니라 나를 지키려고 할 거야.
    약속은 칼 같이 지키는 여자거든.

이랑 그냥 지켜 달라고 해! 지가 원해서 하는 거잖아!

이연 싫어. 두 번이나 당하면 모양 빠질 거 같아.

이랑 미친놈. 그래서 그 여자 대신 네가 죽겠다고?

이연 너 내일 나랑 같이 가자.

이랑 어딜?

이연 삼도천에 이무기 잡으러. 혹시라도 이 계획에 생길지 모르는
    변수를 네가 막아 줘.

이랑 변수라니??

이연 왠지 모르게 찝찝해. 그놈이 너무 쉽게 끌려오는 것도 그렇
    고, 할멈에 대해 생각보다 많이 알고 있는 것도.

이랑 뭐 어쩌려는 계획인데?

구미호뎐 제15화 '그대'라는 운명

이연	자세한 건 알 거 없고, 만일의 사태에 네가 내 손발이 돼 줘.
이랑	(도도하게) 생각해 보고.
이연	야, 내가 너 두 번이나 구했다? 아귀의 숲.
이랑	우리 사이에 뭘 또.
이연	너 말 잘했다. 우리 사이에 리액션 그따위밖에 못 해? 형이 어떻게 될지도 모른다는데 눈물 한 방울 안 흘리는 거 봐.
이랑	(지아와 나눈 약속이 있다. 천연덕스럽게) 너 안 죽어. 사람도 아니고, 구미호 목숨이 뭐 그리 쉽나.

#18   대저택 (낮)

유리가 이 악물고 눈물을 참는데. 이무기가 평온한 얼굴로 하늘 올려다보며.

이무기	하늘 참 좋다. 이런 날 세상 끝나는 것도 나쁘지 않겠어.
유리	(섬뜩해져서) 이연이랑 손잡고 무슨 짓을 하려는 거야?
이무기	다 들은 거 아닌가? 이연이랑 내 얘기.
유리	진짜 신이 된다고? 네가? 신이 돼서 뭘 어쩌려는 건데?
이무기	세상도 갖고 지아도 가질 거야.
유리	(!!) 약속이 틀린 거 아닌가?
이무기	처음부터 지켜질 수 없는 약속이야. 이연도 마찬가질 걸? 그래서 말인데, 너 나랑 같이 삼도천에 좀 가자.
유리	내가 왜?
이무기	이연이 혼자 오지 않을 경우, 네가 또 걔네 발목을 잡아 줘야지.

유리	싫다면?
이무기	(살짝 한숨) 난 네 의견을 물어본 게 아닌데. (핸드폰 들어 보이며) 지금 당장 이랑이랑 신주한테 전화해 줘? '죽고 싶다'고 한 마디만 하면 끝이야. 경험해 봐서 알잖아.
유리	차라리 나를 죽여!!
이무기	그게 그렇게 하는 게 아냐. 너를 죽여 버리면, 네가 절망하는 걸 볼 길이 없잖아.
유리	!!!!!

#19   내세 출입국 관리 사무소 / 앞 (낮)

우렁각시가, 작은 종이 봉투 들고 사무소 앞에 나타난다.
살짝 긴장한 얼굴로 건물 올려다본다.

#20   내세 출입국 관리 사무소 (낮)

우렁각시가 사무소에 들어선다. 할멈은 각시가 오는 것을 훤히 알고 있다.

노파	네가 여긴 어쩐 일이냐?
우렁각시	저야 한낱 음식 하는 자이지만, 이연님이 죽는 걸, 앉아서 보고 있을 수는 없어서요.
노파	앉아 있어라. 보고만 있어. 네가 어찌할 수 있는 일이 아니니라.
우렁각시	그럴 순 없네요.

구미호뎐   제15화 '그대'라는 운명

노파	뭐라?
우렁각시	백두대간 산신이던 시절부터 지금까지, 저 말고도 수많은 옛 것들이, 이연님 덕에 인간 세상에 자리 잡고 살아가고 있어요. 투덜투덜 하면서도 부러진 나무 한 그루 그냥 지나칠 줄 모르는 분이에요. '우리'는 이연님을 잃고 싶지 않습니다.
노파	연이의 선택이다.
우렁각시	선택지를 안 주셨잖아요.
노파	(표정 싸늘해져서) 우렁각시야. 여기가 어디냐?
우렁각시	이승과 저승의 경계를 다스리는 곳이지요.
노파	내가 누구냐?
우렁각시	삼도천의 주인이십니다.
노파	허면 네가 지금, 어떤 불경을 저지르고 있는지도 알겠구나?
우렁각시	예, 압니다. 하지만 어르신은 삼도천의 주인이기 전에, 누군가의 아내이고, 엄마이고, 친구이기도 하십니다.

문득 남편 현의웅의 얼굴 스쳐 간다. '당신은 복길이 엄마도, 내 아내도 아냐. 삼도천 파수꾼이지. 그런 당신을 조금이라도 이해해 보려고 이날 이때까지 발버둥 친 내가 미친놈이지.'

노파	틀렸다. 난 한 번도 누군가의 아내이고 엄마이고 친구였던 적이 없어.
우렁각시	(낭패감으로 주춤했다가) 괜찮으세요? 이연님을 잃어도?
노파	(생각지 못한 질문이다) 뭐?
우렁각시	(진심을 담아) 운명이니 당위니 그런 거 말고 어르신 마음이요.

우렁각시가 간곡히 노파를 설득한다.

우렁각시   이연님은 오랫동안 어르신을 믿고 의지해 왔어요. 어르신이 못지않게 아껴 주셨기 때문이겠죠. (조심스레) 잃어버린 아드님을 닮아서였지요?

노파   !!!!

우렁각시   인간을 사랑하고, 그로 인해 자기가 가진 모든 걸 내려놓은 것까지.

노파   (날카로운 눈빛으로) 그 영감이, 너한테 그런 소릴 하더냐? 허면 내가 하나뿐인 자식한테 무슨 짓을 했는지도 들었겠구나?

우렁각시   (안다. 살짝 고개 숙이면)

노파   내 아들놈도, 네가 서 있는 그 자리에서 연이랑 똑같이 빌었다. 지 각시 살려만 달라고. 그래. 그런 아들의 청도 거절했던 게 나다.

우렁각시   그래서 지금까지도 스스로를 용서 못 하시는 거잖아요.

'쿵!' 속 깊은 곳에서 뭔가 와르르 무너지는 기분이다!

노파   (끓어오르는 감정 꾹 누르며) 네가 감히….

우렁각시   (머리 조아리며) 주제넘게 굴었다면 죄송합니다. 하지만…

노파   한 마디만, 더하면 음식 만드는 그 손을 부숴 버릴 것이니.

우렁각시   (얼어붙었다. 이내 공손히 다가가서 봉투 건네고) 이거 전해 달라고. (잠깐 망설이다) 부디 이연님도 현의옹 어르신도 버리지 말아 주세요.

'꾸벅' 절하고 우렁각시 도망치듯 사라진다.

봉투 속에는 아까 다 떨어진 '관절약'이다. 말하지 않아도 남편임을 안다. 노파가 눈을 질끈 감는다.

#21   이랑의 집 (낮)
신주가 잠든 수오를 업고 있다. 이랑이 씨근덕거린다.

이랑   뭐? 유리한테 그런 소릴 했다고? 유리가 널 이용해?
신주   실수였어요. 유리 씨가 그깟 인간들 죽든 말든 상관없다고 해서.
이랑   그 여자 부모면 그깟 인간들 맞잖아! (수오 장난감 막 던지며) 이 미친놈이 네가 뭔데 유리한테 막말이야? 것도 나 때문에 혼자 사지에 가 있는 애한테?
신주   저도 반성 많이 했어요. 근데 전화도 안 되고, 사과할 방법도 없고,
이랑   너 이제 엿 됐다. 유리가 한 번 앙심을 품으년 얼마나 독한데.
신주   그럼 이랑님이 얘기를 좀…
이랑   나도 마찬가지야. 너랑 유리랑 절대 허락 못 해.
신주   (풀이 팍 죽었다가) 유리 씨. 무사히 돌아올 수 있겠죠?
이랑   (곰곰이 생각하고) 안 되겠다. 가자.
신주   어딜요?

#22   대저택 / 안팎 (낮)
이무기가 나갈 채비를 하고 나타난다. 유리가 싫지만 따라나

서며.

유리 이번엔 어디야?

이무기 넌 따라올 필요 없어. 할 일은 갔다 와서 알려 줄게.

하고 나가면, 유리가 텅 빈 집에 외로이 등 기대고 선다.
잠시 후. 초인종 소리 들린다. 인터폰 화면 속에 이랑이다!!

이랑 기유리. 나다.

유리 (인터폰에 손 뻗으려다가 멈칫. 이랑이 위험해질지도 모른다.)

이랑 차가 있는 거 보니까 안에 있는 거 같은데. 그놈이랑 같이 있
든 아니든 아무 상관없으니까 그냥 들어. 집에 오면 일단 몇
대 맞자. 누가 네 멋대로 집주인 갈아타래?

유리 (울컥하는데)

이랑 덕분에 나의 불편함이 이만저만이 아니구나. 냉면 사다 줄 놈
도 없고 꼬맹이는 내 몸에 스티커나 붙여 대고, 환장하겠다.

유리, 눈물 고인 채 '픽' 웃는데, 신주 목소리 들린다.

신주 안 듣고 있는 거 아닐까요?

이랑 그냥 쳐들어갈까?

신주 이연님 알면 난리 나요! (하다가, 기웃기웃) 저도 한 마디만…

인터폰 화면에 신주 모습 보이기 시작한다. 이랑이 냉큼.

구미호뎐 제15화 '그대'라는 운명

이랑	유리야, 이 새끼 용서해 주지 마.
신주	(밀어내고) 유리 씨. 사과는 나중에 할게. 무사히 돌아와 주기만 해. 그놈이 뭐라고 하든 귓등으로도 듣지 말고, 유리 씨 안전만 생각해. (금반지 보여 주며) 돌아오면 프러포즈하려고 했는데…
이랑	비켜. (신주 밀어내고 당당하게) 유리야. 너는 내가 구해 주마. 내일까지만 참아. (할 말 다했다는 듯) 가자.

'잠깐만요.' 버티는 신주를 끌고, 화면에서 사라지는 이랑.
당장이라도 따라나서고 싶지만, 둘을 위해서는 그럴 수 없다.
고개를 묻고 주저앉은 유리의 어깨, 이내 조용히 들썩이기 시작한다.
눈물 그렁그렁한 눈으로 웃고 있다. '이무기의 말'은 틀렸다.

#23 거리 (낮)

이연이 약속 장소에서 지아를 기다리고 있다.
지아가 뒤에서 이연을 꼭 끌어안으며.

지아	누구게?
이연	(반지 낀 지아 손 예쁘게 만지며) 이 손만 봐도 알지.
지아	누가 남지아로 둔갑한 거면?
이연	(지아 손을 심장에 대고) 그럼 내 심장이 이렇게 뛸 리가 없어.

지아가 손을 풀고 마주 본다. 평소와 다른 화사한 차림 눈부

시다.

지아   멘트가 예사롭지 않은데, 600년간 독수공방한 거 확실해?

이연   확실해. 내 눈에 너 말고 딴 사람은 보이지도 않아. 오직 원샷 이야.

지아   (얼굴 붉히는) 치. 우리 이제 뭐 해?

이연   데이트. (손잡고 데려가며) 오늘은 '되게 평범한' 연인이야.

#24   오락실 (낮)

인형 뽑기 기계 앞. 이연이 신중하게 인형을 뽑고 있다.

지아   왜 하필 인형 뽑기야?

이연   (집중하면서) 내 로망 중 하나야. 나 정도 재력이면 이 오락실도 통째로 사 줄 수 있지만, 뭐랄까. 내 정직한 노동으로 선물해 주고 싶어.

말은 그렇게 하지만 실패다. 이연이 부글거리는 얼굴로 지폐 밀어 넣으면.

지아   (이연의 손에 손 포개고) 기계랑 싸우지 말고, 달래야지.

다정히 손을 얹고 인형을 뽑는 두 사람.
그러다 손바닥만 한 인형을 뽑고 기뻐한다. 같은 인형 하나씩

구미호뎐   제15화 '그대'라는 운명

나눠 가진다.

이번에는 농구대 앞이다. 이연은 술술 넣고 지아는 서툴다.
이연이 지아 쪽에 자기 공을 '툭툭' 던져 넣으며.

이연	기계랑 싸우지 말고 달래야지.
지아	(눈빛 이글이글해서 가방 벗어 던지면)
이연	(자세 잡아 주며) 자, 팔을 이렇게…
지아	놔. 이건 나와 이 자식의 싸움이야.
이연	(귀여워 죽겠다) 어우 승부욕 봐.

#25 공원 (낮)

호젓한 공원을 함께 걷는 두 사람. 아이스크림콘 하나씩 손에
들고, 나란히 벤치에 앉았다. 평화롭게 아이스크림 베어 먹으며.

지아	민트초코는 어때?
이연	여전히 청량해. 입 안 가득 숲을 머금은 거 같이. 바닐라는 어때?
지아	달달해. 이거 꿀맛도 난다?
이연	바꿔 먹을까?
지아	섞어 먹는 건 어때?

한 손에 아이스크림 들고, 동시에 입을 맞추는 두 사람.

이연	내가 아무래도 너를 엄청 사랑하나 봐.

지아	('쿵!!')
이연	그렇게 오랜 세월을 살았는데… 살면서 본 다른 이름, 다른 얼굴, 다 분분히 흩어져도, 너랑 같이 한 시간만 기억에 촘촘해. ('이 모습이 마지막일지도 모른다.' 싶어) 지금 이 장면도 그러겠지?
지아	널 위해선, 여차 할 때 편집하라고 말해 주고 싶은데. 사람 욕심이 뭐랄까. 그건 죽어도 싫으네. 나 잊지 마. 무슨 일이 있어도.
이연	내가 이 얼굴을 어떻게 잊어.
지아	사랑해 이연.

서로를 지키기 위해 목숨을 건 연인, 애타게 서로를 눈에 담는다.

#26   내세 출입국 관리 사무소 (낮)
노파가 아들 유골함에 대고 쓸쓸한 목소리로 묻는다.

노파	그러냐? 네가 나를 버리고 떠난 게 아니라, 내가 너를 버린 것이냐? 그래서 내가 이 모양이 된 거냐? 내 죽어도 너를 용서 않겠다 다짐하고 또 했는데… 알고 보니 내가 나를 용서할 수가 없었던 거구나. (눈물 흐르는) 나는 어떤 어미였니…

한참을 조용히 목 놓아 우는 노파다.

#27   한강 (밤)

밤하늘에 별이 총총하다. 이연과 지아가 그 앞에서 눈을 감고
기도를 한다.

지아   무슨 소원 빌었어?

이연   네가 무사하게 해 달라고. 다치지 않고, 아프지 않고, 울지도
             말고.

지아   욕심쟁이.

이연   만에 하나 우리 힘으로 어쩔 수 없는 상황이 생기면, 전부 잊
             어버리게 해 달라고. 잊고 가지런히 네 인생 걸어가 달라고.
             '사람'이 사는 쪽으로.

지아   싫어. 너 기다릴 거야. 네가 나 기다려 준 것처럼.

이연   안 돼. 그러기에 사람 인생은 너무 짧아.

지아   (서글퍼지는데)

이연   넌? 넌 무슨 소원 빌었니?

지아   이 세상 어딘가에 엄청 친절한 신이 있어서 '기적' 비슷한 게
             일어나게 해 달라고. 제발 우리 좀 구해 달라고.

             그런 지아를 보는 이연의 눈빛 애처롭다.
             그때 이연의 핸드폰 울린다. 삼도천 노파다.

이연   응, 할멈. (듣고 우뚝 굳는) 뭐 지금?? (지아에게) 먼저 집에 가 있어.
             금방 갈게.

지아   삼도천 할머니? 뭐라셔?

| 이연 | (벅차게) 어쩌면, 진짜 네 소원이 이뤄진 건지도 모르겠다. |
| 지아 | ?!!!! |

#28   내세 출입국 관리 사무소 / 앞 (밤)

이연이 한달음에 뛰어왔다.

노파가 한 손에 담배 한 개비 들고, 뒷짐 진 채 서 있다.

이연	무슨 소리야? 아까 그거??
노파	너는 나를 원망하냐?
이연	내가 왜?
노파	네가 사랑하는 아이를 죽이려 들잖니.
이연	솔직히 좀 섭섭하긴 한데, 할멈도 어쩔 수 없어서 그러는 거 잖아. 그 꼰대 같은 면이 할멈 매력이고.
노파	(건조하게 웃고) 담배 참 오래도 피웠다. 나한테 담배 끊으라고 잔소리 하던 놈이 세상에 딱 둘이었다. 하나는 너.
이연	다른 하나는 아들이지?
노파	세상 다정한 아이였어. 일하느라 바깥구경 할 틈이 없는 내 옆 에 와서 밖에 매화가 분분하다고, 그새 철새가 돌아왔다고, 그 것이 종알종알 들려주는 꽃 소식, 봄소식 듣는 게 내 낙이었다.
이연	(짠하게 보면)
노파	헌데 지 각시가 죽고는 영영 입을 닫아 버리대? 차라리 대놓 고 원망을 할 것이지.
이연	그러다… 삼도천에 뛰어들었구나.

| 노파 | 내가 지어 준 신발을 곱게도 벗어 놓고 갔더라. 나쁜 자식. 지 애미 보란 듯이. 죽어도 나를 용서 안 하겠단 듯이. |
| 이연 | 틀렸어. 너무너무 슬퍼서 죽은 각시 따라가는 그 순간에도, 어머니가 만들어 준 신발을 적시기 싫었던 거야. 그런 타입은 또 내가 빠삭하잖아. |

노파의 마음에서, 오래 묵은 응어리 하나가 '쑥' 빠져나오는 기분이다.

노파	담배를 끊어 볼까 싶다.
이연	진짜로?
노파	살 만큼 살았으니 나도 안 해 본 짓 한 번 해 볼라고.
이연	무슨 뜻이야?
노파	너도, 그 아이도 죽지 않고 이걸 끝내는 방법이 있다는 뜻이야.
이연	(기대감으로) 그게 뭔데?!!

#29 민속촌 / 관아 (밤)

민속촌의 하루 끝났다. 뒷정리 하던 캐릭터 알바들, 사또에게 공손히 인사한다.
'고생들 했다.' 애들 토닥이고 자리를 뜨는 사또.

#30 민속촌 / 화장실 안팎 (밤)

직원용 화장실에 들어선다. 안에는 아무도 없다.

사또가 꼼꼼하게 손을 씻기 시작한다.

세면대 한쪽에, 누가 놓고 간 듯 작은 '돌하르방' 놓여 있다.

거울로 보면, 화장실 칸 하나가 닫혀 있다. 누군가 있는 모양.

그런데 밑에서 본 앵글에, 안에 있는 이의 '발'이 보이지 않는다?!

#31   내세 출입국 관리 사무소 / 앞 (밤)

노파가 이연이 목숨 값으로 맡기고 갔던 검을 건넨다.

노파	너는 내일 이무기가 여기 오면, 이 검으로 지아를 베라. 가볍게 베는 게 아니라, 죽을 만큼.
이연	뭐?!!
노파	그 아이가 다 죽어 가면, 몸속에 있는 놈이 어떻게든 죽기 전에 그 몸에서 튀어 나오려고 할 거다.
이연	비늘은?
노파	비늘은 쓰지 마라. 놈이 이무기 몸으로 갈아타게 둬. 둘로 나눠진 이무기가 하나가 되면 내가 돌로 만들 것이다.
이연	(!!!!!) 근데 그러다 진짜 지아가 죽으면?
노파	내가 살리마. 나 또한 금기를 어긴 대가를 치르겠지.
이연	(시큰해서) 할멈…
노파	낯 간지러운 소리 집어치우고, 제 시간에 이리 데려오기나 해. 이무기랑 그 아이 둘 다.

| 이연 | 꼭 데려올게!! 난 있지. (노파 확 끌어안고) 할멈이 보기보다 나쁜 놈이 아니란 거 벌써 알고 있었어! |
| 노파 | (싫지 않으면서) 놔라 이놈아! |

이연의 얼굴 전에 없이 밝다. 처음으로, 희망이 생겼다!!

#32   민속촌 / 화장실 안팎 (밤)

사또가 손을 씻고 휴지를 뽑는다. 화장실 문 조용히 열린다.
누군가, 안에서 나와 손을 씻기 시작한다.
사또가 손을 닦으며 다시 거울 앞에 선다. 옆의 남자가 고개
를 든다. 이무기다!!

이무기	아까 공연 잘 봤어요.
사또	고마워요. (하고) 그쪽두 사람은 아니네요?
이무기	눈썰미가 좋으시네요.
사또	(젠틀하게) 사람이든 아니든, 폐장 시간 지났습니다만.
이무기	아. 제가 뭘 좀 찾으러 왔다가.
사또	물건을 잃어버리셨음, 분실물 센터로 가 보시죠.
이무기	괜찮아요. (싱긋) 방금 찾았거든요.
사또	(묘한 느낌에) 그게… 뭡니까?

하자마자, 세면대 위 '돌하르방'으로 사또를 내리치고!

이무기	'달의 거울'이요.

#33   거리 / 이연의 차 (밤)

이연이 들뜬 얼굴로 집으로 향한다!

#34   이연의 집 (밤)

지아가 작가의 손을 애타게 잡고 있다. 작가의 상태도 몰라보게 악화됐다.

작가	우리 엄마 돌아가시고, 천애 고아가 된 기분이었는데. 그래도 너랑 재환이가 있어서 나 하나도 안 외로웠다? 고마워.
지아	제발 좀만 더 버텨 줘. 오늘 하루만. 제발!!!

재환이 사색이 돼서 나타난다. 자기 핸드폰 내밀며.

재환	피디님.
지아	(전화에 신경 쓸 정신없다) 뭔데?!!
재환	(두려운 듯이) 받아 보셔야 될 거 같아요.

심상찮은 분위기에 전화 넘겨받으면, 그 목소리 이무기다.

이무기(E)	누가 다 죽어 가나 봐?

구미호뎐   제15화 '그대'라는 운명

지아	(부숴 버릴 것 같은 얼굴로) 너 어디야?!

#35   이연의 집 / 앞 (밤)

지아가 무섭게 굳은 얼굴로 나타난다. 이무기가 기다리고 있었단 듯이.

이무기	이제야 날 찾아 주네?
지아	치료약은?
이무기	지금 남 걱정 할 때야? 네가 오늘 내일 하는데?
지아	(이를 악물고) 약 어딨어?!
이무기	그런 건 없어. 태생이 역병인지라 사람 죽이는 법은 알아도, 살리는 법 따위 배워 본 적이 없다.
지아	(분노로) 나쁜 새끼. 넌 곧 뒤질 거야. 네가 지옥 끝까지 굴러 떨어지면 좋겠어.
이무기	(담담히) 여기가 지옥이야. 내가 발 딛고 선 지금 이 자리.
지아	혹시 다시 태어나면, 꼭 한번 평범한 사람의 인생을 살아 보기 바라.
이무기	그거 저주야 뭐야?
지아	엄살떨지 말라고. 사람들 다 저마다 자기 지옥을 지고 살아가. 제발 너만 불행하다는 그 얄팍한 자기 연민에서 좀 벗어나라.
이무기	(싸하게 굳었다가) 난 이래서 네가 좋아. 이제 자기 몸도 제대로 어쩌지 못할 만큼 위태위태한데도 무너질 듯 무너지는 법이 없어. 나는 너를 가질 거야.

지아	웃기지 마. 너한테 가느니 차라리 죽지.
이무기	이제부터, 진짜 죽고 싶어질 거야. (지아 이마를 톡 치며) 나오너라.

지아의 얼굴에 곧바로 비늘 드러난다! 이무기로 변했다! 변하자마자!

지아(이무기)	이연이랑 손잡지 마. 이것들 뭘 꾸미고 있어.
이무기	상관없어. 너는 지금부터 할 일이 있다.

서로를 마주 보는 두 명의 이무기!!

#36   이연의 집 (밤)

이연이 한달음에 집에 돌아온다.
지아가 뒷모습으로 미동도 없이 앉아 있다. 조명 어둡다.

이연	왜 그러고 있어?
지아(이무기)	(옆모습만 보이는) '사또'가 습격당했어.
이연	무슨 소리야? 누구한테?
지아(이무기)	이무기. 죽진 않았는데, 뭐 중요한 걸 뺏겼나?
이연	!!! (묘한 분위기 눈치챘다. 다가가는) 너… '그놈'이지?

지아가 싱긋 웃으며 돌아본다.

구미호뎐   제15화 '그대'라는 운명

지아(이무기)   여기서 퀴즈. 사또는 과연 뭘 뺏겼을까.

이연   설마… (얼어붙는) 달의 거울?!!

37

내세 출입국 관리 사무소 (밤)

같은 시각, 이무기가 삼도천에 나타났다! 그런데! 이무기의
얼굴을 마주한 노파, 전에 없이 이성을 잃은 모습이다!!

노파   네가!! 네놈이 어떻게 '그 얼굴'을 하고 있는 것이냐?

이무기   너무너무 보고 싶었던 얼굴이죠? 하나뿐인 아들. 어머니가
죽인 가련한 아이.

노파   (다리에 힘이 풀린다. 겨우 버티고 서서) 복길이. 우리 복길이…

이무기   다시 태어나면서 껍데기는 어르신 맞춤형으로 골랐어요. 언
젠가 이런 날이 올 거 같더라니.

노파   (벼락같이 소리치는) 네놈이 네 아들을 어찌 알ㄱ?!!

이연의 집 (밤)

재환이 어둠 속에서 입을 틀어막고 떨며, 작가를 지키고 있다!
거실에서 이연과 지아(이무기)가 서슬 퍼렇게 대치 중이다!!

지아(이무기)   여기서 두 번째 퀴즈. 내 반쪽은 왜 하필 '달의 거울'을 노렸을까.

이연   (눈치챘다. 벌떡 일어나서) 안 돼… 할멈!!

지아(이무기)   (손목을 잡고) 자기는 나랑 있자.

이연	닥쳐!!

하는데! 뒤에서 전깃줄이 목에 '콱' 걸린다!! 신주다!!!

이연	(경악해서) 신주야, 네가 왜!!
신주	(초점 없는 눈으로) 그분의 부름을 받았으니까.

인서트 플래시백

이무기가 신주 동물병원을 방문한 날이다. 그때 생략된 얘기 여기서 보인다.

'언젠가 말이야. 그녀 안의 이무기가 부를 때, 너는 나의 군사 가 될 거다.'

신주를 떼어 내려고 몸부림치는데!
어둠 속에서, 이랑과 우렁각시가 모습을 드러낸다!!
양쪽에서 이연의 손발을 제압하기 시작!! 이연, 미쳐 버릴 것 같다!

#39	내세 출입국 관리 사무소 (밤)

분노로 반쯤 넋이 나간 노파에게, 이무기가 그리운 얼굴로 말 하길.

이무기	복길이 참 좋은 아이였는데. 세상 모두가 혐오하는 나한테 처

음으로 먼저 말을 걸어 줬어요. 난생 처음 친구가 생긴 거 같았어요. 근데, 그거 알아요?

노파   (불길하게 보면)

이무기   복길이 각시의 몸에, 역병의 씨앗을 심은 건 나였어요.

노파   왜 그랬어… 왜…

이무기   그 친구가 너무 행복해 보여서.

노파   이… 이 개 같은 새끼가!!

할멈의 눈 붉게 변한다!
'쿵!!' 건물 외경으로 엄청난 빛 뿜어져 나온다!!

#40   이연의 집 (밤)

이연이 가차 없이 셋을 떼어 낸다!
일어서서 다시 덤벼드는 이랑과 신주 날려 버리고!
곧바로 할멈에게 전화를 건다! 할멈은 전화를 받지 않는다!!
할멈이 없으면, 이 계획은 수포로 돌아간다!

이연   (지아를 이끌고) 가자, 삼도천으로! 할멈이 없으면 안 돼!!

지아(이무기)   (버티며) 이미 늦었어.

이연   (애타게) 제발 정신 좀 차려. 지아야! 우리 둘 다 살 수도 있다고!! 처음으로 희망이 생겼단 말이야!!

등 뒤에서 이랑과 신주, 우렁각시가 '부스스' 몸 일으킨다! 암시 풀렸다!

이랑	젠장… 머리야…
신주	(어쩔 줄 모른 채로) 이연님.
이연	(단호하게) 신주는 빠지고 랑아, 넌 나랑 같이 가자.
우렁각시	죄송해요. 저희가…
이연	나중에!! 니들은 암시에 걸렸던 거뿐이야. 랑아, 지아 데리고 가. (나가다 말고) 1분만. (하고, 집 안쪽으로 사라진다.)
이랑	(버티는 지아를 우악스럽게 붙잡는데)
지아(이무기)	놔. (웃으며) 내 발로 갈 거야.

#44　　내세 출입국 관리 사무소 (밤)

이연이 거칠게 문을 열고, 지아(이무기)와 함께 사무소 들어
선다! 늘 노파가 앉아 있던 자리에서 그들을 돌아보는 것, 이무
기다!! 한쪽에 '하얀 천'을 뒤집어쓴 뭔가가 놓여 있다!

이연	할멈은? 할멈 어딨어?!!
지아(이무기)	(방싯거리며) 잡았어?
이무기	(책상 위 사또 거울, 보란 듯이 가리키는) 역시 산신의 4대 보옥이야.

이연이 다가가서 천을 '확' 걷으면!
노파가 돌이 돼 있다!! 그 앞에 이연의 검 가지런히 놓여 있다!

구미호뎐　제15화 '그대'라는 운명

이연	!!!!!!
이무기	아들 얼굴로 나타나니까 천하의 노파가 이성을 다 잃더라? 신들의 신이니 어쩌고 해도, 인간의 마음을 갖고 있는 한, 약한 고리가 생기는 법이지.
이연	(멱살을 잡고) 처음부터 이럴 작정이었나?
이무기	너 때문이야, 이연. 네가 포기하지 않으니까 무고한 사람들이 죽고, 노파가 죽고, 우리 지아가 죽어 가잖니.

이연이 무서운 힘으로 덤벼들면서! 둘 사이에 짧고 강렬한 육탄전 벌어진다!
하지만 이무기의 얼굴에는 여유가 그득하다!
이어 지아가 이연을 공격한다!
잇달아 덤비는 지아를 막으면서도, 오직 이무기하고만 싸우려는 이연!!
결국 핀치에 몰린다!

지아(이무기)	이 와중에도 이 몸엔 손 하나 못 대네? 그 몸뚱이 기부하고 죽어 줘.
이무기	넌 이제 선택지가 없어. (지아 가리키며) 그래야 지아가 살아.

지아 얼굴에 비늘 뒤덮인다! 완전히 이무기로 변하는 중!

이연	지아 놔줘!! 이제 됐으니까… 그만. 내가… (털고 일어서며) 비늘을 먹을 테니까.

이연이 비늘을 꺼내 든다!!

#42   내세 출입국 관리 사무소 / 앞 (밤)
이랑이 사무소 앞에 나타난다! 유리가 문을 막고 서 있다!!

이랑   너 여기서 뭐 하냐?
유리   (대답 대신 날카로운 비녀 꺼내 들고) 이랑님은 못 들어가요. 절대.
이랑   유리야. 난 여기 너랑 이연을 구하러 왔는데 말이야. (서늘하게)
         만약 이연한테 무슨 일 생기면 넌 나한테 뒤져요.

#43   내세 출입국 관리 사무소 (밤)
이연이 마침내 비늘을 입에 가져간다! 이무기가 미소로 그
모습 본다!
지아(이무기)는 머리가 아픈 듯 관자놀이를 지끈 누른다!
이연이 비늘을 막 삼키려는 순간!

지아(E)   먹지 마… 먹으면 안 돼.

         둘이 동시에 돌아본다!
         지아가 필사적으로 정신을 붙들고 서서, 자기 머리에 권총을
         겨누고 있다!

구미호뎐   제15화 '그대'라는 운명

이연	지아야!!
지아	(방아쇠에 손 갖다 대며) 움직이지 마. 둘 다.
이무기	(!!) 아직도 정신이 버티고 있어?
이연	(애타게) 그러지 마! 그 손 놔 제발!
지아	(얼굴엔 비늘 뒤덮인 채로) 내가 지켜 줄게, 이연.
이연	내가 할게! 제발… 그러지 마!!
지아	(자기 안의 이무기와 고통스레 싸우고 있다. 슬픈 얼굴로) 안녕.

지아의 손가락에 힘이 들어간다! 그 순간!
이연이 비늘 입에 넣고, 지아 손목을 붙든다! '탕-' 아슬아슬
하게 총탄 오발된다!

이연	그 몸에서 나와.
지아	안 돼!!!

소리치는 지아의 몸에서 뭔가가 '쑥' 빠져나간다!!

#44	**내세 출입국 관리 사무소 / 앞 (밤)**

유리가 비녀를 손에 쥐고 이랑과 대치 중이다.

유리	용서하세요. 이랑님을 지키기 위해서예요.

거침없이 유리의 복부를 가격하는 이랑! 유리 쓰러진다!

이내 손도끼 꺼내 들고 안으로 향한다!

#45   내세 출입국 관리 사무소 (밤)
                지아의 몸에서 비늘 사라졌다! 굳어 있는 이연에게 다가간다!

이연   (얼굴을 가리고) 나한테… 가까이 오지 마.
지아   (아랑곳 않고 다가서며) 이연.
이연   오지 마!!

                고개 들면, 이연의 몸에도 비늘이 올라오기 시작한 것 보인다!

지아   안 돼… 안 돼!!!
이무기   이제 네가 아는 이연은 죽었어. (미소로) 내가 이겼다.

                그 광경을 본 이랑, 이성을 잃는다! 곧바로 이무기에게 덤벼
                든다! 하지만 힘의 차이가 너무 크다! 이랑을 가볍게 제압하
                는 이무기!
                지아가 몸서리치는 이연을 끌어안는다!

지아   이연… 나 두고 가지 마.
이연   꼴이 말이 아니지? 마지막엔 특히 이쁘려고 했는데. 그래도…
                (이무기 돌아보며 픽 웃는) 우리가 이겼어.

이랑을 밟고 섰던 이무기, 문득 가슴께를 움켜쥔다!!!

이무기   뭐지?

이연   내 선물. 반쪽이 약해지면 너도 약해지지? '묘지의 달맞이꽃'
        이다.

이무기   (울컥 피를 토해 낸다!!)

인서트 플래시백

아까 집에서 나오기 직전 달맞이꽃을 먹는 이연의 모습!!

이무기, 서늘해진 얼굴로 이연에게 다가온다!
이연이 곧바로 이랑에게 자기 검을 던져 주고, 이무기를 끌어
안는다!

이연   랑이!! 띠리외!! (하고, 계단을 뛰어오르면!!)

사무소 계단 문 열린다! 문 너머로, 끝도 없이 펼쳐진 황량한
강 보인다!!
이무기가 이연을 떼어 내려고 몸부림친다!
이연이 무시무시한 힘으로 끌어안고!

이무기   이제 너랑 나랑 한 몸이야! 날 죽이면 너도 죽는다!

이연   바라던 바야. (씩 웃고) 랑아, 우리를 베라!

이랑   (울컥해서) 싫어. 난… 못해.

이연	좀 있으면 난 이무기로 변해. 내가 나로 있을 수 있게 랑아.
이랑	싫어!!
이연	나를 구해 줘.

이연의 얼굴에 비늘 뒤덮인다!
눈물을 흘리며, 둘을 향해 검을 '확' 찔러 넣는 이랑!!!
이무기의 얼굴 아연해진다!
지아가 비명을 지른다!! 이랑이 충격으로 검에서 손을 뗀다!
이연이 검 손잡이를 잡고 한 번 더 깊이 찔러 넣는다!

이무기	난 다시 태어날 거야. 다시 태어나서 또 그녀를 찾아낼 거다.
이연	아니. 삼도천에선 아무도 못 돌아온다.
지아	안 돼!!

이연이 이무기를 끌어안고 삼도천으로 몸을 던진다!
지아가 이연의 옷깃을 붙든다! 하지만 이미 늦었다!
쥐었다 놓친 이연의 옷자락에서, 아까 나눠 가진 '작은 인형'
굴러 떨어진다!
'이연!!!!' 지아가 부르짖는다!
마지막으로 지아와 눈 마주친다.
이연은 미소 짓고 있다. 뭐라고 입을 달싹이며.

지아(N)	그는 웃었다. 마치 나를 구해서 그걸로 다행이라는 듯이. 이것이 그의 해피엔딩이라는 듯이. 마지막에, 사랑이라는 단어가

구미호뎐 제15화 '그대'라는 운명

들렸던 것 같기도 하다.

이연과 이무기, 동시에 삼도천 검은 어둠속으로 사라진다!
넋 나간 얼굴로 눈물을 '뚝뚝' 흘리는 이랑!
'이연… 이연!!' 지아가 목 놓아 오열하는 소리 오래오래 번지
면서!

15화 끝

다시 쓰는

구미호전

#1　내세 출입국 관리 사무소 (밤)

이연이 이무기를 끌어안고 삼도천으로 몸을 던진다!
이연과 이무기, 동시에 삼도천 어둠속으로 사라진다! 목 놓아
우는 지아!

#2　수중 (밤)

죽은 이무기, 먼저 검은 물밑으로 가라앉는다.
죽어 가는 이연의 귀에 '지아의 울음소리' 희미하게 들린다.

이연(N)　그녀의 울음소리가 들린다. 말해 줘야 되는데. 그리 서러워할
거 없다고. 인간과 구미호의 사랑 이야기 같은 건 원래 이렇
게 끝나게 마련이라고.

지아와 함께 했던 기억들 가쁘게 스쳐 간다. 1화 엔딩에서 지
아 받아 안으면.

이연(N)　　　처음부터 다른 세상에 속해 있던 우리였다.

비오는 날, 이연의 우산으로 파고들던 지아.
비오는 거리를 나란히 걷는 두 사람. 이연의 어깨 젖어 가고.
팔을 괴고 누워 잠든 지아를 지켜보는.

이연(N)　　　사랑이란 두 글자를 징검다리 삼아, 그녀가 사는 세상으로 건너가고 싶었다. 조금 더 같이 걷고 싶었다. '사람'이 되고 싶었다.

바닷가 펜션에서 아프게 입 맞추는 모습. 그리고 그날 함께 걷던 바닷가.

이연(N)　　　내 장래 희망은 결국 이루어지지 않았지만. 나의 죽음은, 내 첫사랑이자 마지막 사랑이었던 한 인간에게 보내는 가장 뜨거운 연애편지다.

다시 현재. 미소로 죽어 가는 이연의 모습 보인다.

이연(N)　　　그녀가 혹시라도 날 기다리지 않았으면 좋겠는데. 나 때문에 많이 울지 않았음 좋겠는데. 딱 한 번만 더 보고 싶은데…

이연의 시선에서, 수면 위 한 점 빛마저 완전히 사라진다.

구미호뎐　　제16화 다시 쓰는 구미호뎐

이연(N)   이제, 그녀의 얼굴이 보이지 않아.

이연이 눈을 감는다. 시커먼 물밑으로 가라앉는 이연.

#3   **동물병원 (밤)**
신주가 핸드폰을 꼭 쥐고, 초조하게 이연의 소식 기다리고 있
다. 누군가 병원을 찾아드는 소리. 혹시 이연인가 싶어 황급
히 보면, 유리다.
말없이 서로를 안아 주는 두 사람.

#4   **이연의 집 (밤)**
재환이 걱정스레 머리를 싸매고 있다.
'재환아!' 돌아보면, 다 죽어가던 작기가 멀쩡히 두 발로 걸어
나온다.
'작가님!!' 손 붙들고 기쁨의 눈물 흘린다.

#5   **한식당 우렁각시 (밤)**
우렁각시 품에서, 의식 없이 늘어졌던 팀장이 숨을 '훅' 몰아
쉬며 깨어난다.
병색이 싹 사라졌다. 우렁각시가 놀란 가슴을 쓸어내린다.
그런 각시를 보고 따뜻하게 미소 짓는 팀장.

#6   **몽타주 (밤 → 낮)**

어둠이 걷히고 환하게 날이 밝았다.
전과 같이 활기를 되찾은 도심 풍경 위로, 아침 라디오 소리.

라디오   세상엔 정말 기적이 있는 걸까요? 그간 시민들을 공포로 몰아넣었던 수수께끼의 질병이 지난 밤, 씻은 듯이 사라졌습니다. 원인도, 기전도 알 수 없는 미지의 질병에 속수무책 고통받던 환자와 그 가족들은 서로 얼싸안고 기쁨의 눈물을 흘렸는데요.

#7   **내세 출입국 관리 사무소 / 안팎 (낮)**

되살아난 노파가 창밖을 굽어보고 있다.
남편 현의옹이 어느새 그 옆에 와서 선다. 나란히 앞만 보고 서서.

현의옹   드디어 모든 게 '제 자리'로 돌아왔네.
노파   연이를… 지키지 못했어. 내가 또 생때같은 아이를 잃어버리고 말았어.
현의옹   아니. 당신은, 연이를 위해 당신이 할 수 있는 최선을 다했어. 나 그래서 돌아왔어, 당신 곁으로.
노파   (울컥하는데 꾹 참고) 누가 받아 준대?
현의옹   받아 줘라. 집 나가면 개고생이란 옛말, 틀린 거 하나 없더라고. (엄살) 고 짧은 기간에 어우 눈칫밥을 얼마나 먹었는지.

노파	어떤 년이 감히 눈치를 줘? 내 남편 갈귀도 내가 갈궈!

그새 기세등등한 노파를 보고 현의옹이 웃는다. 상냥하게 어깨 토닥이면.

노파	(그 어깨에 기대서) 연이는 편히 갔을까?
현의옹	그랬을 거야. 지가 바라던 대로 그 아이를 지켰으니까.

지아가 반쯤 넋 나간 얼굴로 사무소 앞을 찾아든다.
밤새 한숨도 못 잤는지 헝클어진 모습. 밖에서 애타게 현의옹을 부른다.

지아	현의옹 할아버지! 현의옹 할아버지! 저 지아예요. 문 좀 열어 주세요!
현의옹	(!!) 어떡하지?
노파	열어 주지 마.
현의옹	(근심 어린 얼굴로) 그래도…
노파	쟤도 이제 이연 잊어버리고 보통 사람들이랑 어울려 살아야지.

지아가 아무 기척도 없는 문에다 대고.

지아	제발 알려 주세요. 이연을 구하려면 어떻게 해야 되는지. 제가 뭘 하면 되는지. 저 진짜 시키는 거 뭐든지 다 할 수 있거든요. (문에 매달려서) 방법만 좀 알려 주시면 안 돼요?

부부	(두 사람 속도 말이 아닌데)
지아	저 포기 안 해요. 열어 주실 때까지 맨날 찾아올 거예요.

다음 날. 지아가 또 찾아왔다. 문을 두드린다. 현의옹이 슬쩍
아내를 본다. 노파가 냉정하게 고개를 내젓는다. 오늘도 열리
지 않는 문 앞에서 한참을 쪼그려 앉아 있는 지아다.
다음 날. 지아가 또 사무소 문을 두드린다. 역시나 반응이 없다.
닫힌 문에 등 기대고 선 지아의 얼굴 처연하다. 그런데!
어쩐 일인지 문이 '스르르' 열린다?!
안에 들어서면, 현의옹은 안 보이고 노파가 기다리고 있다.

지아	들여보내 주셔서 감사합니다.
노파	여기 너네 동네 동사무소 아니고, 나는 네 실연의 상처 위로 해 줄 여유 따위 없으니 요점만 말하마. 이연은 죽었다. 네 가 무슨 짓을 해도 못 돌아와.
지아	(충격으로 흠칫했다가) 저는 못 해도 어르신은 할 수 있잖아요. 생 과 사를 관장하는 분이니까, 분명히 뭐든… (하는데)
노파	이쪽 세상에도 룰이란 게 있다. 안 되는 건 안 되는 거야.
지아	그럼 환생이라도 하게 해 주세요! 저를 못 알아봐도 괜찮아 요! 저 같은 거 다 잊어버려도 상관없으니까
노파	삼도천에 제 발로 뛰어든 건 이연이다. 다시 태어날 수 없단 거 알면서, 연이가 선택한 거야. 그러니 너도 내 영업장에서 1인 시위 작작해. 너 하나 떼쓴다고 돌이킬 수 있는 일이 아 니니라.

지아	아니요. 아냐. 분명 어딘가 길이 있을 거예요, 이연이 돌아올 방법이!!
노파	(냉정하게) 그런 일은 일어나지 않아. 그거 알려 주려고 불렀다.
지아	!!!!!

#8　　　이랑의 집 (낮)

이랑이 폐인처럼 방에 틀어박혔다. 바닥에 술병 굴러다니고.
한 손에 술병 들고, 반대쪽 손 들여다보면.
그 손으로 '형을 찌르던 장면' 스쳐 간다.
이연의 몸을 관통하던 순간, 칼날의 감촉까지 생생하다. 술
'벌컥' 들이킨다.
노크 소리 들리더니 유리가 모습을 드러낸다.

유리	이랑님 냉면 사다 줄까요?
이랑	(쳐다보지도 않고) 나가.
유리	3일 동안 술 빼고 아무것도 안 드셨잖아요.
이랑	나가라고.
유리	이랑님 탓 아니에요. 이연이 시켜서 그런 거잖아.
이랑	(싸늘하게) 한마디만 더하면 내 손에 죽는다.

유리가 입을 다물자, 이번에는 수오가 나타나서 스티커 내민다.

수오	스티커 가질래요?

이랑	하아…
수오	(자동차 보여 주며) 되게 멋있는 자동차도 있는데.
이랑	제발 좀 꺼지라고 둘 다! 내 집에서 나가든가!!

#9   지아의 집 / 앞 (밤)

지아가 무거운 걸음으로 집에 가는 길. 가로등 나갔는지 사위
캄캄하다.

인서트 플래시백   5화 32씬

이연과 이 길을 걷던 장면 스쳐 간다.
가로등 대신, 지아가 가는 길 밝혀 주던 노란 반딧불도.

그 기억에, 그 자리에 못 박혀 선 지아.
왠지 이연이 기다리고 있을 것만 같다. 하지만 이연은 어디에
도 없고. 참담한 얼굴로 다시 걸음 옮기는데, 다리에 힘이 풀
려 휘청거린다.
그 순간, 지아를 잡아 주는 따뜻한 손!!

지아	이연?!!!
신주	괜찮으세요? (가로등 밝혀진다) 아, 가로등 들어왔다.
지아	('이연이 아니구나.' 서글퍼지는)
신주	구청에 전화 넣었어요.
지아	원장님이 왜요?

신주	피디님이 다치면 제가 아주 혼쭐이 날 거거든요. 이연님한테.
지아	이연이… 그래요?
신주	'지아를 지켜 줘. 내가 바라던 그런 삶을 살고 있는지 나 대신 지켜봐 줘.' 저한테 남기신 유언이에요.
지아	(먹먹해서) 원장님은 괜찮아요?
신주	(씩씩하게) 저는, 안 괜찮아도 괜찮아야 돼요. 할 일이 많거든요.
지아	삼도천 어르신 만나고 왔어요. 이연을 살릴 방법이 없대요.
신주	이연님은 처음부터 알고 있었어요. 알면서도 자기 대신, 사랑하는 사람이 살기를 바라셨고요.
지아	내가 뭘 어떻게 하면 좋을까요.
신주	아무 일도 없었던 것처럼 사세요. 이연님을 만났던 것도, 이쪽 세상 엿본 것도 다 잊어버리고 '사람답게' 그게 이연님 바람이니까.

집으로 들어가는 지아를 끝까지 지켜보고, 비로소 자리를 뜨는 신주다.

#10   이랑의 집 (밤)
신주가 이번엔 이랑을 찾아왔다. 유리가 신주를 맞는다.

신주	아직도야?
유리	꼼짝도 안 하셔. 이러다 쓰러지는 거 아닌가 걱정돼 미치겠어.
신주	내가 만나 볼게.

신주가 방에 들어선다. 이랑은 여전히 폐인 모드.

신주   (쪼그려 앉아 시선 맞추며) 왜 이러고 계세요?

이랑   몰라서 묻냐? (하고, 또 술병 입에 갖다 대는데)

신주   (술병 뺏는) 이런다고 이연님 살아 돌아오지 않아요.

이랑   (분노로) 새끼 말하는 거 봐라. 근데 넌 되게 멀쩡해 보인다? 언
         제는 이연을 위해 죽고 살고 한다더니 은혜도 모르는 쓰레기
         자식.

신주   뭐라고 욕하셔도 상관없는데요. 이 말씀은 꼭 드려야겠어요.

이랑   거지 같은 설교 집어치우고 술이나 내놔!!

         하고, 술병을 향해 손을 뻗는데! 신주가 따끔하게 꿀밤을 먹
         이며!

신주   정신 차려.

이랑   (!!!) 이 미친놈이?!!

신주   (하자마자, 한 대 더 쥐어 박고) 엄살떨지 말고 똑바로 살아.

이랑   (살기등등해서) 너 죽고 싶냐?

신주   라고, 이연님이 전해 달랬어요.

이랑   !!!

신주   뒷얘기는… (핸드폰 들어 보이며) 직접 들으실래요?

#11   지아의 집 (밤)

구미호뎐   제16화 다시 쓰는 구미호뎐

지아가 엄마 아빠랑 닭발에 캔 맥주 나눠 마시고 있다.

지아	나, 실연당했어.
아빠	이연이랑 헤어졌니?! 그래서 그렇게 기운이 없었던 거야?
엄마	괜찮은 친구 같던데 왜?
지아	상황이 그렇게 됐어. 헤어지기 싫어서 둘 다 엄청 발버둥 쳤는데.
엄마	그 집에서 반대라도 한대? 내 딸이 어디가 어때서?
아빠	아빠가 만나 볼까?
지아	못 만나. 다시는 만날 수 없는 데로 가 버렸거든. 보고 싶어서 죽을 거 같은데… 이제 아무데도 없어.
엄마	그게 무슨 말이야? 이민이라도 간 거니?
지아	나 어떡해? 이연 없이 못 살겠어. 숨도 못 쉬겠어. 보고 싶고, 만나고 싶고 막 아직도 우리 집 앞에서 나 기다릴 거 같고. (눈물 툭툭) 이연이 그랬는데. 자기 없어도 울지 말라고.
엄마	괜찮아 울어. 실컷 울어도 돼.
지아	나 진짜 안 울려고 했는데 나만 놔두고 가 버렸잖아. 가서 안 오잖아. (아이처럼 엉엉 울며) 어떡해. 나 이제 어떻게 살아?

#12   이랑의 집 (밤)
이랑이 핸드폰 클릭하면 이연의 영상 메시지다.
이연의 메시지와 이랑 반응 교차.

인서트   영상 메시지

이연이 죽던 그날. 차 안에서 어색하게 핸드폰 화면에 등장하는 이연.

이연   나다. 방금 우리는 같이 냉면을 먹었지. 넌 내 계란을 훔쳐 먹었고, 네가 이 메시지를 보고 있다면 난 아마 이 세상에 없겠지? (하다가) 어우 오글오글. 영화에서 볼 땐 멋있었는데. 추억 보정으로 대충 멋있을 거야. 맞다고 말해.

이랑   (시큰하게 웃으며) 멋있긴 개뿔.

이연   우리 랑이 혹시 술 처먹고 있니? 주종은 음… 와인?

이랑   귀신이야 뭐야?

이연   넌 인마, 와인보다 소주가 잘 어울려. 악당보다 자원 봉사자 비슷한 게 잘 어울리고. 옛날부터 다친 강아지 한 마리 그냥 못 지나치던 내 동생 어디 가 버린 줄 알았는데, 넌 안 변했어. 안 변했더라. 그러니까 내가 없어도 잘 살 거야.

이랑   (울컥해서) 나쁜 놈. 내가 어떻게 잘 사냐.

이연   잘 살아야 돼. 네가 지켜야 될 '식구들'이 생겼으니까.

이랑   다 필요 없어.

이연   형님 말씀하는데 토 달지 마라. 안 들려도 다 들린다? 아귀의 숲에서 내가 말했지? 나는 한 번도 너를 버린 적이 없다고. 그러니 너도, 너를 함부로 내버리지 마라. 내 몫까지 아껴 줘. 이게 내 마지막 부탁이다.

이랑   (눈물 그렁그렁한데)

이연   잘 있어라. 그리고… 이 편지는 10초 후에 자동으로 폭파된다.

이랑   ??

구미호뎐   제16화 다시 쓰는 구미호뎐

| 이연 | 농담이야. 이런 거 한번 해 보고 싶었어. |

'픽-' 하고 웃는 이연 얼굴에서 화면 멈춘다.
이내 거실에 조용한 흐느낌 새 나온다. 이랑 흐느끼는 소리
나직이 이어진다.

#13   지아의 집 (밤 → 낮)
아빠가 지아를 아프게 보다가.

아빠	그거 아니? 엄마랑 아빠 중간에 한 번 헤어졌던 거.
지아	정말?
아빠	미국에 있을 때. 네 엄마가 먼저 학위 따고 귀국하면서 나 찼잖아.
지아	엄마가? 왜?
엄마	장거리 연애 그거 못 해먹겠더라고. 집에선 얼른 결혼하라고 다그치지 부모님이랑 싸우는 것도 힘들어 죽겠는데, 네 아빤 옆에 없지. 나 혼자 뭐 하고 있나 자괴감이 들어서.
아빠	와, 국제 전화로 이별 통보하고 진짜 칼 같이 연락 끊더라.
지아	근데 어떻게 다시 만났어?
엄마	네 아빠가 하루도 안 빼고 편지를 써 보냈거든.
아빠	박사 논문 제출하던 날도.
지아	무슨 생각으로 그랬어? 엄마가 안 받아 주면 어쩌려고?
아빠	그땐 그냥 믿었어. 사람이 미치도록 간절하게 뭘 바라고 기다

리면 이루어질 거라고. (엄마를 보며 미소) 이뤄지더라.

지아   !!!!!

다음 날 아침. 지아가 완전히 달라진 눈빛으로 '다녀오겠습니
다!' 하고 집을 나선다.
이연이 사준 운동화 신고. 가방에는 이연과 나눠 가진 '두 개
의 인형' 매달려 있다.

지아(N)   이연, 넌 전부 잊어버리라고 했지만 나는 널 기다릴 거야. 아
            빠 말대로 간절히 바라고 또 바라면 널 다시 만날 수 있지 않
            을까. 다음 생애, 아니 그다음 생애라도 좋아.

#14   거리 / 지아의 차 (낮)
            햇살 부시게 쏟아진다. 지아가 차를 몰고, 이랑을 만나러 가
            는 길이다. 조수석에 카메라 보인다. 와이어리스에 대고.

지아   그래서 나는 너를 기억하고, 또 기록하기로 했어. 직업병을
            살려서.

#15   고급 미용실 (낮)
            이랑이 잡지 '툭툭' 넘겨 보며 머리 손질 받고 있다.

직원	한참 뜸하시더니 요새 자주 오시네요?
이랑	인터넷 보니까 이별을 극복하는 데 미용실 만한 게 없대서.
직원	누구랑 헤어지셨어요? 그럴 땐 슬픈 음악이 최곤데.
이랑	다 해 봤어. 발라드 듣고, 드라마 몰아 보고, 매운 거 먹고. (거울 보며) 염색을 한번 할까?

지아가 카메라 들고 미용실에 나타난다. 이랑이 손짓해서 직원 내보낸다.

지아	오랜만이야?
이랑	나 네 안부 안 궁금해. 본론만. (성가신 듯이) 뭘 만들 거라고?
지아	'구미호전'
이랑	구미호전? 제목이 마음에 안 드는데. 구미호 '형제전' 어때?
지아	사양한다.
이랑	(쳇) 진짜 방송에 내보내고 그런 거 아니지?
지아	(카메라 설치하며) 소장용. 이연 지인들 차례로 만나 볼 생각이야. 네가 첫 번째고.
이랑	뭐 이연에 대해선 나만큼 잘 아는 놈이 없으니까.
지아	(녹화 버튼 누르며) 오케이. 지금부터 이연에 대해 아는 거 다 불어.

잠시 후. 두 사람 나란히 얘기 중이다.
카메라 쭉 돌아가고. 지아는 취재 수첩에 메모하며.

| 이랑 | 그거 알아? 걔 왕자병 있었던 거. |

지아	뭐??
이랑	이연 얼굴 한번 보겠다고 사방팔방 온갖 잡것들이 우리 숲으로 찾아왔었거든. 안 그래도 자기 얼굴에 대한 자부심 장난 아닌데, 상태가 얼마나 심해졌겠냐? 맨날 냇물에 지 얼굴 비춰 보면서 그러더라. '아름다움이란 단어를 형상화하면 바로 이 얼굴이란 말인가.'
지아	(이연이 죽은 후 처음으로 밝게 웃는) 상상이 안 되는데? 보이스피싱 당한 거 못잖은 충격이야.
이랑	걔 피싱 당했대?
지아	2천만 원.
이랑	하하!! 웬일이야? 구미호가 보이스피싱이라니. 아, 그거 모르지? 걔 거미 무서워하잖아. 다리털 징그럽다고.
지아	와, 신선한데??
이랑	(자랑스럽게) 나랑 바둑 두는 걸 제일 좋아했어. 나한테 맨날 졌지만.

인서트 플래시백　8화 16씬
어린 이랑과 함께 바둑을 두던 이연 모습 스쳐 가고.

지아	(의외다) 옛날엔 둘이 사이가 되게 좋았구나?
이랑	당연하지. (무시하는 투로) 너보다 나랑 보낸 시간이 훨씬 많거든?
지아	(질 수 없다) 이연이 밥해 준 적 있어?
이랑	걔 그런 거 못해.
지아	음식 솜씨는 없는데 밥은 잘해. (그리운 얼굴로) 밥만.

인서트 플래시백   7화 49씬

밥통에서 취사 완료 알리는 소리 들린다. 퇴근하는 지아를 맞는 이연.

'나 밥 먹었는데?' '알아. 막 지은 밥 냄새 좋아한다길래. 내가 음식 솜씨는 없어도 밥물은 또 기가 막히게 맞추거든.'

이랑	(분하다. 핸드폰 들어 보이며) 나 영상 메시지 받았는데.
지아	(발 내보이는) 이연이 사준 신발.
이랑	나는 아예 업고 다녔어, 걔가.
지아	맨날 맨날 기다려 줬어.

인서트 플래시백   7화 14씬

'기다릴게. 퇴근할 때까지.' '여기서? 하루 종일?' '걱정하지 마. 딴 건 몰라도 기다리는 건 이골이 난 놈이야. 24시간이 아니라 24년도 있어 있을 수 있어.'

이랑	재수 없어.
지아	(시큰해진) 그러고 보니 너나 나나 이연한테 받은 것만 한 보따리네.
이랑	(같이 시큰해져서, 조금 쓸쓸하게) 걔 소원이 뭐였는지 알아?
지아	사람. 사람이 되고 싶어 했어.

인서트 플래시백   12화 33씬

'나도 결혼이란 걸 하고, 언젠가 우리 닮은 아이도 낳고… 그

러다가 절대 늙지 않는 내 머리에 흰머리도 소복이 돋아나고,
그래도 내 옆에는 네가 있고. 내가 사람이면… 평범한 사람이
면 얼마나 좋을까.'

두 사람, 동시에 말이 없어진다. 이연의 부재가 뼈저리게 아
프다.

#16   내세 출입국 관리 사무소 (낮)
노파가 누군가와 통화 중이다. 떡볶이 사 들고 오던 현의옹이
듣고 있다.

노파   오라버니, 규정에도 예외란 게 있잖아요. (듣고) 아니 자살이 아
         니고 수천, 수만을 구하고 지가 희생한 거라니까? (버럭) 아, 저
         승 시왕이 열이나 되는데 그거 하나 못 해 줘? 염라대왕 자리
         가 뭐 핫바지야?! 여보세요? (전화 끊겼다) 오빠! 오빠?! 젠장!
현의옹   (그런 아내를 토닥) 그만하면 됐어. 여보 할 만큼 했어.
노파   (열 받아서) 차라리 벽에 대고 얘기하는 게 낫지. 몇 번을 말해
         도 '유권 해석이 어쩌고 저쩌고' 똑같은 소리만 주구장창, 앵
         무새야 뭐야?
현의옹   그러다 벌 받아요!
노파   아니 어쩜 이렇게 융통성이란 게 없지?
현의옹   (피식)
노파   왜 웃어?

현의옹	자기 입에서 융통성이란 단어가 나오니까 좀 이상해서.
노파	까분다? 요새 좀 풀어 줬더니.
현의옹	(말 돌리는) 떡볶이 먹자. 이거 매운 맛 순한 맛 합친, 중간 맛 이다?

#17   한식당 우렁각시 (낮)

다른 날. 유리가 빈 식당에 혼자 앉아 있다. 뒤에서 들리는 기타 소리. 신주가 감미롭게 연주, 노래하며 나타난다.
노래 마치면, 감동한 듯 두 손으로 얼굴을 가리는 유리.

신주	(?!!) 우는 거야?
유리	(얼굴 가린 채로) 쪽팔려서 그래. 나 아는 척 하지 마.
신주	(이런 때에도 유리답다. 웃다가 진지하게) 유리 씨 나랑 결혼해 줘.
유리	!!!!
신주	(반지 내밀며) 여우는 평생 단 하나의 짝을 사랑해. 죽을 때까지 내 사랑 받아 줄래?
유리	(좋으면서 괜히) 딸랑 반지 하나 갖고 되겠어?
신주	(그럴 줄 알았다는 듯, 카드키 꺼내 들고) 아파트도 있어. 신축. 원하면 공동 명의나 유리 씨 단독 명의도 가능해.
유리	명의는 됐고, 객식구가 좀 딸려 갈지도 몰라. 그래도 상관없으면…
신주	(신나서) 허락한단 뜻이야?
유리	(도도하게) 네가 안 하면 내가 하려고 했거든? (하며, 반지 쏙 낀다)

꽃가루 뿌려진다. '축하합니다!!' 수오다. 귀찮은 얼굴의 이랑과 함께. 숨어 있던 우렁각시와 현의옹, 작가와 재환, 촬영 중인 지아까지 보이고.

이랑	알지? 기유리 눈에서 눈물 나면, 그날이 네 제삿날 되는 거야.
유리	이랑님…
이랑	(따뜻하게) 가. 그동안 내 옆에서 호의호식했으니까 신주 옆에서 개고생도 좀 해 보고. 네 백화점 부모는 정리했어. 너 안 기다리게.
유리	(뭉클한 얼굴로 이랑 껴안고) 이랑님, 저 잘 살게요.
재환	(신주에게 꽃다발 주며) 축하해요. 원장님.
우렁각시	오늘은 내가 한턱 쏠게.
신주	(벅찬 듯) 다들 너무 고맙습니다. 유리 씨 고맙고, 그리고 이 자리에 안 계시지만 이연님… (목메는) 우리 주례 서 주셔야 되는데. 고맙고 보고 싶고, (눈물 터져서) 같이 계셨음 얼마나 좋았을까.

지아가 그 모습 쭉 카메라에 담는다.
다들 우렁각시가 내준 음식 즐겁게 먹고, 마신다.

지아	(카메라로 현의옹 찍으며) 이연한테 하고 싶은 말 한마디 해 주세요.
현의옹	연아, 우리 할멈 드디어 담배 끊었다. 8할은 네 덕분이다. 나 구박하는 것도 좀 끊으면 좋겠는데. 그건 잘 안 고쳐진다.
우렁각시	와, 저걸 또 이르네?
지아	사장님도 한 말씀.

| 우렁각시 | 음… 이연님. 제가 인간인 농사꾼을 좋아하게 됐을 때, 세상 유일하게 저를 응원해 주셨죠. 본인도 그런 사랑을 했다면서. 그 아가씨가 지금, 되게 씩씩하게 이연님 기다리고 있어요. 꼭 다시 만나길 바랄게요. 저랑 (입구를 보며 미소) 서방님같이. |

하고 카메라에서 사라지면, 입구에 팀장이 와 있다.

팀장	(쇼핑백 건네는) 이거 드세요. 혜자 씨.
우렁각시	꿀떡이네?
팀장	좋아하시잖아요.

우렁각시가 팀장 데려와서 '잘생겼죠?' 인사시킨다. 현의옹이 '농사는 좀 지어 봤는가?' '갑자기 농사요?' 어리둥절한 팀장. 신주와 유리는 딱 붙어 있고. 이랑은 음식 묻은 수오 입 건성으로 닦아 준다.
재환이 든 카메라에, 다들 행복한 모습 사이, 쓸쓸히 웃는 지아 얼굴 클로즈업된다.

| 지아(N) | 이연의 빈자리가 쓰라린 날에도, 난 더 이상 울지 않았다. 내가 울면 이 이야기가 '진짜 비극'이 될까 봐. |

#18   거리 (낮→밤)
그로부터 몇 달의 시간이 흘렀다. 계절이 4월로 바뀌었다.

지아(N)	그리고 마침내 나의 구미호전이 완성되던 날, 거짓말처럼 이연에게서 기별이 왔다.

#19   지아의 집 (낮)
지아가 방에서 컴퓨터 작업하고 있다.

자막	**6개월 후**

영상에 '구미호뎐' 타이틀을 넣고 '끝!!' 시원섭섭하게 손을 턴다.

아빠	지아야 빨리 나와 봐!!
지아	왜??
아빠	급한 일이야. 얼른!!

지아가 아빠 따라서 나가면, 엄마가 초를 켠 생일 케이크 들고 있다.

지아	내 생일이야? 완전 까먹고 있었는데.
아빠	(목도리 둘러 주며) 이건 아빠 거. (자랑스레) 핸드메이드다 이거?
지아	고맙습니다. 우리 아빠 손재주 알아줘야 돼.
엄마	엄마가 좀 쫄리네. (쇼핑백 건네며) 난 공장 메이든데.
지아	(보면 손목시계다) 나 시곗줄 끊어 먹은 거 어떻게 알고?!
엄마	(아빠에게 미소로) 봤지?

구미호뎐   제16화 다시 쓰는 구미호전

지아	(거실 한쪽에, 부피 큰 선물 상자 보고) 저건 누구야?
엄마	**열어 봐.**

예쁘게 포장된 상자 뚜껑을 연다. '웨딩드레스' 들어 있다.

인서트   14화 48씬

곱창 집에서, 지아가 이연의 귀에 속삭인 얘기다.
'크리스마스는 나랑 보내. 그날은, 우리 같이 갔던 바닷가에
다시 가는 거야. 새해 첫 날엔, 우리 집 와서 엄마 아빠랑 같이
떡국 먹어야 돼. 그리고 내 생일엔 한 번도 받아본 적 없는 거
사 줘. 프러포즈 선물 같은 거.' '사 줄게.'
'이연이 보냈구나.' 깨닫고 지아의 안색이 싹 바뀐다.

지아	**이연이지?** (당장 뛰어나갈 듯) **이연 왔어?!!**
엄마	**아까 퀵으로 왔어.**
아빠	(편지 주는) **편지도 있더라.**
지아	(소중히 편지 끌어안고 울컥)

#20   신주의 신혼집 (낮)

신주가 방에서 나온다. 거실에 '신주, 유리 결혼사진' 걸려 있
는 신혼집. 소파에 이랑, 유리, 수오 나란히 앉아 TV 보고 있다.

이랑, 유리	(신주 보자마자 차례로) **밥 줘. 밥 줘.**

신주가 보면, 이랑이 질질 흘리며 과자를 먹고, 소파 밑에는 신던 유리 양말.

신주	하아… (물티슈로 닦으며) 소파에서 과자 먹지 마시라니까. 트레이 좀 받쳐서 드시고요.
이랑	(발로 미는) 비켜. 안 보여.
신주	(양말 주우며) 자기도 신던 양말은 빨래 통에 넣기로 했지?
유리	아, 깜박했다. (소파 밑에 처박아 둔 옷 꺼내며) 여기도 있어.
신주	어떻게 이 쓰리 샷에서 지 어지른 거 치우는 게 수오밖에 없냐고.
수오	('힛-' 자랑스럽게 웃는데, 배에서 꼬르륵 소리)

네 사람 식탁에 모여 앉아 밥 먹는다. 계란 없는 김치볶음밥에 된장국.

이랑	(핸드폰 게임하면서) 오늘 국이 좀 짜다?
신주	(부글부글한데 참고) 이랑님, 언제까지 여기 눌러 사실 거예요?
유리	그런 말이 어디 있어? 우리는 전부 한 세트야.
신주	다 좋은데, 내가 왜 내 명의 집에서 시집살이를 해야 되냐고.
이랑	야, 내가 김치 냉장고 주문했는데?
신주	진짜요?! 저번에 백화점에서 본 그거?!
유리	이랑님이 사 줬어. 오후에 배송 올 거야.
신주	(좋아 죽는) 사랑해요. 형님!!
이랑	(살짝 당황스럽다) 형님?
신주	이제부터 그냥 형이라고 부를게요.

유리	좋다. 이제 진짜 한 가족이 된 기분이야.

도도하게 밥 먹는 이랑 얼굴에, 슬며시 미소가 떠오른다.

#24	산책로 (낮)

이연과 함께 걷던 산책로 벤치.
지아가 무릎에 가방 올려 두고 편지 읽기 시작한다.

이연(N)	선물은 마음에 드니? 맘에 들면 좋겠다.

인서트

마지막 날, 이연이 숍에서 드레스 고르고 있다.
마음에 드는 드레스 찾았다. 신랑이 자신은 아닐 거란 예감에,
복잡한 얼굴.

이연(N)	'드레스 입은 넌 또 얼마나 예쁠까. 그 옆엔, 누가 서 있을까. 누가 됐든 좋은 사람이면 좋겠다'라고 쿨하게 말하고 싶은데 어떡하지? (장난스럽게) 나 얼굴도 모르는 그놈이 벌써 꼴보기 싫어.

집에서 편지를 쓰는 이연. 같이 '바닷가 갔던 사진' 옆에 놓여
있고. 담담히 써 내려가다가, 편지 위로 눈물방울 떨어진다.

이연(N)	나는 네가 좋았어. 네가 세상을 대하는 태도가 좋았어. 그 지

독한 운명을 등에 지고도 함부로 절망하지 않는 게 좋았고.
너와 커피를 마시거나, 잠든 네 모습을 보는 거, 나랑 걷던 세
상의 모든 길, 널 기다리던 시간들까지, 난 미치도록 좋았어.
(이내 깊고 조용히 운다.)

둘의 마지막 데이트 장면 스쳐 가고.

이연(N)   지아야, 나는 받침 없이 부드러운 음절로만 이루어진 네 이름
            을 부를 때마다 그렇게 설레곤 했어.

다시 현재. 울면서 편지 읽는 지아.

이연(N)   둘이 걷던 길을 이제 혼자 걸어가야겠지만, 익숙해질 거야. 잘
            해낼 거야. 우리 지아는 막 방사능 뚫고 자라는 쑥이니까.
지아   (미어지는) 아니야… 아니야.
이연(N)   그러니 이제 나를 보내 줘. 그래야 돼.
지아   싫어. 나 너 못 보내… (편지 끌어안고 펑펑 우는) 제발 내 옆에 돌
            아와 줘, 이연! 보고 싶어.

'꾹' 참았던 눈물을 쏟아 내는 지아 머리 위로, 그림처럼 때
아닌 눈발 날린다.

#22   신주의 신혼집 (낮)

구미호뎐   제16화 다시 쓰는 구미호전

이랑이 집을 나선다. 유리와 수오, '쪼르르' 현관까지 따라 나
와서.

수오   아저씨 또 구미호 형아 찾으러 가요?

이랑   야, 내가 구미호 소리 하지 말랬지?

유리   소식이 좀 있어요?

이랑   그냥, 되는대로 사람 아닌 것들 찾아서 두들겨 패 보는 거지.
      혹시 살려 낼 방법 아는 놈 있나.

유리   태워다 드릴게요.

이랑   됐어. 눈 와서 추워.

유리   빨리 오세요. 저녁은 넷이 삼겹살 구워 먹게.

수오   차 조심하고요.

기분 좋게 웃고 집을 나서는 이랑. 그게 '마지막'이 되리라고
는 꿈에도 모른 채.

#23   산책로 (낮)

눈 그쳤다. 지아가 편지의 여운을 안고, 정처 없이 걷고 있다.
걷다 보니 가방에 달아 놓은 '인형' 하나 보이지 않는다. 이연
이 뽑아 준 인형.
당황해서 주위 살핀다. 없다. 정신없이 왔던 길 되짚어 간다.
그런데 산책로에 아까는 보이지 않던 '간이 점집' 있고, 그 앞
에 인형 떨어져 있다. 인형 소중히 주워 드는 순간.

이랑	네가 왜 여기 있냐?
지아	(고개 들면 이랑이다. 얼른 눈물 훔치고) 어? 그러는 넌?
이랑	(어디서 한바탕 싸운 듯 아까보다 헝클어진 모습. 입가에 피 닦으며) 난 소문 듣고, 저 영감 만나러 왔지.

보면 '사주, 관상, 작명, 궁합' 써진 간이 천막 안에서
선글라스 너머로 씩 웃는 사내, 놀랍게도 '민속촌 점쟁이'다!!

#24   간이 점집 (낮)
플라스틱 의자에 앉아 점쟁이 독대한다.

이랑	(의심스러운 듯) 진짜야? 댁이 지옥 시왕 중 하나란 거.
점쟁이	오도전륜대왕. 흑암지옥을 다스리는 저승 10번째 왕이자 최후 심판자가 바로 나다. 니들 '내세'도 내가 정하는 거야.
이랑	(천막 가리키며) 이건 뭔데?
점쟁이	취미 생활. 검사겸사 이승 시찰도 할 겸. 자세 안 고치니?
이랑	(마지못해 꼰 다리 풀며) 혹시, 그 내세를 결정한다는 게 말야.
점쟁이	맞아. 환생이 내 소관이야.
지아	환생?!! 그럼 여기 오신 게, 이연 때문이에요?!!
점쟁이	유권 해석이 좀 애매하긴 한데… (자루에서 구슬 꺼내며) 내 쪽에 그놈 물건이 하나 있더란 말이지.
이랑	여우 구슬!!!
지아	그걸로 살릴 수 있어요?!!

구미호뎐 제16화 다시 쓰는 구미호뎐

점쟁이	김칫국 마시지 마. 삼도천에 있는 염라대왕 누이가 시왕들한테 죽자고 전화 테러를 하는 통에 오긴 왔는데, 우리 자선 단체 아냐. 둘 다 (고약한 미소로) 룰은 알지?
지아	가진 것 중에… '제일 귀한 물건'이랑 바꾸는 거, 맞죠? 할게요! 할 수 있어요! 이연이 돌아올 수만 있으면.
점쟁이	만에 하나 돌아온다 해도, 만날 수 없다면?
지아	네??
점쟁이	환생은 랜덤이야. 길이 어긋날 수도 있단 거지. 니들 죽은 뒤에 태어날 수도 있고, 니들이 아는 모습이 아닐 수도 있고.
지아, 이랑	!!!!!
지아	(잠시 고민하다 이랑을 보며) 난 상관없어.
이랑	(화답하듯 점쟁이에게) 거래, 시작합시다.
점쟁이	(예의 '모래시계' 탁 엎어 놓으며) 자, 이 모래가 다 떨어지기 전에 어디 내 마음에 쏙 드는 물건을 내놔 보거라.

#25	내세 출입국 관리 사무소 / 안팎 (낮)

노파가 일하다 말고 자리에서 벌떡 일어난다. 현의옹이 깜짝 놀라서.

현의옹	왜 그래요?!
노파	오도전륜대왕이 왔어. 4월에 웬 눈인가 했더니 드디어! 드디어 왔구나! (하며, 밖으로 뛰어나가는)

현의옹이 따라 나간다. 노파가 눈을 감고 하늘 올려다본다.
뭔가를 헤아리듯.
어디선가 '까마귀 울음소리' 들린다.

현의옹   까마귀가 우네. (하다가, 불길해진) 삼세번!!
노파   (무섭게 굳은 얼굴로) 손님이, 상복을 입는다. 또 초상이 나겠어!!

#26   간이 점집 (낮)
         지아와 이랑 긴장한 기색 역력하다. 침묵을 깬 건 지아다.

지아   제가 할게요.
점쟁이   말해 봐.
지아   저한테 제일 소중한 건 이연인데, 이연은 이제 없고 남은 건 이연
         과의 추억, 이연에 대한 기억뿐이에요. 제 '기억'을 팔겠습니다.
점쟁이   (단칼에) 난 기억은 안 사. 안 그래도 머릿속이 대도서관이라.
지아   (당혹스러운데)
점쟁이   그런 거 말고, 그놈한테 받은 거 중에 값진 거 있잖아.
지아   (??) 뭐든 드릴게요. 알려만 주세요.
점쟁이   이를테면, 네 남은 수명이라든가.

         '쿵!' 지아 눈빛 흔들린다. 하지만 이번이 이연을 구할 마지막
         기회다.

지아	제가 목숨을 바치면, 이연 환생할 수 있어요?
점쟁이	(구슬 들어 보이며) 목숨은 목숨으로. 그건 두말할 여지가 없지.
지아	(결심했다. 단호히) 드릴게요. (하자마자)
이랑	야!!! 그 따위로 목숨 막 내버리라고 이연이 너 살린 줄 알아?! 그놈 죽음은 뭐 개죽음이냐고!! 이 한심한 새끼야!
점쟁이	그럼, 네가 내놓을래?
이랑	그래… 어차피 훔친 수명, 별로 아까울 것도 없다.
지아	야!!
이랑	넌 빠지고!
점쟁이	(시니컬하게) 헌데 넌 삶에 미련이라곤 한 톨도 없던 놈이 아니냐? 그런 네 목숨이 과연 가치가 있을까?
이랑	(낭패다. 살짝 일그러지는데)
점쟁이	일단 감정을 해 보자꾸나. (돋보기로 이랑 빤히 훑다가) 어라? 너 가족이 생겼구나. 인생이 꽤 소중해지기 시작했어.

흔들림 없는 이랑. 지아가 긴장해서 지켜보는 가운데.

점쟁이	(돋보기 내려놓고) 통과. 거래 성립이다. (하고, 곧바로 지팡이로 이랑을 톡 치려는데)
이랑	(다급히) 잠깐만!! 아직 시간 남았잖아! ('모래시계'의 모래 3분의1쯤 남았다) 인사 정도는 하게 해 줘.

#27   거리 / 간이 점집 안팎 (낮)

이랑이 핸드폰 손에 쥐고, '모래시계' 바라본다! 시간 위태롭다!
점집 앞에서 지아가 애타게 유리 일행을 기다린다!
신주가 차 세우자마자 유리가 뛰쳐나간다! 미친 듯이 내달린다!
'모래시계'의 모래 거의 다 떨어졌다!
유리가 울면서 '이랑님!!!' 수오를 안고 뒤따라 달리는 신주!!
멀리서 유리 목소리 들린다. 이랑이 미소 짓는다. 그 눈에 눈물 고여 있다.
동시에 '모래시계'의 모래 다 떨어진다!
점쟁이 손에 든 여우 구슬 '빛'으로 사라진다!
유리 도착했다! 간이 천막도, 이랑도 온데간데없다!
지아가 혼자 남아 '이랑의 핸드폰' 건네주면!
무너져서 절규하며 우는 유리!!
바닥을 구르는 이랑의 핸드폰에, 네 사람 가족사진.
뒤이어 도착한 신주 눈물 훔치고, 수오가 '와앙' 무음으로 우는 모습에서.

#28   들판 (낮)

봉분 없는 무덤에 단출한 나무 묘비 꽂혀 있다.
묘비에 여우 그림, '이랑의 무덤'이다.
지아와 신주 일행, 우렁각시가 모여서 빈 무덤에 흰 소국 놓는다.

#29   몽타주

이연의 집. 침대에서 이연의 옷가지 어루만지는 지아.

15화에서 데이트 했던 공원. 지아가 벤치에 홀로 앉아 아이스 크림 먹고 있다.
옆에 앉은 커플 다정해 보인다. 더욱 쓸쓸한 지아이고.

함께 갔던 바닷가. 지아가 혼자 걷고 있다. 하염없이 이연을 기다리며.
그렇게 고통스럽게 시간 경과되면.

#30   들판 (낮)

이랑의 무덤에 전에 없던 '진달래꽃' 가지 하나 놓여 있다!!!

#31   방송국 / 앞 (밤)

퇴근 시간. 갑자기 소나기 쏟아진다.
회사 나서다가 주춤하는 지아. 우산이 없다.
도리 없이 가방으로 비 막고 뛰려는데, 누군가 붙잡는다. 2화의 청경(불가살이)이다.

청경 (우산 건네며) 피디님, 이거 쓰세요.
지아 (보면, 이연의 빨간 우산이다!!) 이 우산… 어디서 났어요?!

청경	글쎄요? 누가 저희 팀에 맡기고 갔다던데. 피디님 전해 주라고.
지아	(마음 급해서) 언제요?!!
청경	(시계 보고) 제가 교대하기 전이니까 한 5분 됐나?

곧바로 뛴다!! 혹시 모를 이연의 흔적을 찾아서!
비슷비슷한 우산 속, 이연으로 보이는 남자의 뒷모습 보인다!
설마?!!
달려가서 '이연!!' 외치며 남자를 붙든다! 하지만 돌아본 그
얼굴, 이연이 아니다. '죄송합니다.' 사과하고 남자 놔준다.
절망해서 그 뒷모습 망연히 보다가, 돌아선 그 순간!
몇 걸음 떨어진 곳에서 우산을 쓰고 지아 마주 보고 있는 것!
'이연'이다!!!
둘 다, 그저 벅찬 얼굴로 그 자리에 못 박혀 있다가!!

이연	(다정하게) 비 맞고 다니지 말라니까.
지아	('꿈인가.' 울컥해서) 이연? 진짜 너야? 누가 둔갑한 거 아니고, 꿈 아니고, 진짜?
이연	(끄덕)
지아	(애타게) 근데 왜 거기 그러고 있어? 왜 나한테 안 달려와?!
이연	나, 이제 예전의 내가 아냐.
지아	(미칠 것 같다) 무슨 말이야 그게?!
이연	나 이제 못 날아. 네가 높은 곳에서 떨어지면 안아 줄 수가 없어. 네가 가는 길이 어두워도, 반딧불 못 켜 줘. 맞으면 아프고, 찔리면 다치고, 너한테 해 줄 수 있는 게 아무것도 없어서…

곧장 달려가서 이연을 끌어안는 지아!!

지아 　상관없어! 아무 상관없어 그런 건!

이연 　'사람'이 돼 버렸거든.

지아 　사람?!!!!

이연 　(미소로 끄덕)

지아 　(꽉 끌어안고) 너 이제 큰일 났다. 내가 죽을 때까지 안 놔줄 거거든.

이연 　(우산 놔 버리고 안아 주는) 보고 싶었어. 다시 널 못 볼까 봐 미쳐 버릴 것 같았어.

　　　빗속에서 울며 서로를 벅차게 끌어안는 두 사람. 이번에는 기쁨의 눈물이다.

#72 　이연의 집 (밤 → 낮)

　　　이연이 수건으로 지아 머리를 말려 준다.

지아 　어떻게 한 거야?

이연 　응?

지아 　난 6개월도 6년 같이 보냈는데, 넌 어떻게 600년을 기다렸니? 기다리는 것도, 하다 보면 스킬이 생기고 익숙해지고 그러나?

이연 　기다림이 익숙해진 게 아니고, 너랑 헤어지는 게, 죽어도 익숙해지지 않는 거지.

지아 　나도 너같이 씩씩하게 기다리려고 했는데, 사소한 것들이 막 사람 발목을 잡고 쓰러트리더라.

이연   뭐가 그렇게 널 괴롭혔어?

지아   예를 들면, 네가 나를 바래다주던 어떤 날의 밤공기. 우리 집 밥통에서 나는 취사 알림 소리. 산책할 때 잡아 본 네 손이 참 따뜻했다던가 하는 되게 사소한 기억.

이연   (지아 손을 잡고) 그래서 이번엔 네가 나를 찾아낸 거야. 찾아 줬어.

지아   (새삼 손 어루만지며) 이거 이제 '사람 손'이네.

이연   (아직 조금 낯선 듯) 사람의 몸이야.

지아   (짧게 입 맞추고) 사람 입술이고.

꿈결처럼 마주 보다가, 이번에는 이연이 지아를 '와락' 끌어당긴다. 아름답게 입맞춤 하는 두 사람.
아침이 밝았다.
이연이 지아가 만든 영상을 보고 있다.
그리운 얼굴로, 영상 속 '이랑' 모습에 눈을 떼지 못한다.

#33   동물병원 / 앞 (낮)

신주가 아나스타샤 산책시키고 오는 길.
울컥해서 보면, 신주를 기다리던 이연이 양팔을 활짝 벌린다.
미친 듯이 달려가 이연한테 안기며 '이연님!! 이연님!!!'

#34   신주의 신혼집 (낮)

이연이 신혼집 둘러본다. 결혼사진에 시선 머문다. 신주가 차를 내오면.

이연   집은? 좀 살만하고?

신주   말도 마세요. 아파트 안에 없는 게 없어요. 사우나에, 헬스장에, 인프라 대비 가격이 좀 저평가된 거 같아. 심지어 더블 역세권인데.

이연   (어이없는 듯 피식) 명색이 여우란 놈이 가지가지 한다.

신주   (자랑스럽게) 저 여기 입주자협의회 총무거든요.

이연   총무님은 나 없으니까 어때? 내 소중함을 확실히 깨달았나?

신주   신혼 생활에 푹 빠져서 안 계신 줄도 몰랐잖아요.

이연   갈래. 괜히 살아왔어.

신주   (애교 있게 잡고) 농담이에요.

이연   나 사람 된 후로 감정 기복 심하니까 조심해 줘. 태어나서 처음으로, 일등감이란 걸 맛보고 있는 중이야.

신주   그런 얼굴로 열등감 소리 하면 사람들한테 돌 맞아요.

이연   흥!

신주   잘 돌아오셨어요. 우리 다들 각자의 방식으로 이연님 죽음을 견디고, 또 기다렸어요. 가끔은 징징대고 서로 기대기도 하면서.

이연   (시큰해서) 랑이는?

신주   이연님 돌아가신 후엔 완전 폐인이었어요. 한 날은 밤새도록 우셨고. 합가한 뒤론 좀 나아졌는데, 꾸준히 형 찾으러 다니시더라고요.

이연   (마음 찢어지는데) 걔 어떻게 갔니? 가는 모습은 봤니?

신주	(안타깝게 고개 내젓는)
이연	혼자 무서웠을 텐데… 생긴 거랑 다르게 겁이 많은 놈이잖아.
신주	(대답 대신, 이랑 핸드폰 건네며) 이랑님 전화기에요. 보세요.

#35   **이연의 집 (밤)**

이랑의 핸드폰. 사진은 몇 장 되지 않는다. 바탕 화면이 된 넷의 가족사진. 이랑과 유리, 소파에서 배달 음식 먹는 모습. 몸에 스티커 붙은 채 수오한테 시달리는 모습 등.
하나뿐인 동영상 터치하면, 이랑이 남긴 메시지다.

인서트

점집에서 핸드폰 화면에 등장하는 이랑. 옆에 '모래시계' 흐르고.

이랑	나다. (담담하게) 나 곧 죽어. 이럴 때 네가 있으면 당장 나 구하러 달려올 텐데, 어디 비벼 볼 데도 없고. 망했어. 그러니까 너도 내 라이브 유서 보는 기분 어디 한번 똑같이 느껴 봐라 이놈아.
이연	(아프게 웃는)
이랑	임종 직전엔 꽤 거창한 기분이 들 줄 알았는데, 난 네 말대로 쉽게 포기하는 캐릭터라 그런가 그냥 시원섭섭한데? 그러니까 추잡하게 울고 짜고 그러지 마. 난 너 없어도 한 번도 안 울었다. 술이나 좀 퍼먹었지.
이연	거짓말…

이랑	되게 오랫동안 너 괴롭혔는데, 사과는 안 할래. 네가 더 나쁘니까. 과일 하나를 나눠 먹어도 넌 큰 것만 나를 줬어. 계란에 집착하는 거 뻔히 아는데, 나한텐 항상 계란 양보해 줬지. 그렇게 길들여 놓고 사랑 찾아 가 버리면 내가 삐뚤어져, 안 삐뚤어져?
이연	(그리운 얼굴로) 바보 같은 놈.
이랑	난 독도 새우로 다시 태어날 거야. 혹시 모르니 새우는 먹지 마. 너도… 꼭 다시 태어나라. 되게 못 생긴 얼굴이면 좋겠어. 그래도, 할 수 있으면 꼭 다시 만나자… (눈물 핑 돌아서) '형'

머리 굵어지고 처음 듣는 '형' 소리. 이연이 소리 없이 운다.
지아가 와서 이연을 꼭 안아 준다.

이연	따뜻한 말 한 마디라도 해 줄 걸… 한 번도 못 해 줬어.
지아	이랑은 다 알고 있었어. 네가 말 안 해도.
이연	동생이라고 딱 하나 있는 거 맨날 혼내기만 하고. 내가 너무 미안해서…

#36   거리 (낮)

수오가 책가방을 메고 땅만 보고 걷는다. 또래 남아 둘이 쫓아가며.

남아1	김수오! 너 엄마, 아빠 없지? 너네 엄마 도망갔다며.

수오	아냐…
남아1	얘 집도 거지집이다? 내가 같은 반일 때 봤어.

수오가 상처받은 얼굴로 오도 가도 못 하는데, 한쪽에서 경적
소리 들린다.
이랑이 몰고 다니던 빨간 외제 차. 유리가 쫙 빼입고 내린다.
'수오야! 집에 가자!!' 수오가 신나게 달려가 유리 손잡으면.
유리가 '어떠냐? 타이밍 죽이지?'
차에 오르기 전, 애들 돌아보며 씩 웃는 수오.
이연이 그들 뒷모습 보고 있다.

이연(N)	이랑의 의도치 않은 봉사 활동은 의도치 않게, 세대를 이어
	가고 있다.

#37	들판 (낮)

이연이 이랑 무덤에 와 있다.

이연(N)	여전히, 조금 삐뚤어진 방식으로 누군가를 사랑하면서.

그리운 얼굴로 묘비의 여우 그림 어루만진다.

#38	내세 출입국 관리 사무소 (밤)

다른 날. 이연이 보자기 선물 상자 들고 찾아왔다.

'연아!!!' 보자마자 환하게 맞는 현의옹과 달리, 노파는 고개를 돌린다. 울지 않으려고 입술 '꽉' 물고 있다. 노파에게 다가가서.

이연	보고 싶었어. 할멈.
노파	청승 떨지 마라. 촌스럽게.
이연	나 살리려고 빽 좀 썼다며?
노파	(천연덕스럽게) 내가?
현의옹	못해도 전화 200통은 족히 넣었을 걸? 오빠한텐 번호 차단 당했잖아.
이연	막상 해 보니까 나 없이 못 살겠지?
노파	꺼져.
이연	안 그래도 곧 꺼질 거야. 내 얼굴 보는 거 오늘이 마지막이다?
현의옹	왜 또?!!
이연	지 이제 여기 못 와요. 사람이잖아. 사람들이랑 어울려 살아야지.
현의옹	그럼 당신은 연이 죽어서야 보겠네.
노파	재수 없게 죽는 소리 왜 해?! 이게 어떻게 살아 돌아왔는데.
이연	그동안 망나니 같은 나, 많이 예뻐해 줘서 고마워. 지아 다시 태어날 때까지, 할멈이 하도 부려 먹어서 정신줄 놓을 틈이 없었잖아. 할멈이 있어서, 나 여기까지 왔어.
노파	길은 네 스스로 만든 거다. 천방지축 날뛰면서도 넌 한 번도 정도(正道)를 벗어난 적이 없지. 그래서 산신 감이었던 거고.
현의옹	(따뜻하게) 잘 살아라. 사람으로 사는 게 생각만큼 녹록지는 않겠지만, 연이 넌 잘 해낼 거다.

이연	두 분 건강하십쇼. (현의옹에게 선물 건네고) 갈게요.
노파	(보내기 싫다) 잠깐만! 이왕 온 거… 떡볶이나 처먹고 가.
이연	그럴까 그럼?

이하, 셋이 도란도란 떡볶이 먹는 모습 위로.

이연(N)	할멈은 여전히 일중독으로 산다고 했다. 딱 하나 달라진 게 있다면 가끔, 부부가 밤을 새워 '죽은 아들' 얘기를 한다는 거. 아, 그리고 떡볶이는 '중간 맛도 먹을 만하다고 한다.

#39	공원 (낮)

공원에 돗자리 펴고 자리 잡은 이연과 지아.
이연이 준비해 온 도시락에 김밥, 과일 등 들어 있다.
사랑스럽게 지아 입에 넣어 준다. 그 손끝에 반창고 붙어 있다.

이연	(살짝 긴장해서) 어때?
지아	(신중하게 음미하다가) 합격. 소원대로 전업주부해도 되겠어.
이연	(그제야 활짝) 그거 쉬운 거 아니더라. 평생 검을 휘두른 손인데… (반창고 보여 주며) 단무지 썰다 손을 베일 줄이야.
지아	피 났어?!!
이연	(불쌍한 척) 철철…

지아가 손 붙잡고 입김을 불어 준다. 기분 좋게 그 모습 보다가.

이연	사람들은 다치면 꼭 이렇게 입김을 불어 주더라. 효과가 좀 있나?
지아	기도하는 거야. '빨리 새살이 돋게 해 주세요.' 하고.

마주 보고 미소 짓는데. 두 사람 옆으로 아이 하나, 발 동동거리는 것 보인다. 1화와 같이, 아이가 풍선을 놓쳤다.
이연이 손을 내민다. 하지만 그때와 달리 쭉 멀어지는 풍선이고

지아	방금 뭐 한 거야?
이연	(젠장) 잊어라. 넌 아무것도 보지 못했다.
지아	그거 나한텐 원래 안 통했거든요?
이연	아… 더 이상 멋있을 수 없으면 어떡하지?
지아	충분히 멋있어. '부상'을 입고도 이렇게 맛있는 김밥을 만들 수 있는 남자는 이 공원에서 너뿐일 거야.
이연	아무래도 그렇겠지?
지아	그리고 말이야. 풍선은, 손에서 놓쳤을 때 제일 에뻐 보이더라고. (하늘 가리키며) 봐 봐.

푸른 하늘로 멀어져 가는 풍선 보인다.
서로에게 기대 누워 다정히 하늘 올려다보는 두 사람.

지아	내가 만들었던 그 구미호전 말이야. 이제 제목 바꿔야겠다.
이연	벌써 바꿨어, 내가.
지아	뭘로?
이연	환생했더니 구미호가 아니라 그냥 미남이 돼 버린 남자에 관

하여.

지아	(!!) 제목은 손대지 말자.
이연	별로야?
지아	별로야.

마주 보고 웃음을 터뜨리는 두 사람 모습에서.

#40   한식당 우렁각시 (낮)

우렁각시와 팀장, 마당 텃밭 가꾸고 있다. 이연과 지아가 찾아왔다.

지아	(쪼그려 앉아서 구경하는) 뭐 심는 거예요?
팀장	완두콩. 아무래도 나 의외의 재능을 발견한 거 같다.
우렁각시	이 양반 손만 대면, 다 죽어 가던 식물도 벌떡벌떡 살아나잖아요.
이연	역시 전생의 프로 농사꾼.
지아	콩 심는 거 재밌겠다. 우리도 해 보자.
이연	난 손에 흙 묻히는 거 딱 싫어해. 차라리 피를 묻히고 말지.
팀장	여기 이렇게 작은 구멍에다 콩 3알 넣고 위를 덮으면 돼. 쉽지?
지아	왜 3알이에요?
팀장	글쎄다??
이연	너희 조상들이 그랬어. 한 알은 땅 주인인 벌레가 먹고, 한 알은 하늘의 주인인 새들이 먹고, 남은 한 알만 하늘과 땅을 빌

려서 농사짓는 사람이 먹는 거라고.

지아   (활짝 미소로) 원래 그렇게 다 같이 '노나 먹는' 거구나.

옹기종기 모여 콩 심는 그들 위로, 하늘 유독 푸르다.

#44   야외 모처 (낮)

어느 햇살 좋은 가을. 이연과 지아가 둘만의 결혼식 올린다.
꽃반지 하나씩 나눠 끼고.
나무와 꽃을 엮어 만든 '화관'을 지아 머리에 씌워 주는 이연.

지아   영원한 사랑. 뭐 그런 건 잘 모르지만, 넌 닭다리를 좋아하고 난
       닭가슴살을 좋아하잖아? 넌 계란 노른자를 선호하고, 난 흰자.

이연   ??

지아   따라서, 우린 같이 살기 '딱'이라는 거.

이연   치킨과 후라이로 사랑 고백을 하는 여잔, 네가 처음이야.

지아   (미소)

이연   우리가 이렇게 결혼이란 걸 하네.

지아   (얼굴 어루만지며) 드디어 '사람'이 됐고.

이연   재밌는 단어야. 사람. 그 받침에서 모서리 하나만 둥글둥글하
       게 갈고 닦으면 사랑이란 글자가 되더라고. 모난 데 많은 놈
       이지만, 그래서 사람은 좀 자신 없지만… (온 진심으로) 사랑은
       자신 있어.

그런 두 사람 위로, 어디선가 아름답게 꽃비 날린다.

#42   내세 출입국 관리 사무소 / 앞 (낮)
        노파의 어깨 주물러 주고 있는 현의옹. 그들 위로도 꽃잎 흩
        날린다.

현의옹   어? 이 가을에 웬 '꽃비'야?
노파   축하하는 거잖아. 옛 숲의 주인을 사랑하는 꽃과 나무와 바람이.
        잘 가라고, 신세 많이 졌다고

        따뜻한 눈길로 먼 곳을 보는 노파.

#43   야외 모처 (낮)
        신비로운 꽃비 속에서 뜨겁게 입을 맞추는 두 사람.

#44   이연의 집 (낮)
        두 사람 모습 동영상으로 바뀐다.

이연   엄청나게 잘생긴 구미호는 그렇게 오래오래 행복하게 살았
        답니다.
지아   어이, 내레이션 그 따구로 막 넣을 거야?

화면 넓어지면, 이연과 지아 침대에 누워 동영상 보며 웃고 있다.

이연   난 언론인 남편이라 팩트만 말해.
지아   (웃고) 앞으로 돌려 봐. 나 마이크 잡은 데부터.

편안한 자세로 영상을 보며.

이연   저때가 벌써 6년 전이라니 믿어지지가 않아.
지아   사람의 시간 참 빠르지?
이연   그러게.
지아   우리 아기 가질까?
이연   난 무조건 좋은데 고민이 하나 있어.
지아   뭔데?
이연   우리 딸이 나 대학 안 나왔다고 무시하면 어떡해?
지아   대학보다 훨씬 멋있는 거 했다고 말해 주면 되지.
이연   뭔데?
지아   네 아빠가 엄마를 구하고, 아무도 모르지만 세상을 구한 적도
       있다고.
이연   (따뜻하게 미소)
지아   근데 네 마음대로 딸이야?
이연   (시침 뚝) 내가 그랬나?

#45   동물병원 (낮)

이연이 신주와 함께 치킨을 먹으며 빈둥거리고 있다.

신주   솔직히 말해 보세요. 사람이 되니까 어때요? 구미호보다 좋아?

이연   마냥 좋을 줄 알았는데 생각보다 빡세더라. 뭐랄까, 삶의 변
      수가 되게 많은 일이랄까.

신주   변수라니요?

이연   (안경집 꺼내며 한숨) 나 난시래. 게다가 양쪽 눈 짝짝이. (두꺼운 안
      경 쓰면) 순식간에 못 생겨지는 마법을 경험했잖아.

신주   하하하!!! 지금 이 투샷으로는 제가 조금 더 나은 거 같아요.

이연   (단호히) 응, 그건 아냐. (안경 벗어 버리고) 문제는 시력뿐만이 아
      니란 거지.

신주   ??

#46   거리 (낮)
      이연과 지아, 웬일인지 서늘하게 대치 중이다. 싸우는 것처럼
      보이기도.

이연   아이스크림 먹으러 간다며? 날 속인 거니?

지아   속이다니? 먹기 전에 잠깐 들를 데 있다고 내가 말했잖아.

이연   거절한다.

      둘 앞에 '치과 간판' 보인다.

| 이연 | 내가 칼을 맞으면 맞았지 마취 주사 두 번은 못 맞겠어. |
| 지아 | (이연의 손목 꽉 잡고) 따라와. 착하지? |

고집스럽게 버티다가 끌려가는 이연.

| 이연(N) | 신경 치료는 말 그대로 생지옥이었다. 사람으로 산다는 건, 의외의 통증과 싸우는 일이었다. |

#47   이연의 집 (밤)

지아가 퇴근했다. 이연이 분주하게 움직이며 청소 중이다.

지아	자기야 나 왔어.
이연	오늘도 고생했어. (볼에 입 맞추고 다시 청소)
시아	뭐 해?
이연	삶이 100년도 안 남았잖아. 더 열심히 살아야 돼. 1분 1초를 아껴서.
지아	(킥킥)

잠시 후. 둘이 라면 먹고 있다.

이연	맛있어?
지아	난 여보가 끓여 준 라면이 제일 맛있더라. 소주 있어?
이연	당연히 준비했지.

둘이 잔 부딪치고, 시원한 소주를 들이켠다.

지아   어때?
이연   캬. 이게 딱 사람 사는 맛이지.

두 사람, 바라던 대로 여느 평범한 부부와 같다.

#48   공원 (낮)
공원에서 남자아이 하나 '쪼르르' 뛰다가 넘어진다.
울먹울먹 하는데, 이연이 가볍게 아이를 안아 올린다.
아이를 마주한 이연의 만면에 따뜻한 미소.
아이는 '이랑의 어린 시절'과 같은 얼굴이다.
이연이 다정하게 신발 끈 묶어 준다.
젊고 예쁜 엄마가 '상범아!!' 하고 뛰어와 '감사합니다.' 인사
한다. 다정하게 엄마 손잡고 가는 아이의 뒷모습을 보며.

이연   자식, 결국 독도 새우는 못 됐나 보네.

종종거리며 가던 아이가 뒤돌아 손을 흔든다. 이연이 '씩' 웃는다.

#49   방송국 / 앞 (낮)
지아의 퇴근길. 이연이 차로 데리러 왔다.

지아	나 오늘 경찰서 갔다가 좀 이상한 사람 봤다?
이연	무슨?
지아	하회탈 가면을 쓴 노인인데, 탈이 얼굴에서 안 벗겨지더라고. 꼭 얼굴에 붙어 버린 거 같이.
이연	하회탈? (잠시 생각하다가 다급히) 혹시, 새똥 같은 거 밟았어?!
지아	(??) 새똥은 아니고. 껌을 밟기는 했는데…
이연	젠장!!
지아	왜?!
이연	그놈 '삼재'야.
지아	삼재?!!
이연	(끄덕)

둘을 태운 차, 시원스레 도심 내달린다. 1화 첫 내레이션 받아서.

지아(N)	어쩌면 이 세싱엔 우리가 모르는 존재들이, 우리와 디불이 살아가고 있는지도 모른다. 항간에 떠도는 숱한 도시 괴담이야말로, 그것들의 다른 이름 아닐까.

운전하는 이연의 옆얼굴 새삼스럽게 바라보며.

지아(N)	나는… '세상의 비밀'을 엿본 적이 있다.

#50   이연의 집 / 테라스 (밤)

이연이 테라스에서 야경을 바라보고 서 있다.
머리 위로 보름달 걸려 있다. 지아가 뛰어내렸던 그 밤처럼.
그 위로.

이연(N) 사람으로 산다는 건, 인생이 '처음이자 마지막인 것들'로 가
득해진단 뜻이다. 첫눈, 첫 걸음마, 첫 소풍, 첫 신경 치료.

돌아보면, 테라스로 나오는 지아 모습 보인다.

이연(N) 그리고 '영원히' 나의 첫사랑.

겉옷 벗어서 지아 어깨에 둘러 주고, 상냥히 어깨 감싸 안는다.
기어이 운명을 바꾸고, 엔딩을 바꿔 버린 연인, 사랑스레 서
로를 바라보면서.

16화 끝

이연의 집 (밤)

지아가 침대에 고이 잠들어 있다. 옆자리의 이연이 보이지 않
는다.
의미심장한 표정으로 '우산' 챙겨 들고 집을 나서는 이연.

골목 (밤)

잠시 후, 이연이 누군가의 앞을 가로막으며 나타난다.

이연   (검을 뽑아 들고) 네가 '삼재'렸다?

그런 이연의 눈, 찰나 구미호처럼 빛난다!!

구미호전은 끝났지만, 도시 곳곳에 인간의 모습을 하고 숨어
든 저 '옛 것들'의 이야기는 아직 끝나지 않았단 듯이.

그리고 '이연의 이야기'도.

구미호뎐 _illustration

여우고개에서 생긴 일

나는 너를 기다렸다

용왕님의 비밀

상문살

나도, 너를 기다렸어

사주팔자

윤회의 덫

환생

어둑시니

데자뷔

꽈리

꼬리잡기 놀이

또 하나의 이무기

Dead End (막다른 길)

'그대'라는 운명

다시 쓰는 구미호전

구미호뎐 하권

초판 1쇄 발행	**글**	**펴낸이**
2023년 6월 2일	한우리	백영희
초판 2쇄 발행	**삽화**	
2023년 6월 12일	박경지	

펴낸곳	**주소**	**전화**	**팩스**
㈜너와숲	04032 서울시 금천구	02-2039-9269	02-2039-9263
	가산디지털1로 225		
	에이스가산포휴 204호		

등록	**ISBN**	**정가**	ⓒ 한우리
2021년 10월 1일	979-11-92509-67-9(04680)	22,000원	
제2021-000079호	979-11-92509-65-5(세트)		

이 책을 만든 사람들	**편집**	**제작처**	**디자인**
	전혜영	예림인쇄	글자와기록사이
	마케팅		
	배한일		

나도, 너를 기다렸어.

구미호뎐

이요

ㅇ 믐어ㅂ

나

때문에   죽지 마.

구미호뎐

Always be
Happy —

(주)설렘은 심야미 주세요
믿 듬음씨 재밌오 개봉급씨다 ♥
늘 밝고 좋은 아빠
내꺼자 구 이러글 나꿔주시니깐 ::
(사랑하다 ♥ 정 많아 덩!)

두 번은

왜?　　　　못
　　　　하
　　　　겠
　　　　어?

죽이라니까? 그래야 네 여자가　　　　살아.

구미호뎐

김　복　_양이